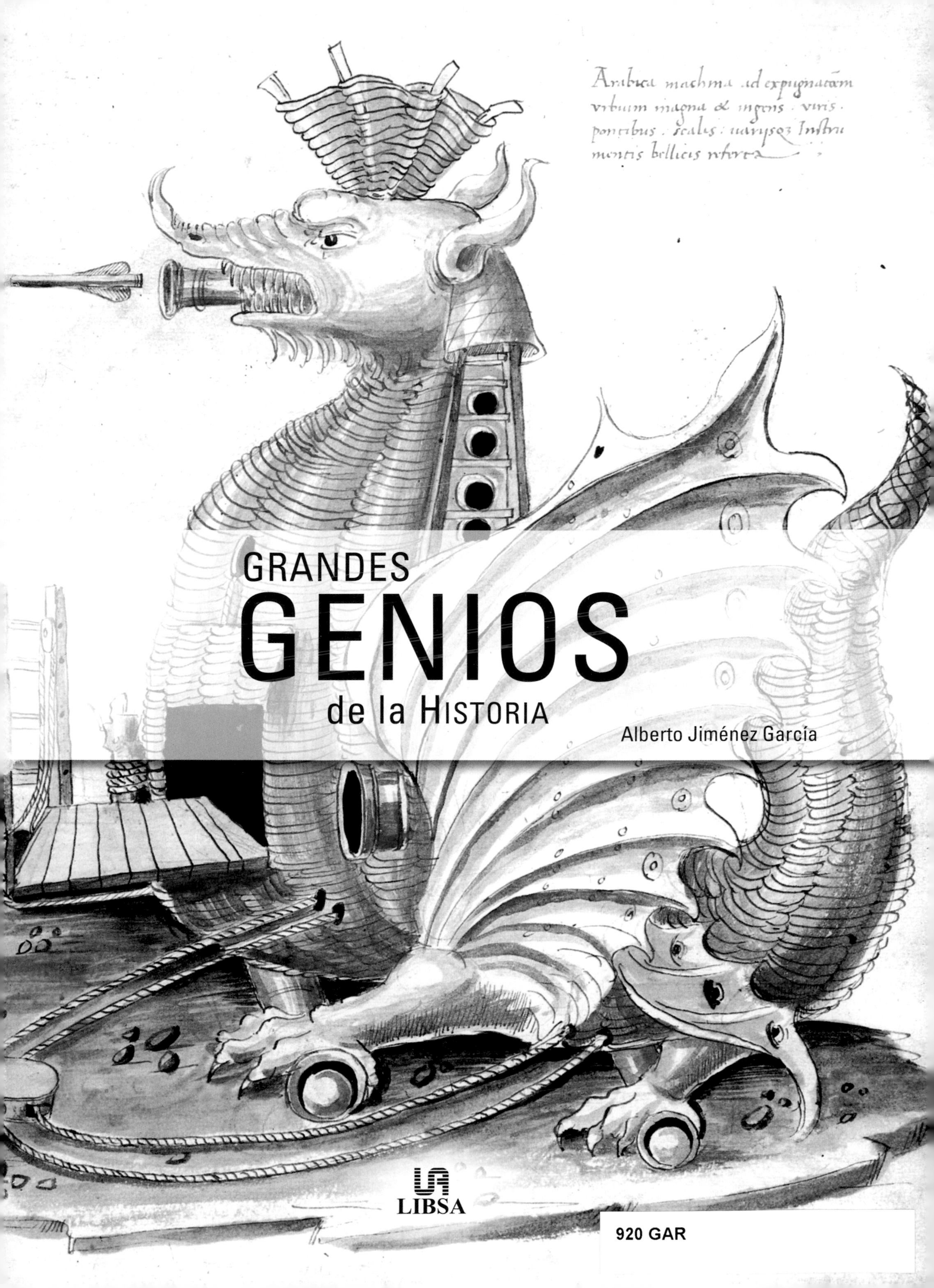

GRANDES GENIOS de la HISTORIA

Alberto Jiménez García

LIBSA

© 2019, Editorial LIBSA
C/ San Rafael, 4 bis, local 18
28108 Alcobendas. Madrid
Tel. (34) 91 657 25 80
Fax (34) 91 657 25 83
e-mail: libsa@libsa.es
www.libsa.es

ISBN: 978-84-662-3881-6

Ilustración: Shutterstock images y Thinkstock
Textos: Alberto Jiménez García
y equipo editorial LIBSA
Edición: equipo editorial LIBSA
Maquetación: equipo de maquetación LIBSA
Diseño de cubierta: equipo de diseño LIBSA

DL: M 36751-2018

Contenido

Introducción

Este es un gran libro porque habla de grandes hombres y mujeres, quizá los más admirables desde que habitamos el planeta. El genio de la humanidad no puede resumirse en 63 nombres; lo sabemos, tanto como el lector, así que no es esa, por supuesto, nuestra intención. ¿Es que hay alguna? No hay libro sin ella, aunque sea oculta, dudosa o peregrina. La que nos trae aquí es tan humilde como diáfana. Amén del entretenimiento –santo patrón–, nos mueve reconocer a los mejores de entre los nuestros, el género humano.

Si bien suele decirse que el progreso es una línea ascendente y continua, la lupa nos acerca a otra realidad. Al microscopio se nos presenta irregular, quebrada, con forma de escalera; en ocasiones, podemos ver hasta retrocesos, como si la línea retase a su destino. Esa visión aumentada –que no es otra cosa que el estudio de la Historia– revela que no hay que dar el progreso por descontado. No es inevitable. No existe una línea con un destino; solo hombres y mujeres que se elevan sobre lo que han recibido. Puede que esté en nuestros genes el ir más allá; pero genes tenemos todos. Lo que hace falta es que esos genes muten en genialidades.

Aquí traemos a 63 congéneres que nos han ayudado a estar donde estamos. Querido lector crítico: no es el momento de ponerse puntilloso con la especie. Es cierto que podríamos estar mejor, que nos sobra belicosidad y nos falta compasión, pero también podríamos existir sin la *Mona Lisa*, sin la *Novena* de Beethoven o sin Internet, lo cual sí que resultaría verdaderamente imperdonable. Dijo Nietzsche –uno que no está por aquí, pero al que, como tantos otros, no le negamos la ciudadanía– que «la vida sin música sería un error». Pues también sin el principio de Arquímedes, o sin la jaula de Faraday.

Una cosa que el lector aprenderá de este libro –sin querer ser demasiado presuntuosos– es que el progreso no viene de la nada. Nadie se levanta una mañana y dice: voy a inventar la radio. Ni siquiera un escritor –pongamos que colombiano– decide un día fabular con un tono de realismo mágico. Todos los genios –todos– han leído antes, todos han estudiado, todos se han inspirado. Decía Jorge Luis Borges que todo genio crea sus precedentes. «Si he visto más lejos es porque estoy sentado sobre los hombros de gigantes», escribió Isaac Newton. Se necesitan sólidos pilares para avanzar, y esos pilares pueden ser unos padres atentos, un profesor de primaria dispuesto a azuzar el ingenio, o un jefe sin reflejo de Semmelweis (ver página 78).

Sobre prejuicios gigantes han tenido que pasar muchos de nuestros invitados. Sobre todo, ellas. En esta colección aparecen solo cuatro y somos conscientes de la desproporción, que no hace más que reflejar el estado de las cosas hasta bien entrado el siglo xx, e incluso hoy. Las mujeres lo han tenido más difícil –si no completamente imposible– para acceder al aprendizaje y al desarrollo de sus habilidades. Luminarias como Marie Curie, Virginia Woolf, Virginia Apgar o Frida Kahlo son solo la punta de lanza de lo que está por llegar. En otro volumen de esta colección hemos agrupado a las mujeres más influyentes en cualquier disciplina, o por su relevancia social, a lo largo de la historia. Confiamos en que el siglo xxi arroje un reparto equilibrado de benefactores de la humanidad.

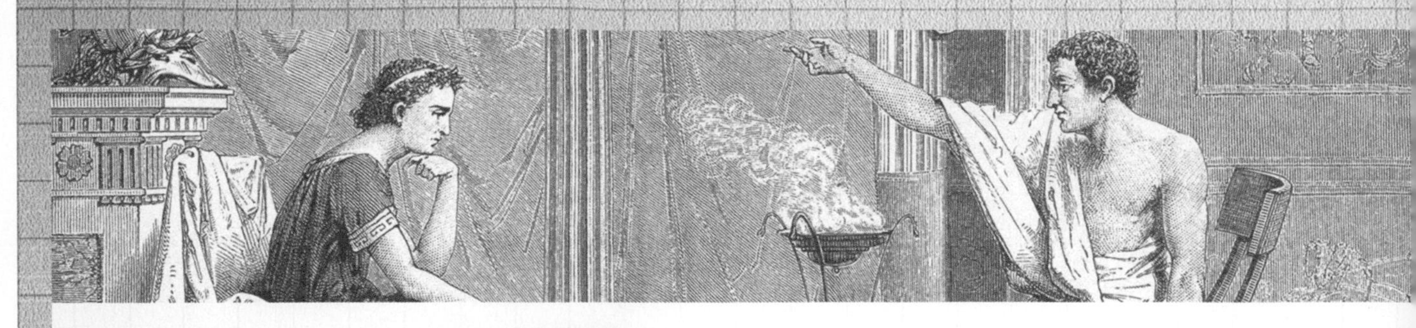

Otro sesgo que encontraremos en estas páginas es el origen. Desde la Antigüedad hasta casi nuestros días –y aquí la globalización es clave–, un tupido «telón de acero» separaba Europa de Asia, Occidente de Oriente; con otras partes del mundo, directamente, había un muro de hormigón. Es sabido que en China, en Japón, en Persia, etc., hubo avances parejos, cuando no superiores, a los que se daban en Europa, en especial durante el medievo. Sin embargo, esa pesada cortina ha provocado que en esta parte del mundo no se conozca bien el origen de dichos avances. ¿Es cierto que hubo una imprenta en China antes que la de Gutenberg? No queda claro, y es verdad que, para la sociedad occidental de entonces, poco afectó. No podemos despegarnos de esta visión *eurocentrista*; y, sin embargo, animamos a conocer la apasionante historia de esos personajes geniales que habitaban en un mundo, entonces, muy lejano.

Así que, ¿quiénes son estos genios y por qué están aquí? Para gustos, los genios, podríamos exculparnos. Resulta evidente que cada lector tiene sus favoritos, ya sea por logros o personalidad. Los aquí presentes lo hacen por unas aportaciones que afectaron al devenir de sus congéneres, en su tiempo y más allá. En una fórmula matemática: antes de ellos, la humanidad valía x; tras ellos, $x + y$.

Por lo general, y este libro no es una excepción al respecto, suelen ser los científicos e inventores los que más influyen en el camino de la sociedad, ya que sus descubrimientos cambian el paso a millones de personas, haciendo posible lo que antes era un sueño o, simplemente, no se concebía; o, mejor aún, permiten que estén vivos los que en su ausencia estarían muertos, o ni siquiera habrían nacido. Pero el arte también salva vidas, o, simplemente, les da sentido. «La belleza salvará al mundo», decía un personaje de *El idiota* de Dostoyevski. Por eso, en esta recopilación también incluimos una serie de autores –filósofos, escritores, músicos, pintores– que afectaron con su maestría a sus sucesores, además de permitirnos una vida más plena y gozosa.

Así, nadie se extrañará de la presencia de personajes como Pitágoras, Aristóteles o Arquímedes; ninguno de ellos coincidió en vida, pero son tres estandartes del saber clásico griego, de donde proviene el germen de la sociedad occidental. En esa época –y por mucho tiempo– el conocimiento se presentaba fundido en una sola disciplina: la filosofía natural. Cierto es que había menos que

conocer, pero porque la madeja del saber estaba comprimida y fueron hombres así los encargados de encontrar los cabos. Sabios como ellos son la «zona cero» del Big Bang científico que ha experimentado desde entonces la humanidad. El pensamiento científico y filosófico de Aristóteles, por ejemplo, fue el santo y seña de Occidente durante dos milenios. La capacidad inventiva de Arquímedes era el arma más letal que cualquier ejército podía poseer.

La Edad Media fue una época oscura, un paréntesis que se tomó el conocimiento, cercado por el dogmatismo religioso. Y los estudiosos coinciden en señalar que esa estolidez empezó a romperse cuando se reivindicó el pasado clásico –el Renacimiento, como lo denominó Vasari– y cuando esas inquietudes pudieron publicarse más allá de los límites de los monasterios –cuyos copistas eran involuntarios guardianes del saber; y ahí entra Johannes Gutenberg, un esforzado emprendedor –el oficio de impresor todavía no se había inventado–, que con sus conocimientos de orfebrería puso en marcha un negocio que acabaría por encender la espoleta del saber.

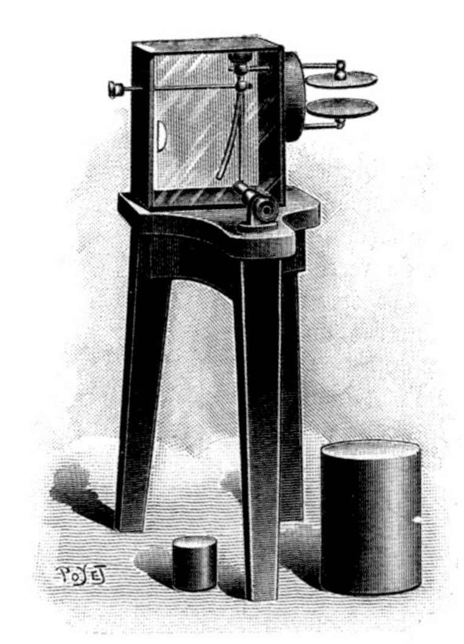

Sin embargo, un genio como Leonardo no confió ninguno de sus múltiples saberes a los impresores. Parece que no confiaba en aquellos tipos móviles, lo cual no es obstáculo para considerarlo genio entre los genios, ya que nunca antes –y mucho menos ahora, cuando el saber se ha especializado tanto– se conoció a alguien con tanta maestría en tantos campos distintos.

El Renacimiento alumbró la Revolución Científica, que es como se llama a la aparición de la ciencia como verdadero motor del conocimiento. Fue un proceso largo y al que el conservadurismo religioso –cuando no la Inquisición– puso siempre que pudo palos en las ruedas; que se lo digan a Nicolás Copérnico, Miguel Servet, a Galileo Galilei, a Johannes Kepler o a Giordano Bruno –sobre todo a este último, consumido en la hoguera. Fue precisamente Copérnico, con su publicación en 1543 de *De revolutionibus orbium coelestium*, el que marcó un antes y un después en el devenir científico. Si la Tierra era redonda y, además, no habitaba el centro del Universo, el ser humano ganaba margen de maniobra para estudiarse a sí mismo y al mundo sin la carga de ser la criatura elegida y, por lo tanto, *predeterminadamente perfecta*.

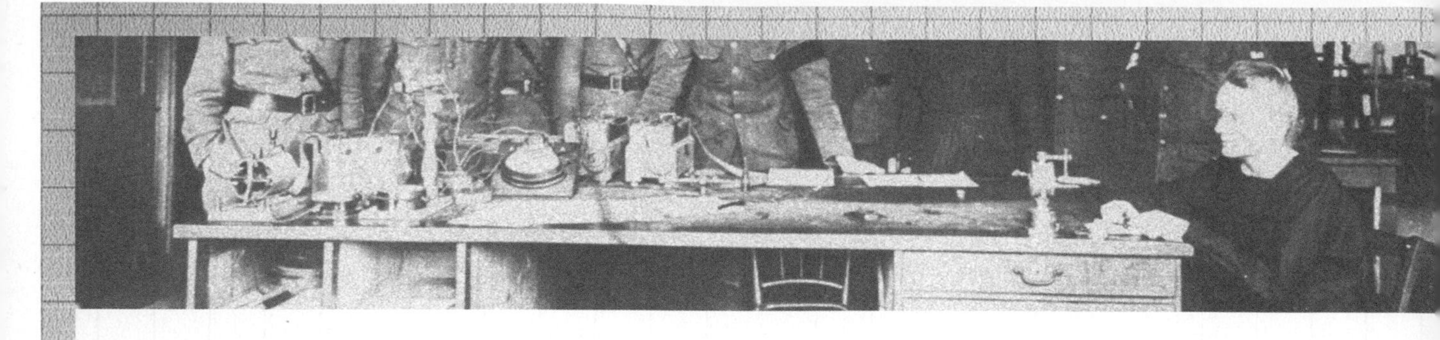

El siglo XVIII fue el de la Ilustración, cuando la razón por fin se asentó por encima de los dogmas oscuros: es por eso el Siglo de las Luces. La época en que emergieron talentos como los de Isaac Newton o Gottfried Leibniz, cuyos talentos en áreas como las matemáticas o la física acabaron con lo que quedaba de la física aristotélica. La ley de gravitación universal y las leyes de la mecánica de Newton supusieron la mejor explicación sistemática y coherente del Universo que se había realizado hasta entonces.

A medida que se solidificaba la base, crecía la capacidad de impulso. La Revolución Industrial asomó la cabeza a finales de ese siglo, y fue gracias a la inquietud de ingenieros como James Watt, que con su máquina de vapor puso a trabajar a las fuerzas de la naturaleza al servicio de los humanos. Que el trabajo de una persona lo pudiera hacer una máquina –primitiva, pero tanto como las que hoy nos acompañan se lo parecerán a nuestros tataranietos– desbordaba los límites de lo laboral para adentrarse en lo social.

Más lejos fue un genio universal como Michael Faraday, quien recogió el envite de la mecánica a vapor y subió la apuesta con el motor eléctrico y el electromagnetismo. Los nuevos «servidores» eran invisibles e incontables, y mucho más versátiles y agradecidos. Tanto que hoy siguen a nuestro servicio, ya sea en el interior de nuestro cuerpo, en nuestros bolsillos o en una nave espacial.

Otro momento estelar de la humanidad –lo que nos recuerda al título del imprescindible libro de Stefan Zweig, que sería un perfecto compañero para esta lectura– es cuando la Tierra deja de ser un planeta de dimensiones inabarcables para convertirse en una esfera que se puede conectar en milésimas de segundo. Es lo que sucedió cuando Samuel Morse, y otros, pusieron en funcionamiento el telégrafo –y su inseparable socio en aquel momento, el código Morse. Un avance descomunal, que se apoyaba en los adelantos en electromagnetismo. La mejora en la comunicación –al menos técnicamente– es algo que distingue a los últimos 150 años. Otros talentos, como los de Nikola Tesla o Guglielmo Marconi, mejoraron lo recibido e hicieron posible la comunicación sin hilos, con lo que virtualmente ningún ciudadano del planeta podría quedar incomunicado.

Si de comunicación hablamos, ahí debemos considerar al cine, la fotografía y a los medios de comunicación en general. Una categoría que no se entendería sin los progresos de los hermanos Lumière o Thomas Alva Edison, entre otros. El cine, como fenómeno de masas, se convirtió casi desde su nacimiento en la mayor arma de entretenimiento, y propaganda, que se haya conocido. Y qué decir de la revolución digital, de esta era de la computación que nos deja antiguos cada lustro. La vivimos porque muchos se han dejado parte de su vida creando máquinas imposibles, como Alan Turing, cuya capacidad fue clave para acabar incluso con la Segunda Guerra

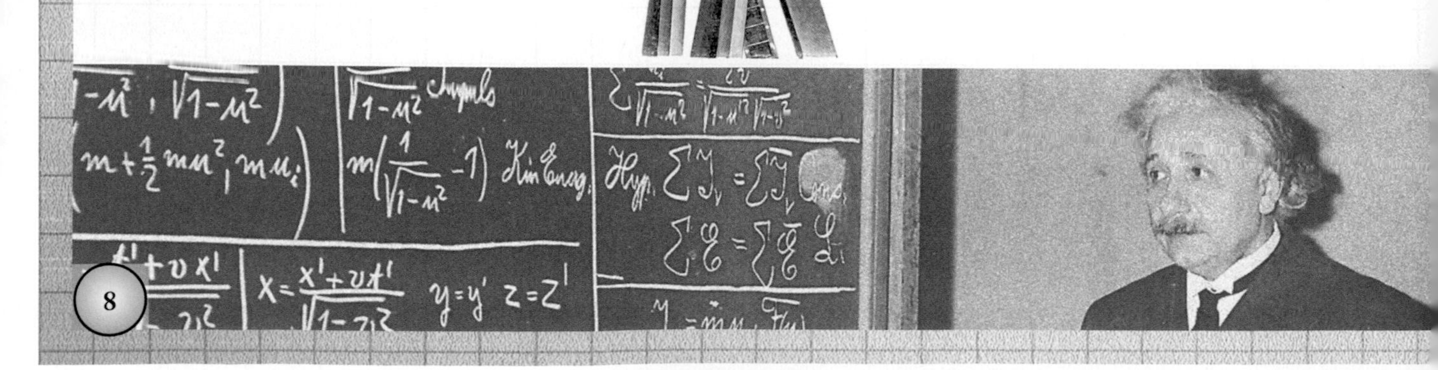

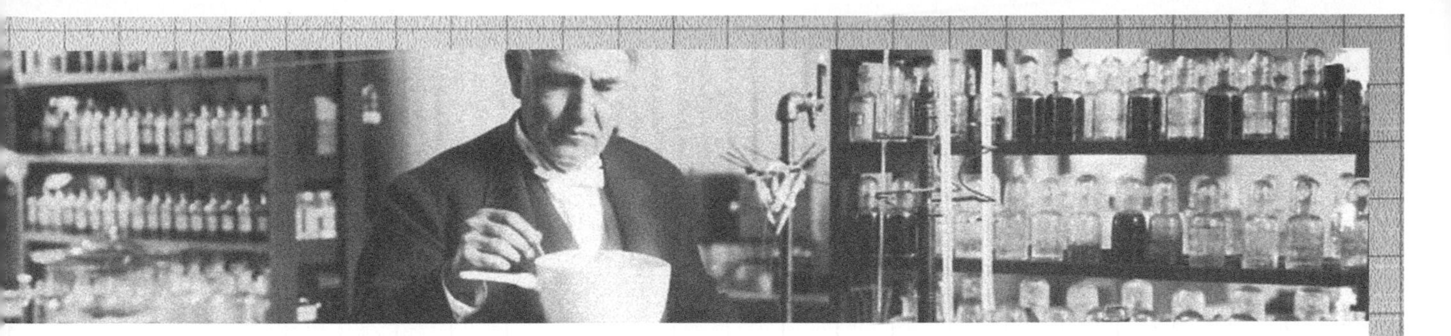

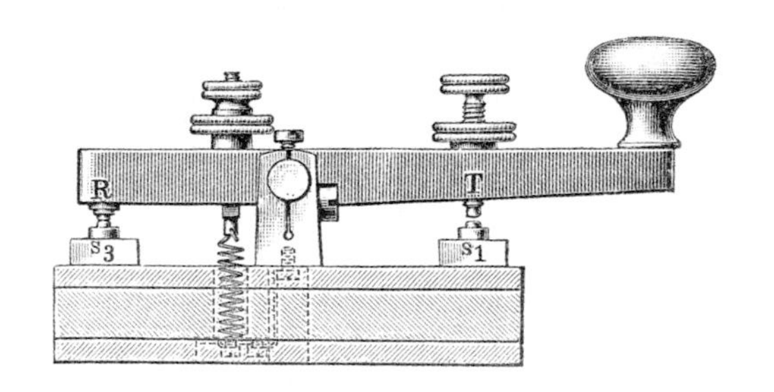

Mundial. Más tarde, otros adelantados, como Bill Gates o Steve Jobs, supieron integrar como nadie los adelantos informáticos en nuestra vida cotidiana. Y los fenómenos de Internet y la web, auspiciados por mentes brillantes –y desinteresadas– como Tim Berners-Lee, han permitido que nos llevemos al mundo, al trabajo, a la familia, a los amigos, en el bolsillo.

Hemos dejado atrás los adelantos en la máquina que más nos importa: el cuerpo humano. Ya fue provindencial que Carlos Linneo, en pleno siglo XVIII, nos acercara a una clasificación reglada de los seres vivos. Cuando Charles Darwin demostró, tras su viaje en el *Beagle*, que todos veníamos de un ancestro común y asentó su teoría de la evolución, la ciencia sufrió otro giro copernicano. Los adelantos médicos se sucedieron y la vida humana empezó a cotizar al alza gracias a impagables benefactores como Ignaz Semmelweis o Louis Pasteur. Científicos abnegados como ellos demostraron la importancia de esos pequeños seres, misteriosos y desconocidos hasta entonces, que eran los microorganismos. Una vez que la microbiología echó a andar, la asepsia y las vacunas se alzaron como los mejores seguros de vida que había conocido la humanidad. Y genios como los de Santiago Ramón y Cajal, Marie Curie o Virginia Apgar, en campos tan diversos como la neurobiología, la radiactividad y la neonatología, procuraron saberes y herramientas claves para que sus congéneres viviesen no solo más, sino mejor.

Todo este progreso técnico ha ido acompañado de la belleza incalculable que iban creando autores como El Bosco, William Shakespeare, Wolfang Amadeus Mozart, Ludwig van Beethoven, Vincent Van Gogh, Franz Kafka y tantos otros. El arte es la mejor manera que tiene el ser humano de explicarse, algo en lo que estaría de acuerdo alguien que hizo tanto por ello como Sigmund Freud. Otros artistas, como los arquitectos, fueron de la mano de los avances técnicos para crear joyas que nos acompañan en nuestro paisaje urbano; la imaginación de Le Corbusier, Antoni Gaudí o Norman Foster, por citar a algunos, configura el día a día de millones de personas en todo el planeta.

Invitamos al lector a subirse sin reservas a este viaje por lo mejor de nuestra especie. Es un libro decididamente optimista, con la superación y la creación como guías. Y lo mejor es imaginar que dentro de, digamos, un siglo, habrá que sumar otros cuantos genios. No somos la avanzadilla de la Historia, sino tan solo un peldaño en una escalera sin final a la vista. El futuro está por escribirse, y sus escritores, quién sabe, pueden estar a nuestro lado.

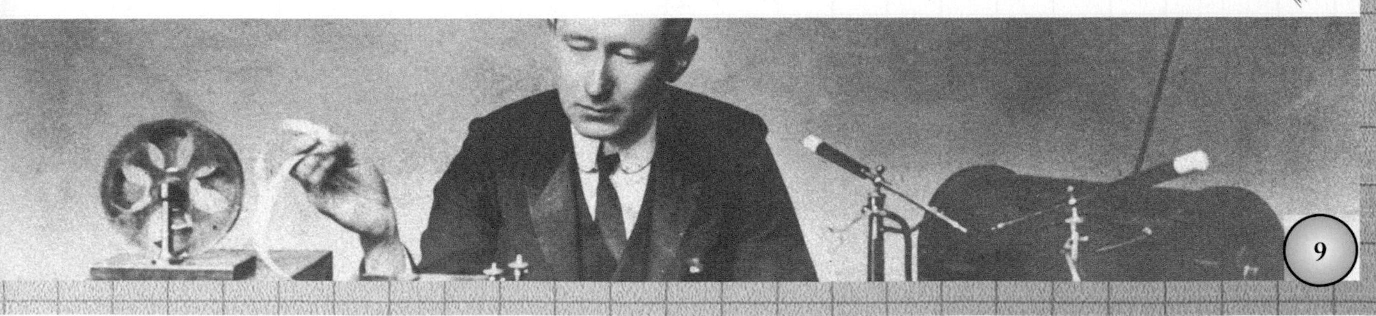

Disciplinas

Presentamos un listado de materias para el lector curioso en busca de su propia monografía. Sin embargo, nunca debemos olvidar que las disciplinas no son unas más grandes que otras: las hacen grandes los grandes genios.

GRANDES
GENIOS
de la HISTORIA

Pitágoras

GENIO MATEMÁTICO Y LÍDER ESPIRITUAL

Aunque los detalles sobre su figura se pierden «en las brumas del tiempo», no hay dudas de que Pitágoras (c. 572 a. C. - c. 497 a. C.) existió, y de que fue uno de los personajes más influyentes en su tiempo y que su influjo se mantuvo durante siglos. Si bien en la actualidad lo relacionamos con las matemáticas, Pitágoras fundó en su momento una escuela de fieles adeptos, una secta con tintes secretistas, que perduró durante generaciones. El desarrollo de la matemática y la filosofía racional en Occidente no habría sido igual sin él.

EL CAMINO DEL GENIO

Parece seguro que Pitágoras nació en Samos, una isla griega muy cercana a la costa turca. Hoy es un lugar con un irresistible encanto turístico, de playas casi vírgenes. Ideales para la inspiración matemática. Parece más probable que a Pitágoras le ayudase la categoría de sus maestros: se habla de Ferécides de Siros, de Tales de Mileto –uno de los Siete Sabios de Grecia y considerado por muchos como el iniciador de la filosofía occidental– y de su discípulo Anaximandro. También influyeron en él su formación humanística: tocaba la lira, escribía poesía, recitaba a Homero.

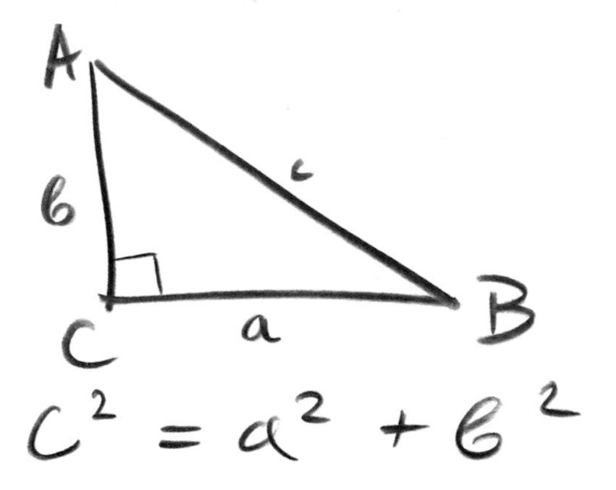

Planteamiento del célebre teorema de Pitágoras.

Y, como toda mente libre y abierta, fue proclive a los viajes, especialmente en compañía de su padre Mnesarco, mercader. Puede que llegase a Arabia, Fenicia, Babilonia e incluso a la India.

Quizá lo que más le marcase fueron sus relaciones con Egipto, adonde se desplazó –se especula– aconsejado por Tales, quien le instruiría sobre los conocimientos de sus sabios en materia matemática –sobre todo en sus aplicaciones y fórmulas prácticas, ya que el punto fuerte de los egipcios no era la teoría. Durante su estancia se produjo la invasión del rey persa Cambises y llevaron a Pitágoras como prisionero a Babilonia. Sin embargo, este traslado por las malas pudo resultarle muy útil. Es probable que se relacionase con los magos babilónicos, brillantes en las matemáticas y promotores de los cultos mistéricos. Cuando lo liberan –como casi todo en su biografía, se desconocen las razones con certeza–, se instala en Crotona, ciudad italiana de la región de Calabria, por aquel entonces en la Magna Grecia. Allí funda el germen de su legado.

LA HERMANDAD PITAGÓRICA

Al sur de Italia, Pitágoras encontró el momento y el lugar para fundar su escuela. En ella no solo se enseñaba

UN MÍSTICO DE LOS NÚMEROS

Pitágoras es conocido –tanto hoy como ya en su tiempo– por ser uno de los pensadores más destacados: decir que fue el «primer gran matemático» se le queda pequeño, además de no hacer justicia a predecesores como Tales de Mileto. Sin embargo, quizá sea el aura religiosa lo que le otorgó su carácter, y su doctrina mística la que más caló en sus contemporáneos. Pensemos que arrastró al celibato y a deshacerse de sus bienes a cientos de personas… por un plato de sabiduría. Pitágoras se eregía como un experto en la inmortalidad, la reencarnación del alma y su destino tras la muerte –lo que los griegos llamaban metempsicosis–, en ritos y rituales religiosos y en el autocontrol y la disciplina.

matemáticas, sino que de ellas se desprendían conocimientos filosóficos y religiosos. En los inicios del saber precientífico, todo aparecía fundido o entremezclado. Pitágoras afirmaba que los números eran el principio (*arjé*) de todas las cosas.

Pitagóricos celebrando el amanecer, *óleo de Fyodor Bronnikov. Galería Tretyakov, Moscú, Rusia.*

El «núcleo duro» de los pitagóricos lo constituía un máximo de 300 alumnos. Parece que los discípulos debían esperar varios años antes de ser presentados al maestro y guardar siempre estricto silencio acerca de las enseñanzas recibidas, una idea muy característica de –como indicamos– Egipto y Babilonia. Se otorgaron el nombre de «matemáticos» (*matematikoi*), mientras que aquellos que no pertenecían al núcleo duro del grupo eran llamados «acusmáticos» (*akousmatikoi*). Los primeros vivían recluidos en esta sociedad, entregaban sus posesiones personales al grupo y eran vegetarianos; los segundos funcionaban como «oyentes», vivían fuera de la secta y podían comer lo que desean. Las mujeres podían formar parte de esta parte de la cofradía; la más famosa de sus adheridas fue Teano de Crotona, de quien se especula –uno de los preceptos de los matemáticos era el celibato– que fuese esposa del propio Pitágoras y madre de tres hijos del filósofo.

Busto de Pitágoras en los jardines de Villa Borghese, Roma.

Los discípulos, aventajados en la práctica de las matemáticas, la geometría y la artimética, debían atribuir todos sus descubrimientos y avances al grupo, o a su preceptor, de tal manera que no queda claro si todo lo que se atribuye a Pitágoras –como su célebre teorema del triángulo– es de su propia iniciativa, o de algún alumno. En cualquier caso, las contribuciones de la hermandad y su influencia fueron determinantes para el desarrollo de las matemáticas, la astronomía, la medicina y la música, entre otras ciencias naturales, y sin duda fue la personalidad y la autoridad intelectual de Pitágoras la que promovió todos sus éxitos.

Entre estos, se encuentran conceptos que nos parecen tan «lógicos» hoy día como las relaciones aritméticas de la escala musical –la escala diatónica–, o la identificación del lucero del alba con el planeta Venus.

Con el tiempo, la hermandad pitagórica se fue politizando y tomando fuerza. Lo cual, entonces y ahora, implicaba ganarse enemigos. Uno de ellos, Cilón –alumno rechazado por la secta– la persiguió y consiguió expulsar a Pitágoras a la ciudad de Metaponto, donde murió. A mediados del siglo v a. C., un ataque aún más violento condujo a la disolución de la sociedad. En realidad, su pensamiento no hizo sino difundirse, dejando su simiente en nuevos pensadores. Entre ellos, Platón o Aristóteles, quienes respetaron su maestría y lo reconocieron como «fundador de un modo de vida». Posteriormente, entre mediados del siglo i d. C. y el iii d. C., surgió el neopitagorismo, movimiento que revitalizaba las enseñanzas de Pitágoras y que lo veneró hasta considerarlo un ser semidivino.

Aristóteles

El filósofo más influyente

En el eje del pensamiento occidental se encuentra Aristóteles (384 a.C.-322 a.C.). Si Sócrates fue el gran maestro de Platón, este hizo lo propio en su Academia con Aristóteles, formando los tres una columna vertebral innegociable del saber clásico. La influencia de Aristóteles se extendió durante dos milenios, puesto que sus tesis tardaron en ser superadas: la Edad Media transcurrió, intelectualmente, bajo su manto. Con el tiempo, la ciencia superó sus postulados; pero, durante siglos, todo acercamiento a la filosofía o a la ciencia partía de las bases que estableció este genio.

¿MOTOR Y FRENO DEL SABER?

De hecho, un crítico podría censurar al polímata de Estagira –en la actual Macedonia griega– que su pensamiento «bloqueó» el desarrollo de la ciencia hasta que la revolución científica que apadrinó el Renacimiento tardío rompió sus muros. Pero, más que sancionar la obra del macedonio, la eleva y engrandece: su peso era incuestionable, su novedad y profundidad, imbatibles. El uso que de ella hicieran sus sucesores, en especial el aristotelismo eclesiástico, no es cosa suya. Un nuevo Aristóteles habría sabido superar al viejo Aristóteles, al igual que él mismo hizo con sus maestros.

El principal fue, como hemos indicado, Platón, ya que recaló en su Academia de Atenas a los 17 años. Allí lo envió su tutor, Proxeno, puesto que había quedado huérfano de madre y padre muy joven. Este último, por cierto, fue médico influyente en la corte de Macedonia. Ese puesto, su saber y las relaciones que de él obtuvo fueron, más tarde, muy importantes para su hijo. Aristóteles se mantuvo en la Academia a lo largo de dos décadas, más que suficientes para entrar en contacto con otros filósofos y depurar su conocimiento, que entró en conflicto con el de Platón en diversos frentes. En especial, la filosofía del maestro orbitaba en torno al concepto de idea; simplificando mucho –o muchísimo–, podemos decir que Aristóteles consideraba a Platón demasiado «idealista». El estagirita buscaba un sistema filosófico más apoyado en la experiencia. O, de otro modo: que de lo particular se llegara a lo general, un sistema inductivo. Así, desarrolló métodos y principios que darían lugar a estudios como la lógica; y su teoría del conocimiento y sistema inductivo se convertiría en el primer paso para lo que luego conoceríamos como método científico. De hecho, hasta la irrupción de Galileo, se le considera como el primer científico «moderno».

EL DISCÍPULO ALEJANDRO

No se sabe demasiado de la relación que mantuvieron Aristóteles y Alejandro Magno como profesor y discípulo. El conquistador parece que tuvo un carácter férreo y poco moldeable, pero se conservan cartas –aunque su origen no es fiable– de este a su preceptor. En ellas le relata las maravillas que encuentra en su paso por Asia hasta la India, e incluso le llega a mandar ejemplares de animales desconocidos en Europa para que los clasifique. Verdad o mito, lo único cierto es que un genio dejó su impronta en un héroe.

Grabado que representa a Aristóteles (derecha) y a Alejandro.

HACIA EL LICEO

Pero volvamos a Atenas, o, mejor, salgamos de ella; porque, tras dos décadas de enseñanza y estudio en la Academia, Aristóteles decide partir hacia Asia Menor (348 a.C., justo al poco de morir Platón), en la actual Turquía. Allí necesitaban maestros capaces de transmitir el saber griego a las nuevas tierras conquistadas. Al tiempo, Aristóteles viajó a la ciudad de Mitilene, en la isla de Lesbos, donde permaneció dos años. Allí continuó con sus investigaciones junto a Teofrasto –este, con el tiempo, sería su heredero natural, guardián de su legado y cabeza de sus seguidores–, enfocándose en zoología y biología marina. Pasaría tres años apacibles y fructíferos, dedicándose a la enseñanza, a la escritura (allí redactó gran parte de su *Política*, en la que enuncia tres formas puras de gobierno –monarquía, aristocracia y democracia– y sus tres degradaciones –tiranía, oligarquía y demagogia).

Detalle de La escuela de Atenas *(1509), de Rafael, con Platón (izquierda) y Aristóteles (derecha). Fresco en Museos Vaticanos.*

Pero su fama, y sus orígenes macedonios, pronto le sacaron de su retiro insular para llevarlo hasta lo que fue su primer hogar, la corte de Macedonia. El rey Filipo II decidió encargarle la tarea de ejercer de tutor de su hijo, a la sazón el insigne Alejandro Magno (343 a.C., ver recuadro). Esta etapa duró entre dos y cinco años, al menos como preceptor presencial. Pronto, Aristóteles se encaminó de vuelta a Atenas para fundar lo que se convirtió en uno de sus grandes legados: el Liceo, llamado así por estar situado dentro de un recinto dedicado al dios Apolo Licio (335 a. C.). Durante un tiempo, Academia y Liceo fueron «competencia», si bien la nueva institución no era una escuela privada y muchas de las clases eran públicas y gratuitas. Aristóteles pudo estar al frente del Liceo 12 años. Es fácil imaginarlo perorar con sus discípulos dando largos paseos e interpelándose unos a otros; de ahí el nombre de *peripatéticos*, ya que solían discutir mientras paseaban (*peripato* = paseo).

De esta época nos llegan gran parte de los escritos que han sobrevivido hasta hoy. Hay que destacar que solo ha trascendido una quinta parte de la obra aristotélica; la gran mayoría, textos «de consumo interno» para el Liceo, apuntes y cuadernos de trabajo, carentes de la calidad literaria que podría presuponerse a los trabajos dedicados para su publicación, hacia el «gran público». Probablemente sea esta la razón por la que los escritos de Platón resulten mucho más legibles y amenos, más «amigables», que los de su discípulo, si bien la obra de Aristóteles es más amplia e influyente. Entre sus textos encontramos reflexiones sobre lógica, ética –muy importante su concepto de virtud–, filosofía política, ciencia –estudios fundamentales sobre física, astronomía, biología, botánica o biología, incluso la controvertida teoría sobre la generación espontánea, no refutada del todo hasta Louis Pasteur, ver página 80– e incluso sobre la estética de las artes.

ÚLTIMOS AÑOS

La muerte de Alejandro Magno supuso un nuevo punto de inflexión (323 a.C.). La liberación de Atenas de su yugo levantó una ola de odio contra todo lo que sonara a macedonio. Aristóteles, como dejó dicho, no quería dar oportunidad a que Atenas pecara dos veces contra la filosofía (en referencia a la condena a muerte de Sócrates). Así que viajó con su familia a la isla de Chalcis, tierra de origen de su madre, donde murió un año después, por causas naturales.

Su amigo Teofrasto se quedó a cargo del Liceo y de su legado. Este fue de mano en mano durante mucho tiempo, hasta que por fin se editó en el siglo I a.C., si bien gran parte se quedó por el camino. La caída del Imperio Romano lo sumió en el olvido. Los filósofos árabes –particularmente, Avicena y Averroes– contribuyeron a que el pensamiento aristotélico fuese de nuevo objeto de atención en Occidente; santo Tomás de Aquino lo transformó en la base de la teología cristiana y Dante Alighieri lo definió en seis palabras: «El maestro de los que saben».

Arquímedes

INVENTOR Y MATEMÁTICO

DE LOS SABIOS DE LA ANTIGÜEDAD NO TENEMOS FOTOS, O RETRATOS FIABLES, NI SIQUIERA FECHAS DE NACIMIENTO EXACTAS. ASÍ QUE SOLO LOS CONOCEMOS POR SUS OBRAS, Y EN ESTO HAY COINCIDENCIA: LAS DE ARQUÍMEDES (C. 287 A.C. - C. 212 A.C.) SON FUNDAMENTALES PARA EL AVANCE DE LA HUMANIDAD. ALGUNOS DE SUS DESCUBRIMIENTOS PRODUJERON GRANDES CAMBIOS EN LA MANERA DE COMPRENDER EL MUNDO. COMO INVENTOR A SUELDO DE REYES BELICOSOS, HIZO MÁS TEMIBLES A LOS EJÉRCITOS. EN CONTRAPARTIDA, OTROS PERMITIERON MEJORAR LA VIDA DE VARIAS GENERACIONES.

INVENTOS PARA TODOS

Arquímedes nació en Siracusa, en la isla de Sicilia, cuando esta era parte de la Magna Grecia. Su padre, el astrónomo Fidias, fue probablemente quien lo educó en la pasión por las matemáticas. Continuó su aprendizaje en Alejandría, por entonces un gran centro de la cultura helenística promovido por la dinastía ptolemaica, en donde Arquímedes fue discípulo del astrónomo y matemático Conón de Samos, al que admiraba y respetaba. Allí aprendió la geometría euclidiana e intercambió ideas con otros grandes matemáticos, como por ejemplo Eratóstenes, con el que mantuvo contacto epistolar durante años.

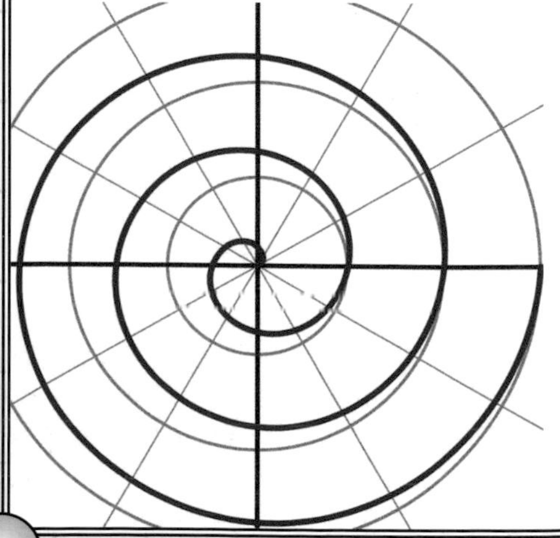

En Egipto estuvo un tiempo a sueldo de Ptolomeo, quien lo empleó como ingeniero para mejorar la irrigación de los campos donde no llegaba la subida de las aguas del Nilo. Así diseño uno de sus grandes inventos, el «tornillo de Arquímedes»: una máquina helicoidal utilizada para la elevación de agua, aunque también podía emplearse para sólidos, como cereales o tierras. La sencillez de este aparato, y su funcionalidad, hace que aún se siga aplicando hoy en el Nilo, o incluso en los trabajos de estabilización de la Torre de Pisa, en 2001.

Pronto volvió a Siracusa, su tierra natal, donde el tirano Hierón II –de quien se dice que era pariente suyo– lo solía emplear para satisfacer las necesidades de la ciudad. Así, Arquímedes tuvo un papel muy destacado en la defensa de sus conciudadanos en el sitio de Siracusa (214 a.C. - 212 a.C.). Sin embargo, las fuerzas romanas acabaron por tomar la ciudad, y uno de aquellos soldados lo asesinó (ver recuadro).

DEFENSOR DE SU CIUDAD

Diversos historiadores y escritores, como Plutarco, Vitruvio o Cicerón recogieron en sus escritos la influencia o las circunstancias de los inventos de Arquímedes. Así, la anécdota más famosa del de Siracusa la recogió el citado Vitruvio, si bien hay que tomarla con cierta distancia. Es la historia de la

Izquierda: la fórmula de la «espiral de Arquímedes» salió de su ingenio matemático.
Arriba: grabado que ilustra el funcionamiento del «tornillo de Arquímedes».

Izquierda: grabado que representa a Arquímedes tomando el baño del famoso «¡Eureka!».
Abajo: grabado que ilustra a Arquímedes «moviendo la Tierra» con una palanca.

corona del tirano Hierón, quien ordenó que le hicieran una corona, pero, desconfiado, le pidió a Arquímedes que determinase si era de oro macizo o la habían mezclado con otros metales. Mientras tomaba un baño, al ver rebosar el agua de la bañera, Arquímedes se dio cuenta de que podía medir el volumen de cualquier objeto irregular sumergiéndolo en el agua. Gritó *¡Eureka!* («¡Lo encontré!», en griego) y salió disparado por la calle, aún en paños menores. Esto viene a ilustrar el descubrimiento del «principio de Arquímedes», que enuncia que un cuerpo total o parcialmente sumergido en un fluido en reposo, experimenta un empuje vertical y hacia arriba igual al peso de la masa del volumen del fluido que desaloja. Este principio se desarrolla en su obra *Sobre los cuerpos flotantes*; por suerte, son al menos 11 los trabajos suyos que se conservan por escrito. Quizá fuera una de las bases para diseñar el *Siracusia*, el barco más grande de la época, con capacidad para 600 personas y funciones de recreo, carga o bélicas, equivalentes al transatlántico o portaaviones de la época.

Otras armas que salieron de su ingenio, y de su maestría con las poleas, fueron la «garra de Arquímedes», conocida en latín como *manus ferrea*, que desde la muralla levantaba la proa de los barcos enemigos, para que entrara agua por la popa o dejarlos caer con violencia; o también–aunque parece más leyenda que verdad– el empleo de espejos cóncavos para concentrar los rayos de sol en las velas enemigas, de tal manera que arderían.

También es muy conocida la anécdota, que detalla Plutarco, alrededor de la frase «Dadme un punto de apoyo y moveré la Tierra». La dijo un Arquímedes ante Herión, entusiasmado por la potencia que conseguía obtener con sus máquinas, capaces de levantar grandes pesos con un esfuerzo relativamente pequeño. Lo cierto es que su dominio de la estática y de la hidrostática no tuvo parangón durante la época clásica. Otros logros suyos se relacionaron con las matemáticas, como una aproximación muy precisa al número pi o fórmulas para los volúmenes de las superficies de revolución. La civilización occidental no encontraría figuras de su talla hasta el advenimiento del Renacimiento, con figuras como Leonardo o Galileo.

MUERTE DE ARQUÍMEDES

El viejo Arquímedes fue clave para que Siracusa resistiera durante meses el asedio de las tropas romanas. Se dice que las tropas temblaban solo con ver asomar las armas que diseñó. Pero la ciudad acabó cayendo en manos del general Marcelo, quien, sin embargo, dio órdenes de respetar a Arquímedes, el mejor botín de guerra que se podía llevar. Sin embargo, el soldado que lo capturó, lo atravesó por la espalda. La leyenda dice que el genio, absorbido en la resolución de un problema de superficies, le espetó: «No molestes mis círculos». El soldado no soportó aquel desplante. A ambos les hubiera ido mejor con más mano izquierda…

Johannes Gutenberg

INVENTOR DE LA IMPRENTA

¿Sabemos de algún invento más influyente para la humanidad que la imprenta? Quizá tendríamos que remontarnos a la invención de la rueda... y nadie dejó por escrito quién y cómo lo hizo. Pero sí somos conscientes de que la imprenta de tipos móviles fue obra de Johannes Gutenberg (c. 1400-1468), un orfebre alemán que lo dio todo –y no es una frase hecha– por conseguir un método para agilizar la producción de libros. Fue un paso decisivo para expandir la divulgación del conocimiento y dar por acabada a la Edad Media. Pero, como tantos otros genios, Gutenberg acabó arruinado.

ORÍGENES INCIERTOS

Esto que estamos haciendo –que alguien cuente algo por escrito, y que ese escrito sea leído– resulta tan común que lo damos por descontado. Pero no era así antes de 1450. Para que lo extraordinario se convierta en cotidiano, tiene que mediar, en algún momento, en algún lugar, la figura de un genio. En nuestro caso, es la de Johannes Gutenberg, de cuya biografía poco sabemos; pero, gracias a él, nos han llegado las vidas de muchos otros. Sí conocemos que nació en Maguncia, hacia 1400. Y que trabajó para el obispo de su ciudad como orfebre. Se cree que inició estudios universitarios en 1419, y que no parecía muy conforme con su apellido paterno: Gensfleisch (traducido, «carne de ganso»), así que se lo cambió por el de Gutenberg, el nombre que recibía la casa donde nació. Apenas sabemos más: fundido a negro hasta que sus obras hablan por él.

UN PROYECTO COSTOSO

Hacia 1440 comienzan a aparecer documentos que lo ligan con una iniciativa para «imprimir»; la lejanía de las fechas y el propio secreto industrial con el que deseaba llevar a cabo su invención no permiten mayores elucubraciones. Pero sí es seguro que es en Maguncia donde instala su taller –tras unos inicios titubeantes en Estrasburgo–, en la propiedad de un pariente. Para llevar a cabo su proyecto necesitaba –en eso, los tiempos no han cambiado– cierto músculo económico. Se lo ofrece Johann Fust, un prestamista que, con el tiempo, los retrasos y los intereses, se convertirá en su socio. El yerno de Fust, Peter Schöffer, también acabará entrando en el negocio. Una historia tan vieja como el hombre; si bien hay que admitir que este último aportará al proyecto ideas en cuanto a tintas y tipografía.

En 1449, Gutenberg imprime y publica el *Misal de Constanza*, considerado como el primer libro tipográfico de la Historia. Una experiencia que lo motiva para embarcarse en un plan mayor, y que el tiempo confirmaría como faraónico: la impresión de unas 180 copias del libro más comercial de la época, con potencial de superventas, la *Biblia*. Se especula que, a la par que este proyecto, imprimían indulgencias de la Iglesia y gramáticas de latín. Sea como fuere. Gutenberg se vio aplastado por las deudas, puesto

EL PRIMER SUPERVENTAS

La *Biblia de Gutenberg* o la *Biblia de 42 líneas*, se imprimió en Maguncia, Alemania, en 1450. Es una versión impresa de la *Vulgata*, una traducción de la *Biblia* al latín vulgar. Ese nombre llega de la expresión *vulgata editio* («edición para el pueblo»). Es un icono del comienzo de la «Edad de la Imprenta». Posiblemente imitase a la *Biblia* gigante de Maguncia. La *Biblia de 42 líneas* se refiere al número de líneas impresas en cada página y está encuadernada en dos volúmenes. En el diseño de cada página se dejaba espacio para que letras capitales, ilustraciones o grabados fueran rubricados e iluminados a mano por especialistas: en realidad, cada ejemplar era único.

Prologus

Incipit epistola sancti iheronimi ad paulinum presbiterum de omnibus divine historie libris · capitulum primum.

Primera página del primer volumen de la Biblia de 42 líneas*: Epístola de San Jerónimo. Con 40 líneas para permitir el uso de ilustraciones.*

que el pago a proveedores –metales, maderas, tintas, papel, pergaminos...– y empleados sobrepasaba el ritmo de producción, pese a que a la larga el negocio se adivinaba redondo. Ahí es donde Fust reclama su préstamo, al que Gutenberg solo puede hacer frente con la entrega de todo el taller. El prestamista y su yerno se hacen con el control total, y en lo sucesivo asumen el papel de impresores y editores. Los libros los publican bajo su nombre y gestionan la patente del invento, omitiendo a Gutenberg, *Vae victis!*

Arruinado, Gutenberg intenta rehacerse montando otros talleres. No existen suficientes documentos sobre sus últimos años, pero parece que no le irá muy bien hasta que en 1465, el arzobispo de Maguncia, Adolfo de Nassau, reconoce sus méritos y le ofrece una renta anual. Es la represión de este último en la ciudad la que provoca que quienes se especializan en el nuevo oficio se diseminen por Alemania, primero, y después por Europa. A Gutenberg apenas le dará tiempo a conocer la expansión de su invento. Muere en Maguncia en 1468.

LA TÉCNICA Y SU REPERCUSIÓN

Gutenberg, siendo un revolucionario, no partía de cero. En Asia existía algún antecedente, pero que careció de repercusión. A finales del siglo XIV se difundió en Europa la técnica del grabado sobre madera, o xilografía, que permitía imprimir gran número de imágenes sobre tela o papel a partir de una única plancha. Tenía, sin embargo, el inconveniente de que las planchas de madera grabada, además de requerir mucho tiempo para su talla, se deterioraban rápidamente.

Faltaba idear un sistema que permitiera imprimir mecánicamente textos escritos sin que fuera necesario grabar cada página. Y la genial idea de Gutenberg fueron los tipos móviles: letras talladas en plomo y antimonio que se combinaban para formar las palabras y líneas de una página. En aquel primer momento, la tipografía empleada imitaba abiertamente la de origen manual. Las ventajas del procedimiento, que permitía reproducir escritos con una rapidez y a una escala sin precedentes, le garantizaron un éxito fulgurante que se ha prolongado hasta la actualidad. Gracias a ella, surgieron también numerosos oficios dedicados al libro: fabricantes de papel, diseñadores de caracteres metálicos, impresores o encuadernadores entre otros. Un taller de imprenta podía necesitar fuentes en latín y griego además de en lengua vernácula. La imprenta permitió la difusión del conocimiento en un grado tal que no es posible concebir sin ella el desarrollo de la ciencia y la cultura europea en los siglos siguientes.

Una de las primeras imprentas, cuyo sistema partía de la prensa de uvas.

Jheronimus Bosch

Pintor adelantado y visionario

Si la pintura es el arte de representar no tanto lo que vemos como lo que somos, entonces es Jheronimus van Aken (ca. 1450-1516) uno de los primeros genios pintores. Su capacidad para generar escenas plenas de imaginación y simbolismo no tenía parangón en su época, razón por la que se le considera inspirador o antecedente de corrientes muy posteriores como el simbolismo o el surrealismo. Tanto su vida como su obra están llenas de incógnitas, pero cinco siglos después de su muerte las retrospectivas que se le dedican siguen concitando una increíble expectación.

UN ARTISTA SIN ATADURAS

No existe confirmación de la fecha exacta, pero todo indica que Jheronimus van Aken nació hacia 1450 en Hertogenbosch, entonces parte del Ducado de Brabante, hoy Holanda; apenas saldría se esa región en su vida. En su familia la pintura era una larga tradición, ya que desde varias generaciones se dedicaban a la pintura al fresco, a dorar esculturas de madera y a la producción de objetos sagrados. Debió de aprender el oficio en el taller de su padre, aunque no llegó a heredarlo, al tener un hermano mayor con la misma dedicación.

En su juventud conoce a su esposa, Aleid van de Meervenne. Esta pertenece a una familia acomodada, algo que a la postre será de capital importancia para la carrera del pintor, por dos razones. En primer lugar, le pone en contacto con burgueses adinerados, que le proporcionarán buenos encargos; en segundo, porque la libertad económica le permitirá rechazar encargos que no le interesan para realizar pinturas por convicción, más personales. En ese sentido, podemos considerarlo uno de los artistas de su época más privilegiados en este tema, ya que pudo expresar lo que llevaba dentro, al contrario que otros que se debían ceñir a lo que les encargaban.

También por mediación de su esposa ingresa en la cofradía religiosa Ilustre Hermandad de Nuestra Señora. De su relación con esta institución es donde más documentos se encuentran para fechar su vida. Para ella realiza numerosas representaciones sagradas, que comienza a firmar con el nombre por el que será recordado: Jheronimus Bosch (en castellano, «bosque», tomado de parte del nombre de su villa de nacimiento).

DUEÑO DE UN ESTILO ROMPEDOR

Pronto se hará un nombre y, con el tiempo, compartirá banquetes con el duque de Borgoña, Felipe el Hermoso –esposo de Juana, hija de los Reyes Católicos– y de su padre, el emperador Maximiliano I de Habsburgo. De hecho, el primero de ellos le encarga un cuadro que represente el Juicio Final, que no se conserva.

Página izquierda: tabla central de El carro de heno. *Arriba:* El jardín de las delicias. *Ambos son óleos sobre tabla. Museo del Prado, Madrid, España.*

En un principio sus cuadros parecen atenerse a ideas extraídas de la Biblia; se adaptan a la temática religiosa imperante, y parecen contener mensajes moralizantes, contra los bajos placeres y los vicios y pecados, que agradan a la Iglesia. En este apartado podríamos incluir sus grandes trípticos, como *El carro de heno* y *El jardín de las delicias* (como en la mayoría de los cuadros, no hay consenso de la fecha en que los pinta). Sin embargo, cuando se observan con detalle, se ve cómo sus críticas a los placeres terrenales incluyen también a curas, monjas y autoridades locales; incluso representa a santos como personas comunes, vulnerables, en ocasiones casi como caricaturas.

Su firma va ganando terreno, y antes de morir parece lograr una posición aventajada en lo económico. No obstante –como suele suceder con los pintores– es a partir de su muerte cuando se desata una «fiebre Bosch». El rey Felipe II de España (1527-1598) se convirtió en uno de sus más fieles entusiastas, y compra varias de sus obras, razón por la que algunos de sus cuadros más importantes se conservan hoy en el museo del Prado de Madrid. En los países de habla hispana se le conoce simplemente como El Bosco.

Como integrante de la escuela flamenca, Bosch hizo alarde de una alta perfección técnica y muy buena calidad en el dibujo. En sus obras usualmente había un mensaje moralista… pero satírico, que iba más allá de una interpretación simple, lo que lo convirtió en un referente para sucesivos artistas, en especial para los surrealistas.

UN CARRO CARGADO DE IRONÍA

En el tríptico *El carro de heno* (página anterior) se resume buena parte de la técnica y de la temática de El Bosco. Tradicionalmente se pensaba que fue pintado hacia 1500, pero los últimos estudios creen que data de 1516, de la última época del artista. Su inspiración parece religiosa, basada en un texto del profeta Isaías que dice que la vida es un carro de heno y cada cual toma todo lo que puede de él. El heno representa las riquezas temporales, que todos codician: en el cuadro se puede ver al rey de Francia, al Papa y al Emperador, así como a decenas de anónimos campesinos. Todos quieren llevarse su parte de heno. Una sátira de una sociedad que abandona a Dios, lo espiritual y eterno, por los placeres efímeros. Y que no deja a nadie a salvo.

Leonardo da Vinci

El mayor sabio de la historia

Leonardo di Ser Piero da Vinci (1452-1519), fue el hombre del Renacimiento por excelencia: inventor, ingeniero, pintor, arquitecto, escultor... Considerado como el más importante humanista de su tiempo, muchos de sus inventos cambiaron el rumbo de la historia (en su época o después). Hombre de firmes convicciones éticas, optó desde joven por ser vegetariano y escribió algunos escritos políticos. Es famoso también por un diario privado escrito a modo de códice, que mantuvo en secreto y que escribió de derecha a izquierda, encontrado en el siglo XIX y que dio lugar a múltiples especulaciones tanto de su pensamiento como de sus descubrimientos.

UN APUNTE BIOGRÁFICO

Llegados al genio de los genios... ¿por dónde empezar? ¿Por el inventor, por el pintor, por el anatomista...? Ante la imposible disyuntiva, empezaremos por el principio. Por un 15 de abril de 1452 en las cercanías de Vinci, pueblo de la toscana

Arriba, parte central de La última cena, *pintura mural realizada entre 1495 y 1498, que se encuentra en el convento dominico de Santa Maria delle Grazie, en Milán. Representa el momento en el que Jesús anuncia a sus apóstoles que uno de ellos lo va a traicionar.*

florentina, donde nace Leonardo, hijo ilegítimo de un notable diplomático y una joven campesina a su servicio. Pero se le da el tratamiento de legítimo, recibe una buena educación y, para el bien de su futuro –y el nuestro–, en 1469 acaba como aprendiz en el taller de Andrea del Verrocchio, afamado prohombre del *quattrocento* italiano. En Florencia pasa varios años: comenzó limpiando los pinceles del maestro y salió, nueve años después, superándolo en todo.

Desde entonces, su vida y obra viene determinada por los príncipes y aristócratas que quieren contar son su talento, que va de boca en boca. Los más notables son Lorenzo de Médici en Florencia,

LOS ALLEGADOS DE LEONARDO

Giorgio Vasari, arquitecto y pintor italiano (1511-1574), además de historiador del arte –acuñó el término «Renacimiento»– escribió en su libro *Las vidas de los más excelentes pintores, escultores y arquitectos* (1550) la biografía más fiable de Leonardo da Vinci, o al menos la que se toma como referente. A través de ella nos ha llegado buena parte de lo que sabemos del toscano. Asimismo, fue su discípulo, amigo y secretario personal Francesco Melzi quien se ocupó de guardar el legado de su obra, que conservó intacta y no llegó a publicar. Fue él, junto al también discípulo y modelo (y amante, según versiones) Salai quien heredó buena parte de su patrimonio.

A la derecha, detalle central de la Mona Lisa *o* Gioconda, *de Leonardo, pintada entre 1503 y 1519 y que se conserva en el Museo del Louvre, París, Francia.*

Ludovico Sforza en Milán, el Papa León X (también un Médici) en Roma, el mismísimo César Borgia o Francisco I de Francia, siendo este su último empleador. Muere en 1519, al servicio del monarca francés, en el castillo que le tenía reservado, en la localidad de Amboise.

LEONARDO, PINTOR

Como discípulo de Verrocchio, quizá la primera disciplina en la que destacó fue la pintura. Sus obras son únicas gracias al detallismo con que plasmó a sus protagonistas, gracias al talento innato para el dibujo y sus estudios sobre anatomía. Manejaba con soltura la técnica, especialmente en el uso de la luz y las sombras, y fue un consumado maestro del *sfumato*, esa técnica que proporcionaba a la composición unos contornos imprecisos, así como un aspecto de antigüedad y lejanía. El cine, en especial durante los años 40, y aun hoy, emplea esta técnica.

No fue un pintor especialmente prolífico, se conservan alrededor de dos docenas de pinturas y no queda claro que todas sean suyas. El toscano pocas veces firmaba sus obras, o lo hacía de manera encriptada o semioculta, de tal manera que es habitual que un grupo de expertos valore si, ante un supuesto descubrimiento, se trata de un original o una imitación. De hecho, a lo largo de los años algunos cuadros que se concedían a Leonardo fueron descartados, y algunos que se atribuían a otros, han pasado a considerarse obras suyas. Por supuesto, hay consenso y documentación acreditada en la mayoría de los casos.

Podemos destacar *La última cena* (ver arriba), una auténtica galería psicológica de sentimientos; la famosísima *Mona Lisa* o *Gioconda*, una de las telas más enigmáticas de la historia y que acompañó a Leonardo durante toda su vida, ya que no la creía terminada; el *Salvador Mundi*, que no es de sus obra más perfectas y,

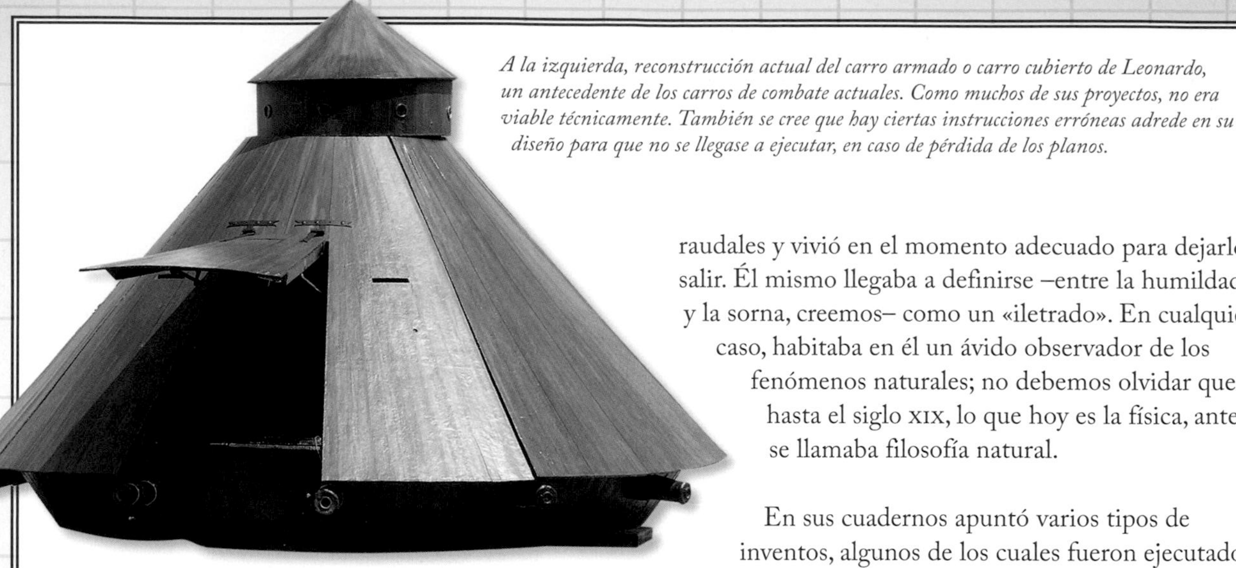

A la izquierda, reconstrucción actual del carro armado o carro cubierto de Leonardo, un antecedente de los carros de combate actuales. Como muchos de sus proyectos, no era viable técnicamente. También se cree que hay ciertas instrucciones erróneas adrede en su diseño para que no se llegase a ejecutar, en caso de pérdida de los planos.

sin embargo, en 2017 se alzó como la pintura más cara de la historia al ser subastada por más de 450 millones de dólares; o *La Virgen de las Rocas*, de la que realizó dos copias –verificadas, puesto que existen varias realizadas por quienes querían basarse en el maestro–, la primera de ellas la encontraremos en el parisino Louvre, mientras que la otra está en la National Gallery de Londres.

LEONARDO, INVENTOR, ARQUITECTO, URBANISTA…

En pleno Renacentismo, un artista también tenía «derecho» a ser inventor o, mejor, la línea entre las artes y las ciencias era difusa: el Hombre era el centro del universo y la «larga noche» de la Edad Media lo había dejado todo por escribir. Leonardo comprendió esto como nadie, o simplemente acumulaba genio a raudales y vivió en el momento adecuado para dejarlo salir. Él mismo llegaba a definirse –entre la humildad y la sorna, creemos– como un «iletrado». En cualquier caso, habitaba en él un ávido observador de los fenómenos naturales; no debemos olvidar que, hasta el siglo XIX, lo que hoy es la física, antes se llamaba filosofía natural.

En sus cuadernos apuntó varios tipos de inventos, algunos de los cuales fueron ejecutados, otros eran imposibles para su momento, y un parte, como es normal, eran inviables o erróneos. Era un autodidacta y su pensamiento, eminentemente práctico. Quizá por esto mismo algunos de sus coetáneos lo mirasen por encima del hombro.

Podemos destacar una serie de inventos, bien curiosos, bien revolucionarios: se dice que si Leonardo hubiese sido capaz de perfeccionar alguno de ellos, habría cambiado –aún más– su mundo; pero ya fuese por inconstancia o por adelantarse –demasiado– a la capacidad técnica de su tiempo, no se terminaron:

Recreación de máquina voladora, en el museo de Ciencia y Tecnología Leonardo da Vinci de Milán.

REICHELT, UN ANTIGENIO

Uno de los inventos más célebres del toscano es su máquina de volar, un artefacto que –si bien irrealizable– es un claro precedente del ala delta actual. Su máquina carecía de futuro por la desproporción entre el peso del piloto y su potencia para aletear. A medio camino –o quizá a más de tres cuartos– entre el genio y la locura, en 1912 el sastre checo nacionalizado francés Franz Reichelt (imagen de la izquierda, con el ingenio) se vistió de Leonardo. Mezclando ingenios voladores y paracaídas, se confeccionó un traje con el que estaba convencido de poder volar. Mientras que el italiano dejó a otros lo de probar sus diseños, Reichelt lo hizo el 4 de febrero de ese año, cuando la Gendarmería francesa le permitió subir a la primera planta de la torre Eiffel para lanzarse al vacío. Reichelt pensaba planear. Pero el aparato no funcionó y solo consiguió dejar una profunda impresión en quienes asistieron al acto, y en el suelo. Sus amigos captaron el momento con dos cámaras cinematográficas.

El «caballo de Leonardo» era un monumento proyectado por encargo de Ludovico, duque de Milano en 1482, quien le encomendó que realizara una colosal estatua ecuestre para honrar a su padre, Francisco I Sforza. Leonardo se lo tomó como un desafío personal, ya que su idea era la de realizar la estatua ecuestre más grande jamás hecha hasta el momento, pero no acabó de materializarse (ver estudios en papel, a la derecha). Sin embargo, a finales de siglo XX *se retomó la idea y, esta vez sí, se concretó la idea. El «caballo de Leonardo», con los siete metros proyectados, se puede ver frente al hipódromo de San Siro, en Milán.*

- Tornillo aéreo: al genio toscano siempre le apasionó la idea de volar y estudió profusamente el vuelo de los pájaros. Ideó el primer boceto del mecanismo que permitiría el funcionamiento de los helicópteros. Irrealizable en la práctica, ya que el aparato giraría sobre sí mismo, como una peonza.
- Paracaídas: si bien la patente quedó registrada en 1783 por Louis-Sébastien Lenormand, tres siglos antes Da Vinci diseñó una estructura piramidal de base cuadrada con un lado y una altura de unos siete metros.
- Escafandra: a Leonardo le apasionaba la idea de explorar el mar y realizó varias aproximaciones a la idea. Diseñó un traje de buzo en cuero, conectado a una manga de aire, que contaba con una campana que flotaba en la superficie. Da Vinci incluso diseñó una bolsa en la que poder orinar durante la exploración.
- Bicicleta: antes de que el alemán Karl Drais fabricase, en 1817, la primera bicicleta «moderna», Leonardo dibujó en su *Codex Atlanticus* una bicicleta con transmisión de cadena.
- Puente plegable: diseñó un puente giratorio, que permitiría a un ejército recogerlo y marcharse rápidamente. Estaba unido a un sistema enrollado en una base de cuerdas y poleas. El ingenio de Leonardo era propicio para que los mandatarios de la época lo usasen en sus conflictos de la manera más «práctica»: la guerra. Da Vinci fabricó varias armas de guerra. Aunque los expertos han visto en sus escritos un pacifista, lo cierto es que, como tantos otros, vendió sus talentos a la industria bélica. Ludovico Sforza o César Borgia fueron sus mayores mecenas en ese sentido.

Otros inventos reseñables fueron bombas hidráulicas, mecanismos de manivela con engranajes sofisticados, aletas para obuses de mortero, un túnel de viento para probar sus inventos aerodinámicos, un cañón a vapor, un submarino, varios autómatas, una calculadora de engranajes, flotadores para caminar sobre el agua o una máquina para pulir espejos.

Leonardo también realizó proyectos notables como urbanista. Así, diseñó para César Borgia un mapa del

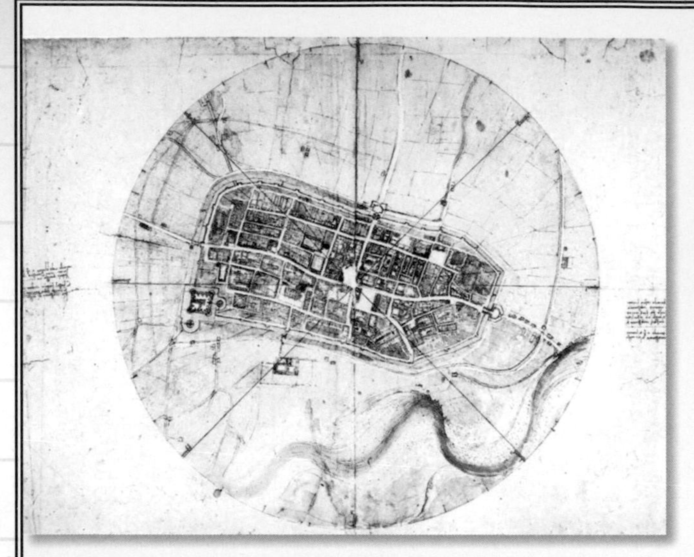

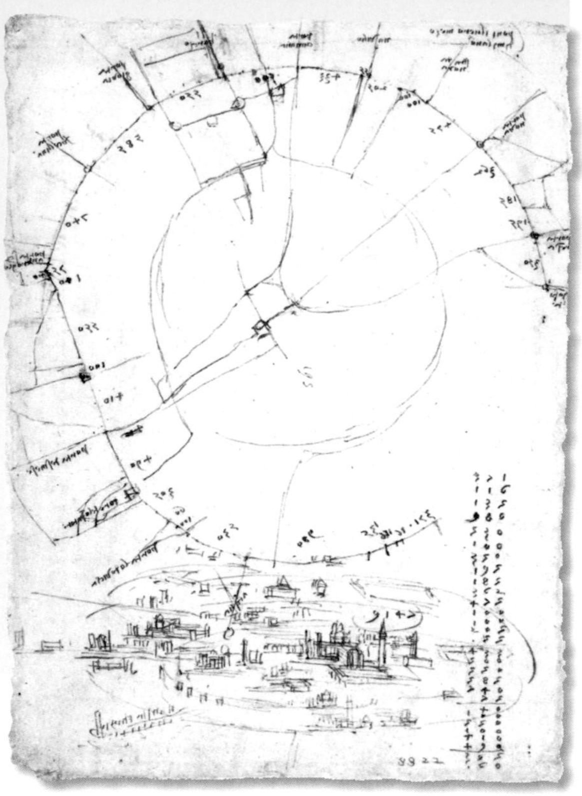

Arriba: Leonardo dibujó esta planta de Imola, con perspectiva «a vista de pájaro» para César Borgia.
Derecha: plano esquemático de Milán.

trazado urbano de Imola, cuando la cartografía de las ciudades era poco común. De igual manera, representó un mapa de Florencia, y planeó el desvío del río Arno para sanear la ciudad y conseguir un regadío más eficaz. Proyectó el ensanche de Milán y una serie de ciudades satélite.

Como era habitual en él, aprendió urbanismo del contacto con sus amigos y de la observación, ya que consideraba que todo se encontraba en la naturaleza y por tanto solo era necesario observarla. Mediante su propuesta de «ciudad ideal», revolucionó las teorías urbanas y propuestas de los arquitectos del Renacimiento que hasta ese momento trataban el tema. Como urbanista adquirió conocimientos profundos en el reconocimiento del terreno y en su presentación. Presentaba sus trabajos con la perspectiva de «a vista de pájaro», donde el horizonte se sitúa por encima del objeto representado. Sus cartografías se toman como las primeras modernas, al dejar atrás la representación oblicua característica hasta entonces.

ESTUDIOSO DEL CUERPO HUMANO

Entre las múltiples facetas en las que destacó da Vinci se sitúa la anatomía. Obtuvo permiso para diseccionar cadáveres en el Hospital Santa Maria Nuova de Florencia, y otros de Milán y Roma. Su objetivo era el de crear un tratado extenso, pero resulta fácil imaginar que, entre tantos otros proyectos, no lo terminase. Sus láminas demuestran un excepcional talento como dibujante. Destaca un conocido estudio del feto, una representación extraordinariamente plástica de la posición de este en el vientre materno. A la par, analizó con detalle la anatomía de diferentes animales –sobre todo de los pájaros: vuelta a su fijación por el vuelo–, comparándolos con la humana. Da Vinci se vio forzado a dejar sus investigaciones anatómicas con cadáveres tras ser acusado de «prácticas indecorosas» con los cuerpos. Tras sus trabajos, el estudio de la anatomía fue obligatorio para los estudiantes de dibujo. En su acercamiento al mundo de la fisiología, Leonardo realizó la primera descripción de la arterioesclerosis y de la cirrosis hepática de la que se tiene constancia.

EL GENIO TOTAL

El gran talento de Leonardo da Vinci fue intervenir en una amplia gama de disciplinas sin caer por ello en lo anecdótico o mediocre en ninguna de ellas. Lo podemos penalizar por no acabar todo lo que se propuso, por desencantarse, pero es su rasgo más humano en una vida repleta de genialidad ante las que las del resto palidecen.

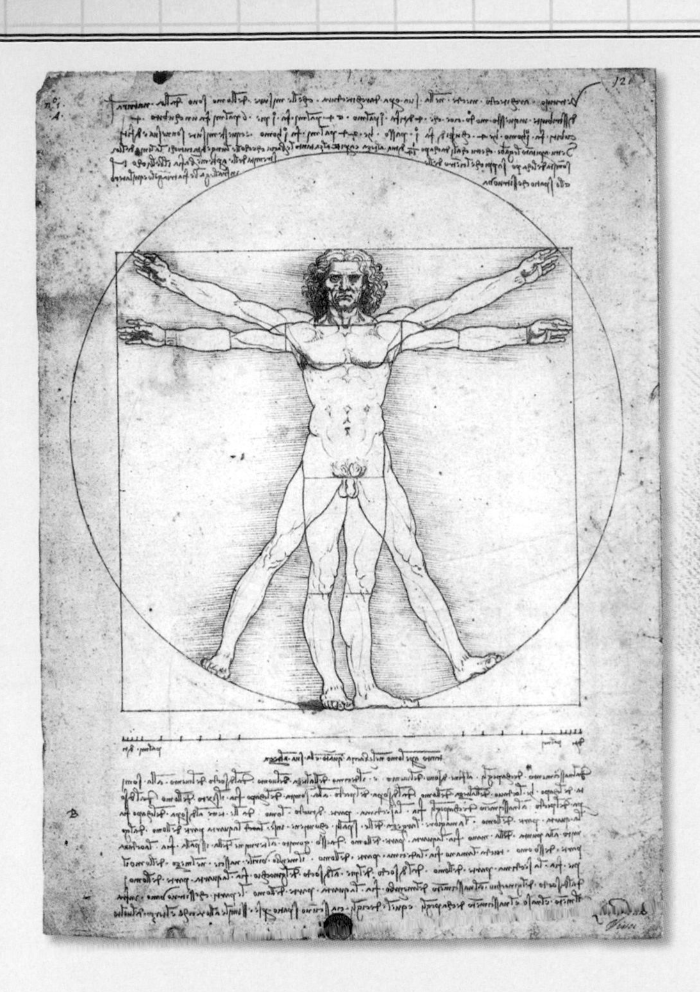

Arriba y abajo: *dibujos de un cráneo y de la posición del feto, dentro de los estudios de anatomía de da Vinci.*

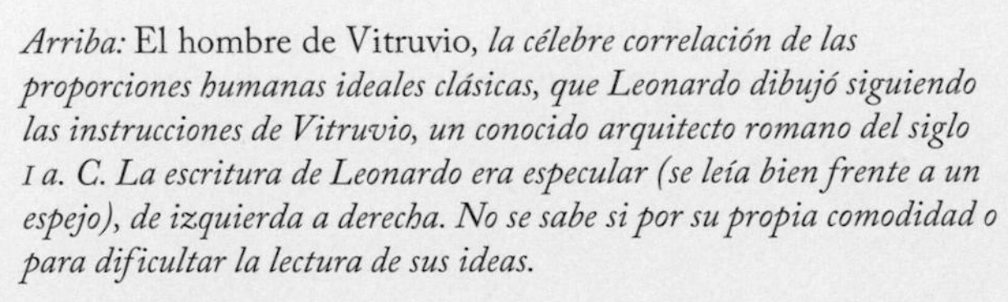

Arriba: El hombre de Vitruvio, *la célebre correlación de las proporciones humanas ideales clásicas, que Leonardo dibujó siguiendo las instrucciones de Vitruvio, un conocido arquitecto romano del siglo I a. C. La escritura de Leonardo era especular (se leía bien frente a un espejo), de izquierda a derecha. No se sabe si por su propia comodidad o para dificultar la lectura de sus ideas.*

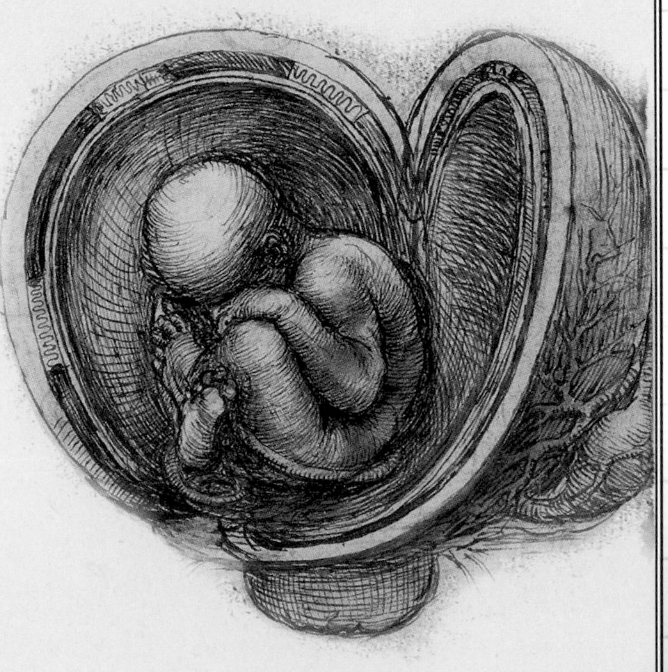

Polímata por excelencia, su capacidad autodidacta lo llevó a enfocar todos sus proyectos desde un punto de vista práctico, funcional y muy gráfico, anticipándose así al aprendizaje del futuro. Pero, más allá del brillo de sus invenciones y de sus obras más reconocibles, en este somero repaso de su genio universal no debemos olvidar que fue un hombre sabio y afable. Su último mecenas, Francisco I, dijo de él tras su muerte que, más allá de su saber como pintor, escultor o arquitecto, su gran valía era la de filósofo. Siempre se podía aprender de él, simplemente por su actitud ante la vida, su gran regalo. Escuchémosle antes de seguir al siguiente genio: «No se puede poseer mayor gobierno, ni menor, que el de uno mismo».

Nicolás Copérnico

Astrónomo revolucionario

Existe un antes y un después de Nicolás Copérnico (1473-1543) en la historia del pensamiento científico y humanístico. No es para menos: él instauró para siempre el concepto de heliocentrismo, desplazando a la Tierra del centro de todas las cosas. Fue el empujón que necesitaba el movimiento renacentista: para que el hombre fuera la medida de todas las cosas, debía reconocer que no todo gravitaba en torno a él. Por supuesto, gran parte de la Iglesia rechazó sus ideas, pero Copérnico se reservó publicarlas justo antes de su muerte.

UNA FORMACIÓN GLOBAL

Aunque de ascendencia alemana, Mikołaj Kopernik (en polaco), nació en Torun, Prusia, dentro del Reino de Polonia, en 1473. Su padre, comerciante, falleció cuando tenía 10 años, y su educación quedó a cargo de su tío materno, un importante obispo de Polonia. Estudió en la Universidad de Cracovia y posteriormente, viajó a Italia, donde se inscribió en la Universidad de Bolonia. Allí tuvo un estrecha relación con su profesor Domenico María Novara, estudioso de la teoría geocéntrica de Claudio Ptolomeo, que imperaba desde el siglo II. Sus estudios incluyeron Derecho, Medicina, Griego y Filosofía, y hacia 1500 se especializó en ciencias y astronomía en Roma.

A lo largo de su vida, Copérnico trabajó como matemático, físico, astrónomo, jurista, canónigo, gobernador, diplomático y economista. Aunque su aportación a la astronomía resultó monumental, esta era poco menos que la mayor de sus aficiones. Su vida profesional transcurrió como sacerdote y médico, principalmente. Incluso realizó alguna aportación notable a la teoría económica, como la «teoría de la cantidad de dinero» que establece que los precios suben si circula mucho dinero en la sociedad. Todo un antecedente del término «inflación», que todavía no había sido inventado.

ANTECEDENTES ASTRONÓMICOS

Para Copérnico fue clave aprender griego en su etapa en Bolonia. Gracias a ello, pudo leer directamente a Aristóteles y Ptolomeo, dos «geocéntricos» convencidos. Pero, probablemente, también entró en contacto con Aristarco de Samos (c. 310 a. C.-c. 230 a. C.), quien fue el primero en formular la idea de un universo heliocéntrico. Este se atrevió a llevar la contraria a la Teoría geocéntrica de Aristóteles, que desarrolló a fondo más tarde por Ptolomeo. Quizá por eso, por llevar la contraria a la tesis oficial (ver «reflejo de Semmelweis, página 78), su nombre y teorías quedaron orilladas durante nada menos que 17 siglos (más incluso que la «larga noche» que supuso la

GIROS Y PRINCIPIOS COPERNICANOS

La relevancia de Copérnico ha calado en nuestro vocabulario habitual, y en el de los expertos. Por ejemplo, la expresión «revolución -o giro– copernicana», empleada para describir algo que ha sufrido un cambio radical, llega de mano de Immanuel Kant en el prólogo de *Crítica de la razón pura*, incidiendo en que era necesario que la Metafísica cambiara su visión. Asimismo, en cosmología física, el llamado «principio de Copérnico» afirma que la Tierra no ocupa una posición central en el universo. Esto enlaza con el concepto relativista que postula que no somos observadores privilegiados del universo; y que nos lleva de la mano a aceptar que el universo no fue creado para nosotros… por lo que no solo debe existir vida en este planeta.

Estatua dedicada a Copérnico en Torun, su ciudad natal.

Edad Media). Copérnico –quien sin embargo, nunca cita a Ptolomeo, aunque sí a otros griegos–, consiguió que el heliocentrismo se convirtiese en el paradigma oficial. Aunque no de inmediato.

Su primer acercamiento notable a la astronomía llegó un 9 de marzo de 1497, cuando concluye que la distancia de la Luna a la Tierra no varía en los cuartos y en la fase llena. Esto chocaba con Ptolomeo, lo cual no hizo sino abrirle las puertas a la crítica: mejor fiarse de su razonamiento y de la observación que de la herencia recibida.

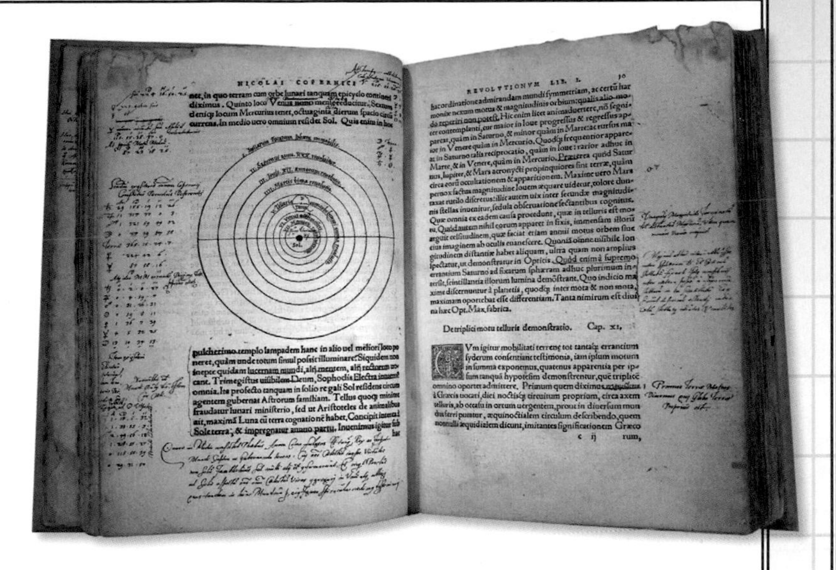

Uno de los primeros ejemplares de De revolutionibus orbium coelestium.

LA REVOLUCIÓN CELESTE

A lo largo de los años, se empapó de los conocimientos astronómicos más relevantes, contrastándolos con sus observaciones. Ya en 1514, escribió su *Commentariolus* (en latín, «pequeños comentarios») un texto de 40 páginas, que no llegó a publicar como tal, sino que repartió entre colegas y amigos. Es, básicamente, una versión reducida y simplificada de su trascendental *De revolutionibus orbium coelestium* (*Sobre las revoluciones de las esferas celestes*), que sí vería la luz casi 30 años después. Se especula que Copérnico, sabedor de los problemas que le podría conllevar, prefirió que sus ideas tuvieran un perfil bajo.

Pero los colaboradores de Copérnico –en especial su discípulo, Georg Joachim Rheticus–, conscientes de la magnitud de la obra, lo fueron convenciendo para que liberase sus manuscritos. Y así sucedió en 1543, cuando permite que el impresor Johannes Petreius, en Núremberg, edite el primer ejemplar de *De revolutionibus orbium coelestium*, dedicado al papa Pablo III. La tirada fue escasa –unos 400 ejemplares– y, al parecer, poco o mal vendida. Sin embargo, su impacto fue paulatino y se impuso en las siguientes décadas en la comunidad científica.

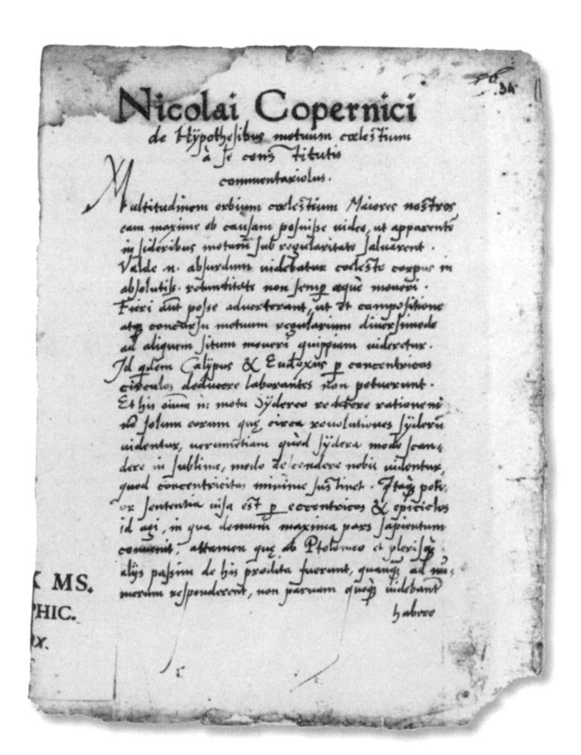

Nicolai Copernici

Commentariolus, *manuscrito original de Copérnico.*

El modelo heliocéntrico del universo llevaba dentro diversas aportaciones claves para la ciencia. Variaba el concepto de «ley de la gravedad» que existía hasta entonces; describía los tres movimientos de la Tierra: rotación, traslación y oscilación (este último justificaba las estaciones); explicaba el movimiento retrógrado de los planetas; ayudó en la reforma del calendario juliano (culminado con la adopción del gregoriano en 1582)... Las implicaciones que se derivan de la obra de Copérnico son incontables, en un mundo que luchaba por salir de la oscuridad de la Edad Media. Por eso, su principal mérito, además del científico, consistió en apartar al hombre del centro físico del universo –¿acaso era eso lo importante?– y centrarlo en el conocimiento racional del mismo, por encima de la superstición y de los dogmas.

Paracelso

PADRE DE LA TOXICOLOGÍA

QUE «LA DOSIS HACE AL VENENO» LO SABEMOS GRACIAS A LAS PELÍCULAS, LAS SERIES O A CUALQUIER LIBRO DE AGATHA CHRISTIE. MENOS CONOCIDO PARA EL GRAN PÚBLICO ES QUE FUE PARACELSO (1493-1541) QUIEN FORMULÓ DICHA MÁXIMA. ESTE MÉDICO, ALQUIMISTA Y ASTRÓLOGO SE ERIGIÓ COMO UN AUTÉNTICO RENOVADOR DE LA MEDICINA, QUE VENÍA DE LOS SIGLOS DE OSCURIDAD QUE LA EDAD MEDIA HABÍA PROPORCIONADO AL CONOCIMIENTO. SU DOMINIO DE LA QUÍMICA PARA CURAR ENFERMEDADES NO TUVO PARANGÓN EN SU ÉPOCA.

MÉDICO DE FORMACIÓN PRÁCTICA

En el imaginario colectivo, un alquimista es todo aquel iluminado medieval empeñado en convertir el plomo en oro. Pero, cuando el Renacimiento se deshacía de los grilletes de la Edad Media, apareció en Europa un alquimista que perseguía otro tipo de transmutación: la de convertir la carne enferma en carne sana. La más alta aspiración de la alquimia, según Paracelso, sería preparar medicinas que restablecieran el equilibrio químico de un cuerpo alterado por la enfermedad.

Theophrastus Phillippus Aureolus Bombastus von Hohenheim nació cerca de Zúrich, entonces parte del Sacro Imperio Romano Germánico. Con el tiempo, se hizo conocer como Paracelso –decisión que entendemos y apoyamos–, que, según la teoría más extendida, significa «semejante a Celso», un médico romano del siglo I. Era hijo de un alquimista y médico suabo, y desde joven recibió formación en medicina y química. A los 16 años se inscribió en la Universidad de Basilea, después se traslada a la de Viena y se acaba doctorando en Ferrara. Sin embargo, parece que donde más progresa es en los talleres metalúrgicos de las minas del Tirol. Allí aprendió a distinguir los minerales y sus propiedades físicas, cómo obtenerlos y los efectos de los ácidos sobre ellos. Y, también, conoció de primera mano las enfermedades profesionales de los mineros, así como los remedios y curas basados en la experiencia, fuera de los cánones médicos de la época.

Cuando acabó su formación, se enroló como cirujano militar –estuvo al servicio de Venecia en 1522– por lo que es probable que viajase entre 1517 y 1524 por Holanda, Escandinavia, Prusia, Tartaria y Oriente Próximo. La mayor parte de su carrera profesional la ejerció entre Basilea, Alsacia y Salzburgo.

GENIO, MAGO Y HEREJE

Dicen que fue el único hombre que encontró la piedra filosofal. También fue el primero en negarla. Aseguran que en uno de sus viajes a Constantinopla aprendió el arte de la alquimia. Pero él prefirió afirmar: «El objeto de la alquimia no es transformar metales innobles en plata u oro, sino crear un remedio para todas las enfermedades». Paracelso intuyó que lo símil se cura con lo símil. Lo mismo que mata en pequeñas dosis puede salvar. En la naturaleza, que una sustancia

EL ASTRÓLOGO DEL CUERPO

Paracelso practicó la astrología y el misticismo con veneración, como si ver en lo lejano le permitiese ahondar en lo más cercano. Sus obras están repletas de alusiones a seres elementales con los que afirmaba relacionarse, y le atribuimos la idea de que los cuatro elementos pertenecían a esas criaturas: la tierra sería de los gnomos, el agua de las nereidas (ninfas acuáticas), el aire de los silfos (espíritus del viento) y el fuego de las salamandras (hadas de fuego). En este campo, su doctrina se resumía en el concepto *Astrum in corpore*: el cuerpo del hombre equivalía al firmamento y como tal se podía estudiar. Terminó su obra *Astronomia magna* en 1537, aunque se publicó décadas después, en 1571. Fue un tratado de hermetismo, astrología, teología y demonología, que le confirió cierta fama de profeta, en especial por parte del rosacrucismo del siglo XVII.

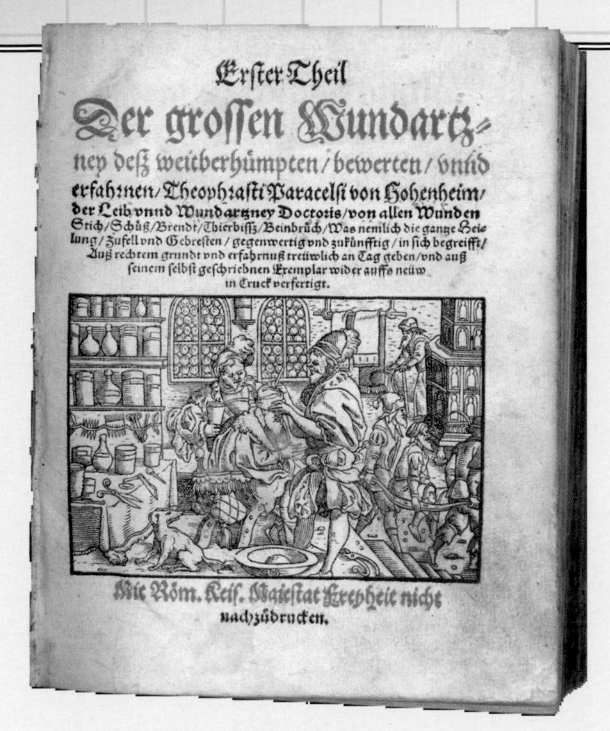
Erster Theil
Der grossen Wundartz-
ney deß weitberhümpten/ bewerten/ vnnd
erfahrnen/ Theophrasti Paracelsi von Hohenheim/
der Leib vnnd Wundartzney Doctoris/ von allen Wunden
Stich/ Schüß/ Brendt/ Thierbissz/ Beinbrüch/ Was nemlich die gantze Hei-
lung/ Zufell vnd Gebresten/ gegenwertig vnd zukünfftig/ in sich begreifft/
Auß rechtem grundt vnd erfahrnuß treüwlich an Tag geben/ vnd auß
seinem selbst geschriebnen Exemplar wider auffs neüw
in Truck verfertigt.

Mit Röm. Keis. Maiestat Freyheit nicht
nachzůdrucken.

Primera página de La gran cirugía.

sea medicina o veneno depende de la dosis: un poco del veneno de una serpiente puede salvarnos, del mismo modo que comer todos los días lentejas puede matarnos.

Paracelso fue –entonces y ahora– un personaje poliédrico, con distintas interpretaciones. Como polemista, parece, no tuvo precio; era consciente de su talento y singularidad y no tenía reparos en hacérselo ver a la vieja guardia. Lo expulsaron de la Universidad de Basilea tras afirmar que la medicina se podía aprender, pero no se podía enseñar: «Aquel que puede curar enfermedades es médico. Ni los emperadores ni los papas, ni las escuelas superiores pueden crear médicos. (...) Conocer las experiencias de los demás es muy importante, pero toda la ciencia de los libros no basta para hacer a un hombre médico a menos que lo sea ya por naturaleza». Con este tipo de afirmaciones se echó encima a buena parte de sus colegas. Más iconoclasta aún, Paracelso consideró que la cirugía era parte de la ciencia de curar, en una época en la que los cirujanos eran los barberos, y estaban despojados de cualquier rango médico.

Hubo quien lo comparó con Lutero y lo trató como hereje: desde la óptica de entonces, con razón. Para él, la curación estaba en el enfermo, que había de encontrar en su interior; el médico era solo un instrumento. Ponía por delante la práctica y menospreciaba los títulos; quemó en público libros de Galeno y Avicena. Tan hereje como Sócrates, cuya mayéutica irritaba al poder.

UN LEGADO PARA EL FUTURO

Entre su herencia se encuentra la recomendación de beber dos litros de agua al día y comer gran cantidad de frutas y verduras. Creó remedios o medicamentos a partir de minerales y plantas. Definió y nombró el líquido que rodea las articulaciones con el término «sinovial» lo cual explicó de manera clara la fisiología de brazos y piernas; descubrió las características de muchas enfermedades como la sífilis o el bocio, que combatió con azufre y mercurio. Asimismo, experimentó con el láudano para combatir el dolor y defendió la idea de experimentar con animales. Hoy se le considera como uno de los precursores de la antisepsis, gracias a su libro *La gran cirugía*.

Paracelso contribuyó a que la medicina se encaminase hacia la ciencia y se alejase de las teorías de los escolásticos. Dio un nuevo enfoque a la enfermedad, situándola en algo «externo» al cuerpo, principalmente en el reino mineral y en el aire de la atmósfera. Dirigió la terapia contra un agente infeccioso, dejando atrás la teoría del desequilibrio de los humores como causa fundamental de las enfermedades. Falleció en Salzburgo; sus seguidores se dieron el nombre de «paracelsianos».

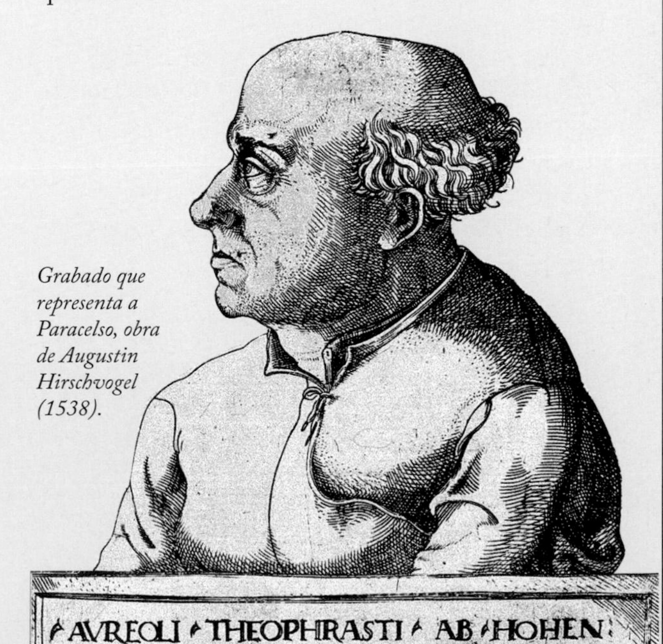

Grabado que representa a Paracelso, obra de Augustin Hirschvogel (1538).

Miguel Servet

TEÓLOGO Y MÉDICO LIBREPENSADOR

SON VARIAS LAS RAZONES POR LAS QUE MIGUEL SERVET (C. 1510-1553) PUEDE FIGURAR EN ESTE LIBRO. LA MÁS ELEMENTAL, SU DESCUBRIMIENTO DE LA CIRCULACIÓN MENOR DE LA SANGRE, O CIRCULACIÓN SANGUÍNEA PULMONAR. PERO TAMBIÉN, SU FIGURA COMO TEÓLOGO INDEPENDIENTE, EN BUSCA DE LA VERDAD, O AL MENOS DE SU VERDAD, MARCA UN PUNTO DE INFLEXIÓN EN LA HISTORIA DE LA EUROPA RENACENTISTA. SERVET FUE QUEMADO DOS VECES EN LA HOGUERA; LA PRIMERA, SIMBÓLICAMENTE; LA SEGUNDA, EN GINEBRA. TANTO CALVINISTAS COMO CATÓLICOS ENCONTRARON SU LUCIDEZ IGUALMENTE INCÓMODA.

ORÍGENES INCIERTOS

No queda claro aún si Miguel Sevet nació en Villanueva de Sigena (Huesca), la tierra de sus padres y donde se crio, o en Tudela (Navarra); tampoco si en 1509 o en 1511. Resulta más probable lo oscense, y que lo tudelano fuera un ardid para ocultar su identidad. Lo que sí parece seguro es que desde muy pronto destacó como alumno. Con 13 años abandonó su lugar de origen rumbo a Lérida y Barcelona, y ya dominaba el latín, el griego y el hebreo. Con 15 años era discípulo de fray José de Quintana, quien llegó a ser confesor personal del emperador Carlos V. El joven Miguel, en compañía de su maestro, asistió a la coronación imperial celebrada en Bolonia en 1529.

Su formación académica se completó en Francia, donde contactó con los reformistas. Estas tendencias impulsaron su pensamiento independiente y rebelde. Ya con 19 años fue acusado de hereje por poner en duda el carácter trinitario de Dios, idea que cuajó en el libro *De Trinitatis Erroribus* (*De los errores acerca de la Trinidad*, 1531). Por si fuera poco, al año siguiente abundó en esta y otras personales interpretaciones de la fe en otras dos obras: *Dialogorum de Trinitate* (*Diálogos sobre la Trinidad*), acompañado de una obra suplementaria,

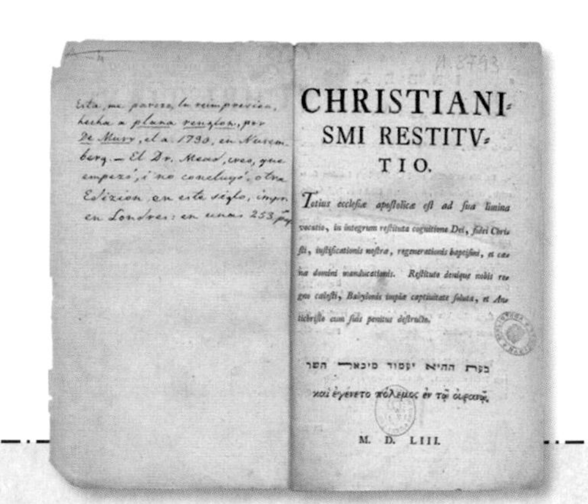

Esta, me parece, la reimpresion, hecha a plana renglon, por De Murr, el a. 1790, en Nuremberg.— El Dr. Mead, creo, que empezó, i no concluyó, otra Edizion en este siglo, impr. en Londres: en unas 253 pág

CHRISTIANISMI RESTITVTIO.

Totius ecclesiæ apostolicæ est ad sua limina vocatio, in integrum restituta cognitione Dei, fidei Christi, iustificationis nostræ, regenerationis baptismi, et cœnæ domini manducationis. Restituto denique nobis regno cælesti, Babylonis impiæ captiuitate soluta, et Antichristo cum suis penitus destructo.

בעת ההיא יעמוד מיכאל השר

καὶ ἐγένετο πόλεμος ἐν τῷ οὐρανῷ.

M. D. LIII.

SOBRE LA CIRCULACIÓN MENOR

Así describía Servet la circulación menor en su libro *Christianismi Restitutio*: «El espíritu vital tiene su origen en el ventrículo izquierdo del corazón, y a su producción contribuyen principalmente los pulmones. Es un espíritu tenue elaborado por la fuerza del calor, de color rojizo, de tan fogosa potencia que es como una especie de vapor claro de la más pura sangre, que contiene en sí sustancia de agua, de aire y de fuego. Se produce en los pulmones al combinarse aire inspirado con la sangre sutil elaborada que el ventrículo derecho del corazón transmite al izquierdo. Pero este trasvase no se realiza a través del tabique medio del corazón, como corrientemente se cree, sino que, por un procedimiento muy ingenioso, la sangre sutil es impulsada desde el ventrículo derecho del corazón por un largo circuito a través de los pulmones. En los pulmones es elaborada y se torna rojiza, y es trasvasada desde la arteria pulmonar, se mezcla con aire aspirado, (y) por expiración, se vuelve a purificar de la fulígine; y así, finalmente, la mezcla total, material apto para convertirse ya en espíritu vital, es atraída por la diástole desde el ventrículo izquierdo del corazón».

De Iustitia Regni Christi (*Sobre la Justicia del Reino de Dios*). Estos textos le granjearon grandes enemistades entre protestantes y católicos. La Santa Inquisición condenó sus trabajos; nunca pudo regresar a su patria, amenazado por la justicia y por la hoguera. Esa espada siempre pendió sobre él, como veremos.

EXPERIENCIA MÉDICA

Servet decide establecerse –y ocultarse- definitivamente en Francia, bajo el nombre de Michel de Villeneuve, como nacido en Tudela. Primero en Lyon, como corrector de pruebas de una imprenta. Más tarde, en París, en cuya universidad estudia Medicina. En 1541 entra al servicio médico del arzobispo de Vienne, cerca del los Alpes franceses. Años de cierto sosiego, en los que profundiza en la profesión médica, sin dejar de lado la teología, como muestran las decenas de cartas que a lo largo de la década se intercambia con Juan Calvino. Una relación que, a la larga, le condenaría a muerte.

Antes, Servet se ocupó de la vida. En sus años de ejercicio médico, su curiosidad innata le sirvió para percatarse de la circulación menor de la sangre: la que tiene que ver con el bombeo de la sangre del corazón hacia los pulmones, para liberarse de CO_2 y tomar oxígeno, en contraposición a la circulación mayor, que es la que lleva esa sangre oxigenada a todo el cuerpo. Este descubrimiento –aunque el árabe Ibn al-Nafis, en 1242, publicó teorías similares– lo anotó, a modo de digresión, en un capítulo de su libro *Christianismi Restitutio* (*Restitución del Cristianismo*, 1553). Para Servet, el alma se diluía en la sangre –por tanto, por todo el cuerpo–, razón por la que hizo esta descripción en un libro teológico y no científico. Quizá por ello esta afirmación quedó como una nota al margen de un libro condenado por la Iglesia, y el pensamiento científico no lo tuvo en cuenta hasta las investigaciones del médico inglés William Harvey hacia 1616.

UN HEREJE CAMINO A LA HOGUERA

Servet tuvo la audacia de enviar *Christianismi Restitutio* a Calvino en 1546 –años antes de su publicación definitiva–, quien lo leyó enfurecido. Entre otras cuestiones, se declaraba

Última conversación de Juan Calvino con Miguel Servet, *óleo de Theodor Pixis, 1861, de inspiración calvinista, donde se observa a un sereno Calvino que intenta convencer al arrebatado hereje Servet. Museo del Prado, Madrid, España.*

contrario al bautismo de los niños, puesto que lo consideraba como un acto maduro y consciente, como había sido por parte de Jesucristo. Además, hablaba de que Dios estaba «en todas las cosas», lo que lo acercaba al panteísmo. Siete años más tarde lo publicó, y pronto llegó a manos de la Inquisición francesa –se especula que instigado por Calvino–, quien lo declaró hereje y lo condenó a muerte. Enseguida, Servet es detenido en Vienne, pero antes de su quema consigue escapar. Un par de meses después queman una efigie suya. Mejor eso que nada, debieron de pensar.

No se sabe bien por qué, en su huida Servet decide pasar por Ginebra, ciudad bajo el control de Calvino, quien ya le había advertido de que, si caía en sus manos, no saldría vivo. Descubren a Servet asistiendo a un sermón de Calvino; lo detienen y lo ponen en manos del Consejo de Ginebra. El 27 de octubre de 1553, tras un duro cautiverio, Servet fue quemado vivo junto a sus libros en Champel, junto a Ginebra, acusado de hereje por Juan Calvino, y repudiado también por la Iglesia católica.

Varios de los pensadores de la época clamaron contra esta ejecución. En adelante, y en especial a partir del siglo xx, Miguel Servet se erige como símbolo de la lucha por la libertad individual y de la sinrazón del fanatismo religioso.

Sello emitido en 2011 para conmemorar el quinto aniversario del nacimiento de Miguel Servet.

Galileo Galilei

El padre de la ciencia

¿Por dónde empezar con Galileo? Baste con decir que se le conoce como el «padre de la ciencia», calificativo ganado a la fuerza. Galilei (1564-1642) fue un genio, un renacentista puro, que dejó su huella en cualquier disciplina a la que se acercase. Se empleó como astrónomo, filósofo, ingeniero, matemático o físico; y, como buen curioso –e hijo de célebre músico– mantuvo un estrecho contacto con las artes. Con sus teorías, la ciencia avanzó siglos. Se atrevió a dejar de lado los paradigmas aristotélicos: la verdad la encontraría en la observación. Y contribuyó más que nadie a separar el conocimiento científico de la autoridad, la tradición y la fe: la Iglesia, por supuesto, no se lo puso fácil.

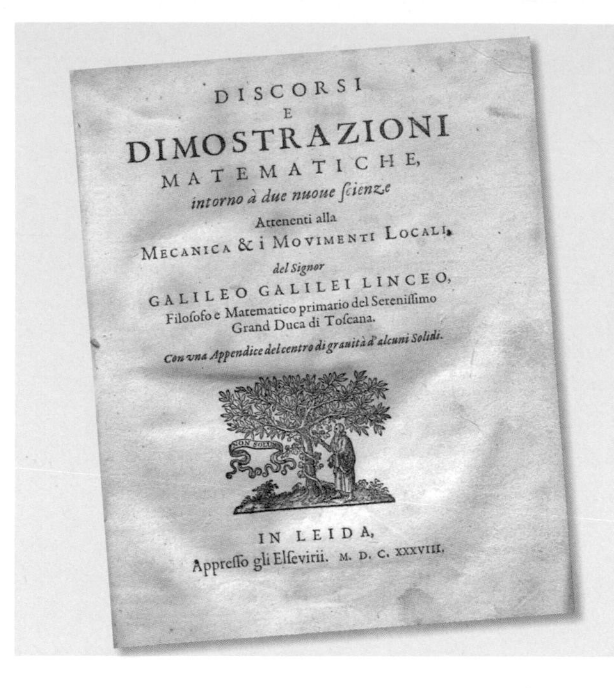

DISCORSI
E
DIMOSTRAZIONI
MATEMATICHE,
intorno à due nuoue ſcienze
Attenenti alla
MECANICA & i MOVIMENTI LOCALI,
del Signor
GALILEO GALILEI LINCEO,
Filoſofo e Matematico primario del Sereniſſimo
Grand Duca di Toſcana.
Con una Appendice del centro di grauità d'alcuni Solidi.
IN LEIDA,
Appreſſo gli Elſevirii. M. D. C. XXXVIII.

UNA FORMACIÓN GLOBAL

Hijo de Vincenzo Galilei, músico y comerciante, Galileo, nacido en Pisa, probó con la carrera de Medicina siguiendo los consejos paternos. Pero descubrió que su camino se encontraba en las matemáticas y la física. Los estudios religiosos y la filosofía aristotélica lo aburrían; disfrutaba, sin embargo, leyendo a Euclides, Pitágoras o Arquímedes.

En la Universidad de Pisa dio muestras de su capacidad. Allí los postulados aristotélicos y escolásticos eran ley; pocos se atrevían a cuestionar al filósofo griego o a Santo Tomás de Aquino, a quienes se llamaba *las Autoridades*. Pero Galileo se aventuró a que fuesen la observación y la experimentación las que determinaran la realidad física. Baste un ejemplo: los aristotélicos creían que los objetos más pesados caían al suelo más rápido que los más ligeros. Galileo no pensaba igual; según él, todos los objetos se comportaban igual en el vacío, y para demostrarlo dejó caer una serie de objetos desde una cierta altura, y anotó el tiempo y la posición de cada uno de ellos en una caída en un plano inclinado. Se dice –aunque se duda de que realmente fuera así– que también lo hizo arrojando distintos pesos desde lo alto de la Torre de Pisa. De igual manera, en Pisa descubrió la ley de la isocronía de los péndulos. Así, Galileo se convertía en pionero de una nueva ciencia: la mecánica. Condensó las conclusiones de sus experimentos en una de sus primeras obras, *De motu* (*Sobre el movimiento*, 1590).

Un ejemplo posterior del enfrentamiento entre estas dos escuelas se dio en 1611. Galileo afirmaba que el hielo flota porque es más ligero que el agua, mientras que los aristotélicos decían que lo hace porque está en su naturaleza el flotar (física cuantitativa y matemática

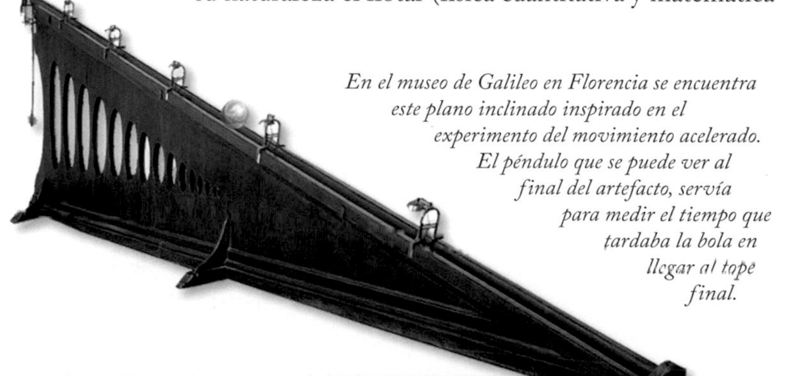

En el museo de Galileo en Florencia se encuentra este plano inclinado inspirado en el experimento del movimiento acelerado. El péndulo que se puede ver al final del artefacto, servía para medir el tiempo que tardaba la bola en llegar al tope final.

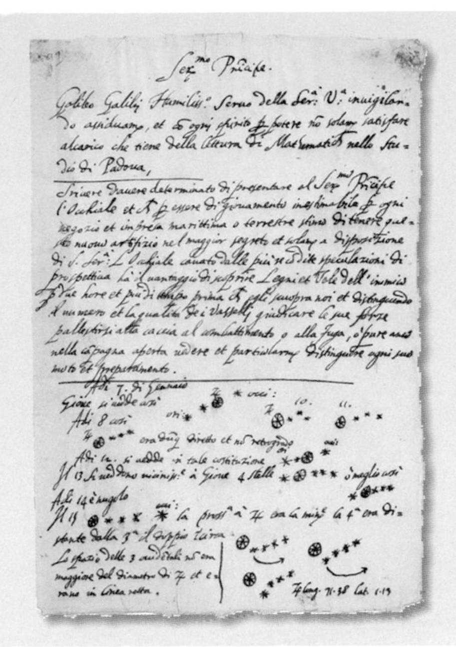

Derecha: detalle de un telescopio de Galileo, que se conserva en el Museo Nacional de Ciencia y Tecnología Leonardo da Vinci de Milán, Italia.

Página anterior: primera página de Discurso y demostración matemática, en torno a dos nuevas ciencias, *último libro escrito por Galileo Galilei, publicado en 1638. En él establece los fundamentos de la mecánica como una ciencia. Escrito en forma de diálogos.*

Izquierda: Galileo apuntó en esta hoja sus primeras conclusiones tras la observación de las lunas de Júpiter, que implicaban que no todos los cuerpos celestes orbitaban alrededor de la Tierra. Desarrolló este concepto en su libro Sidereus Nuncius *(1610).*

de Galileo contra física cualitativa de Aristóteles). Pese a las demostraciones del pisano, el enfrentamiento fue enconado con otros intelectuales aristotélicos.

En Pisa no acabó sus estudios. Sin embargo, se fue de allí con una amplia variedad de saberes y, lo más importante, con el convencimiento de que solo con la ciencia podría conocer el mundo.

EJEMPLO DE SU GENIO

Pronto, recomiendan a Galileo para el puesto de profesor universitario. El duque Fernando I de Médici lo nombró para la cátedra de Matemáticas de la Universidad de Pisa, en 1589. En 1592, se trasladó a la Universidad de Padua, bajo el protectorado de la República de Venecia y ejerció como profesor de geometría, mecánica y astronomía hasta 1610. Entre otros hallazgos notables figuran las leyes del movimiento pendular –la leyenda dice que comenzó a pensar en ello mientras miraba una lámpara oscilante en la catedral de Pisa) y las leyes del movimiento acelerado.

Galileo fue capaz de poner todo su saber teórico en beneficio de la práctica. En esos años, inventó, entre

CIENTÍFICO, INGENIERO E INVENTOR

Decía Theodor von Kármán, ingeniero aeronáutico norteamericano de origen húngaro: «el científico descubre lo que es; el ingeniero crea lo que nunca ha sido». La cita viene a colación por la grandeza de Galileo, quien conjugó como nadie esas facetas. Hasta entonces, la combinación de la teoría con la práctica no era algo usual; para Galileo, resultaba algo lógico. Por entonces, los científicos no recibían ese nombre, sino «filósofos de la naturaleza». De hecho, atacó varias veces a los profesores de su época, diferenciándose de ellos. Entre sus inventos, cabe destacar una balanza hidrostática que medía la densidad de fluidos y metales; un mecanismo hidráulico para elevar el agua que ayudaba al riego; el termoscopio, el primer aparato para comparar objetivamente frío y calor; el perfeccionamiento y uso aplicado del telescopio; un compás para cálculos geométricos de navegantes, astrónomos y artilleros, antecesor de la calculadora; y nuevas herramientas y formas de trabajo en los astilleros y arsenales de Venecia.

Galileo, mostrando al Dux de Venecia su telescopio.

Compás militar (arriba, en la Galería Putnam de Boston, EE.UU.).

El libro Le operazioni del compasso geometrico et militare, *el «pack» que Galileo vendía conjuntamente.*

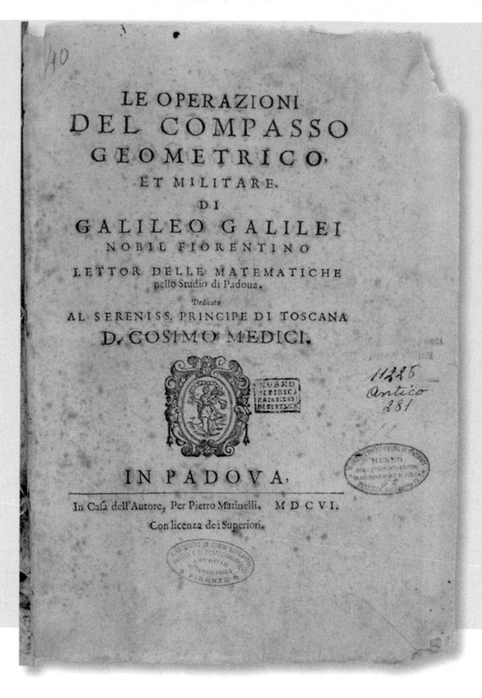

LE OPERAZIONI
DEL COMPASSO
GEOMETRICO,
ET MILITARE,
DI
GALILEO GALILEI
NOBIL FIORENTINO
LETTOR DELLE MATEMATICHE
nello Studio di Padoua.
Dedicato
AL SERENISS. PRINCIPE DI TOSCANA
D. COSIMO MEDICI.

IN PADOVA,
In Casa dell'Autore, Per Pietro Marinelli. M D C V I.
Con licenza de i Superiori.

otros, un termoscopio, primer aparato de la historia que permite comparar con datos la cantidad de frío y de calor. También construyó un compás con el que realizar cálculos aritméticos y operaciones geométricas con facilidad, muy indicado para uso militar. En 1606 publicó 60 copias de *Le operazioni del compasso geometrico et militare*, un libro que vendía de manera conjunta con el compás a los estrategas interesados: fue una de sus mayores fuentes de ingresos. Asimismo, inventó una bomba de agua que funcionaba con el impulso de un caballo. Con ella se podía drenar la tierra y distribuir el agua entre más de una docena de canales de irrigación.

MIRANDO AL CIELO

En Venecia, en 1609, prestó atención a un instrumento que vendía un comerciante procedente de Holanda: un telescopio. Pronto se dio cuenta de la utilidad militar de aquel invento que permitía observar desde lejos al enemigo. El Dux de Venecia se lo compró, le dobló el sueldo y le ofreció la cátedra de manera vitalicia, si bien pronto deja Venecia por Florencia. Galileo fue mejorando su artilugio con el maravilloso cristal de Murano –su factor de magnificación se acercaba a 30–, y con esta nueva herramienta pudo hacer descubrimientos asombrosos: los cráteres y montañas en la Luna –lo cual desmontaba la idea de Aristóteles de la perfección astral–, que la Vía Láctea estaba compuesta por múltiples estrellas, describió las manchas solares, las fases de Venus y observó por primera vez las cuatro lunas más grandes de Júpiter, a las que denominó «astros mediceos» I, II, III y IV,19 en honor de Cosme II de Médicis, su antiguo alumno y gran duque de Toscana. En 1611 viajó a Roma, donde el príncipe Federico Cesi lo nombró primer miembro de la Academia de los Linces –que sigue abierta–, fundada entonces por el mandatario, y luego patrocinó la publicación (1612) de las observaciones de Galileo sobre las manchas solares.

Dibujo de Galileo que ilustra las fases lunares.

Con el telescopio hizo otros descubrimientos que implicaban una concepción del universo distinta. A través del artilugio se podían ver estrellas invisibles a simple vista, lo que suponía que estaban más alejadas; además, mientras los planetas se veían agrandados en el telescopio, el tamaño de las estrellas, pese a su lejanía, aparentemente no variaba.

Mausoleo dedicado a Galileo Galilei, en la iglesia de la Santa Croce, en Florencia.

La conjunción de ambas circunstancias lo condujeron a pensar que el universo era mucho mayor que lo pensado hasta entonces; y, por ende –y muy peligroso teológicamente–, que la Tierra era cada vez «menos importante».

LOS PROBLEMAS CON LA IGLESIA

A raíz de sus progresos con el telescopio, y los sucesivos descubrimientos, Galileo se fue acercando a las tesis heliocentristas de Copérnico. Sus teorías llamaron la atención en la Iglesia romana, cuyos jerarcas –como por ejemplo el cardenal Maffeo Barberini (futuro Urbano VIII)–, le invitaron a explicarlas. En principio, para gusto de todos. Pero poco a poco, los teólogos geocentristas y aristotélicos se sintieron amenazados y consiguieron que, en 1616, el cardenal Bellarmino –quien ya había condenado a muerte a Giordano Bruno–, lo llamase al orden y lo amonestase: debía de abstenerse de explicar o defender tesis censuradas.

Durante los siguientes 16 años, Galileo mantuvo un perfil bajo.

Portada original de Diálogo sobre los principales sistemas del mundo.

Pero siguió investigando, y su nuevo libro, *Diálogo sobre los principales sistemas del mundo* (1632), supuso toda una conmoción. En él ridiculiza el geocentrismo y perfecciona las tesis de Copérnico; además, lo escribe en idioma vulgar, no en latín, lo cual lo hace más accesible. Demasiado para los más conservadores, que consiguieron llevarlo ante la Inquisición. En 1633 lo condenaron a prisión perpetua, conmutada en arresto domiciliario tras abjurar de sus ideas. No se sabe si fue en ese momento cuando dijo aquello de *Eppur si muove* («Y sin embargo se mueve»). La condena produjo un cierto temor en otros intelectuales de la época –como René Descartes, que prefirió dejar para otro momento la publicación de su *Mundo*– y ralentizó, por un tiempo, la circulación del conocimiento.

Durante su arresto, Galileo siguió investigando y experimentando, aunque cada vez más debilitado por su salud. Ya ciego, perfeccionó el péndulo para aplicarlo a los relojes. Falleció en 1642, rodeado de sus discípulos.

William Shakespeare

Escritor para la posteridad

Si hay un escritor conocido a lo largo y ancho del planeta, ese es William Shakespeare (1564-1616): no existe otro con tal repertorio de obras impresas y representadas. Ni probablemente existirá, puesto que a la indudable calidad de sus textos y argumentos se suma el peso de la Historia, que ha hecho del autor inglés un autor clásico y moderno a la vez, con mil y una lecturas y otras mil y una actualizaciones. El valor de Shakespeare reside en que no escribió tan solo para su generación –en especial obras de teatro–, sino para las sucesivas.

UN ESCRITOR APASIONADO

¿Es William Shakespeare el escritor más importante de la Historia? La respuesta carece de sentido –que cada cual elija–, pero sí la pregunta. Porque el mero hecho de que nos la planteemos da la medida del calado del autor. Sin lugar a dudas, si no hubiera existido, nuestras vidas como lectores y espectadores habrían sido bien diferentes. Todos nos hemos internado –en ocasiones sin saberlo, porque su influjo va más allá de lo evidente– en su extensa imaginación.

Nació en Stratford-upon-Avon, hermosa –aun hoy– localidad al sur de Birmingham. Su padre, el funcionario más importante del lugar, tenía derecho a enviarlo a la Escuela de Gramática de Stratford, donde recibió una buena educación, en latín; allí acudían a menudo compañías teatrales a representar obras clásicas y del momento; como en tantas otras ocasiones, vemos que no hay como sembrar en la infancia para recoger en la madurez. Hablando de bisoñez y semillas: Shakespeare se desposó a los 18 años con Anne Hathaway, ocho mayor que él, cuando ya contaba con tres meses de embarazo. Parece que fue un matrimonio forzado, no muy feliz, y para toda la vida; a veces pasa.

Su biografía está llena de lagunas y resulta aventurado relatarla con rotundidad. Se dice que tuvo que dejar pronto esa escuela, que debió entrar como matarife en una carnicería –sin duda le vendría bien para adornar sus dramas más sangrientos–, y que a los tres años de aquel desganado matrimonio –que ya le había dado tres hijos–, lo dejó todo con tal de llegar a Londres y comenzar una carrera en lo único que lo llenaba: la escritura y el teatro. Allí acabó enrolándose en la compañía teatral Lord Chamberlain's Men, una de las más importantes de su tiempo. En ella, Shakespeare «interpretó» varios papeles: escritor de sus obras, por supuesto, pero también actor y, con el tiempo, llegó a copropietario. Era la época en que reinaba Isabel I, bajo cuyo mandato se favoreció la construcción de grandes teatros, con mejores condiciones, frente a las insalubres posadas donde se representaban comedias. Uno de esos teatros londinenses fue The Globe, donde Shakespeare representó la mayoría de sus obras. Tras la muerte de Isabel (Tudor), el nuevo rey Jacobo I (Estuardo) se hizo patrón de la afamada compañía, que pasó a llamarse The King's Men. Aunque la figura del autor era bastante desdeñada por entonces, el hecho de ser empresario ayudó a Shakespeare a labrarse un nombre, Para su muerte, en 1616, ya era un autor venerado. Nada en comparación con lo que le reservaba la posteridad.

Grabado en el que se ilustra cómo era The Globe, el teatro donde se representaban la mayoría de las obras de Shakespeare.

Estatuas de Shakespeare (al fondo) y de su personaje Enrique V, en Stratford-upon-Avon, su ciudad natal.

UNIVERSAL Y ACTUAL

El futuro fue agradecido con William Shakespeare porque las siguientes generaciones vieron en sus textos dramas contemporáneos. Y si sus argumentos tocan temas profundamente humanos –el poder, los celos, la violencia, la vejez…– su lenguaje se hacía accesible a todos, sutil pero natural, afilado pero cercano. Su sola producción como poeta –amoroso, y probablemente no pensando en Anne Hathaway– ya le hubiera encumbrado al olimpo de los bardos en lengua inglesa –baste presentar sus *Sonetos*, de 1609. Pero son sus obras teatrales las que lo universalizan. Su obra, en total 14 comedias (*Trabajos de amor perdidos*, *Sueño de una noche de verano*), 10 tragedias (*Romeo y Julieta*, *Otelo*, *El rey Lear*) y 10 dramas históricos (*Eduardo III*, *Enrique V*), funciona como un manual de los sentimientos, el dolor y las ambiciones de los humanos. Qué podemos decir ya de obras como *Hamlet* («ser o no ser, esa es la cuestión») o *Ricardo III* («mi reino por un caballo»), de entre cuyos diálogos se inunda hoy el lenguaje común.

Los teatros del mundo entero se siguen llenando con sus obras, bien imitando la época de su autor o completamente adaptadas a la nuestra, con protagonistas con traje y corbata; el cine considera a Shakespeare como «su mejor guionista»; también lo encontramos en videojuegos y, si el futuro nos depara nuevas formas de contar historias, no lo dudemos: ahí estará el genio de Stratford-upon-Avon.

Mr. WILLIAM
SHAKESPEARES
COMEDIES,
HISTORIES, &
TRAGEDIES.
Published according to the True Originall Copies.

LONDON
Printed by Isaac Iaggard, and Ed. Blount. 1623.

EL CANÓNICO *FIRST FOLIO*

No siempre resulta fácil la conservación de las obras literarias de un autor «antiguo». En el caso de Shakespeare, un incendio en el teatro The Globe en 1613 acabó con gran parte de los manuscritos originales del autor. Sin embargo, se conservaban otras copias, que fueron ordenadas y editadas para publicarse en 1623 por parte de unos excompañeros del dramaturgo. Es lo que los estudiosos han llamado el *First Folio*, la edición (ver portada a la izquierda) que sirve de base para las posteriores. Se imprimieron unas 800, de las que se conservan 234.

Johannes Kepler

La perfección de las órbitas elípticas

Contemporáneo de Galileo, el matemático y astrónomo alemán Johannes Kepler (1571-1630) es otro de los pilares en los que se apoya la revolución científica con la que Occidente comenzó a despegarse de los dogmas y se volcó en el progreso. La principal aportación de Kepler fueron las tres leyes del movimiento planetario, con las que desentrañó algunas de las grandes incógnitas de la astronomía. Pero sus aportaciones no se quedaron ahí. Kepler tuvo impacto en otras áreas, algunas de ellas realmente sorprendentes.

UN ASTRÓNOMO DESDE LA CUNA

Johannes Kepler nació –sietemesino– en el por entonces Sacro Imperio Romano Germánico, en plena Navidad de 1571. Su padre era un mercenario del ejército –que sirvió en las tropas del duque de Alba y desapareció en el exilio en 1589– y su madre, una curandera y herborista, acusada de brujería años más tarde, y en cuya defensa contra la Inquisición Kepler gastó mucho tiempo y dinero. Ambos padres, durante su infancia, promovieron su interés por el mundo de la astronomía, llevándolo a ver eclipses y cometas.

En 1589, se matriculó en la Universidad de Tubinga. Estudió ética, dialéctica, retórica, griego, hebreo, astronomía y física, y más tarde teología y ciencias humanas. Su expediente era brillante. Quizá por eso, su profesor de matemáticas se animó a enseñarle el «novedoso y rompedor» sistema copernicano, mientras que al común de los estudiantes les impartía el geocéntrico. Para todo hay clases.

Por supuesto, Kepler entró de lleno en las teorías de Copérnico, que quiso ampliar, sobre todo en lo referente al movimiento de los planetas –los seis conocidos por entonces. Uno de sus primeros intentos fue establecer un patrón que explicase las distancias entre ellos, encajando los sólidos platónicos en circunferencias. Un noble y esforzado intento que su lucidez pronto superó.

LAS OBSERVACIONES DE BRAHE

En 1594, apartó su carrera teológica al aceptar una plaza como profesor de matemáticas en el seminario protestante de Graz. Cuatro años después, tuvo que abandonar Austria cuando los protestantes fueron declarados personas no gratas. En octubre de ese mismo año, se trasladó a Praga, invitado por el astrónomo danés Tycho Brahe, quizá el mejor observador habido del cielo, sin telescopio de por medio. Ambos genios se beneficiaron de estar cerca, pero, como suele pasar también en estos casos, la relación incluyó la desconfianza. Brahe disponía de un archivo de datos ingente, que se negó a compartir con Kepler. Cuando el primero falleció, en 1601, Kepler

EL KEPLER NOVELISTA

Sin duda, Kepler fue uno de los impulsores de la revolución científica de finales de siglo XVI y principios del XVII. Pero, como renacentista, también tuvo una relación muy fluida con las letras, más allá de sus escritos sobre astronomía. Uno de los aspectos más sobresalientes, pero menos conocidos, es su aportación a la literatura: podemos calificar a Kepler como el primer escritor de ciencia ficción de la Historia. Como observador de la Luna, Kepler creía que en su rugosa superficie se podría encontrar agua y, por tanto, vida. Azuzado por las conversaciones con el asesor religioso del emperador Rodolfo II, se decidió a escribir una pequeña novela, donde los protagonistas –una madre y un hijo, ella curandera y herborista, ¿nos suena?– viajaban en cohete a la Luna, donde unos curiosos selenitas los recibían. La tituló *Somnium*, y su hijo la publicó póstumamente en 1634. Entre otras curiosidades, Kepler también hacía –a medida– los pronósticos astrales de los reyes, y culminó un estudio sobre las formas maravillosas de los copos de nieve.

lo sustituyó como matemático imperial de Rodolfo II. Y aprovechó la coyuntura para hacerse con esos datos, algo que resultó fundamental para Kepler.

Dedicó buena parte de los siguientes años a interpretar esos datos. Aunque heliocentrista, Kepler mantenía una profunda fe cristiana. Por eso intentó hasta la saciedad encajar los movimientos de los planetas en formas geométricas sencillas: la perfección del Señor no se podía permitir otra cosa que no fueran círculos. Pero los círculos no acababan de explicar ciertas irregularidades, como el movimiento retrógrado de Marte. Por eso rebajó las expectativas y pensó en óvalos: tampoco le valieron. Pero la solución la encontró con las elipses, una forma «menor»... pero perfecta para lo que buscaba. El divulgador científico Carl Sagan lo alababa así: «Prefirió la dura verdad a sus ilusiones más queridas».

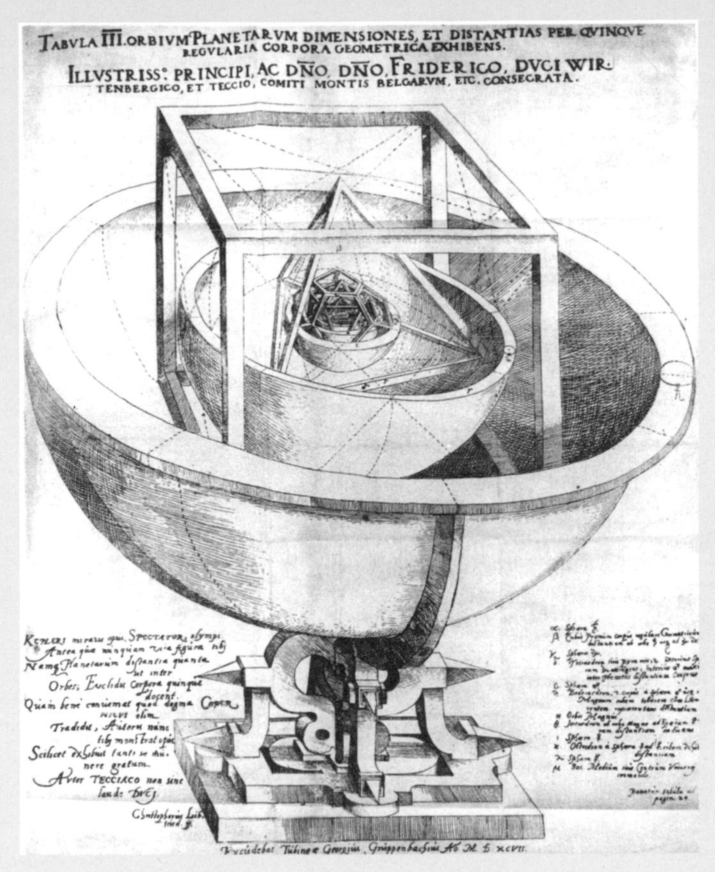

Explicación de Kepler de la estructura del sistema planetario, aparecida en su obra Mysterium Cosmographicum *(1596).*

LAS TRES LEYES DE KEPLER

Kepler publicó *Astronomia nova* en 1609. En esta obra daba cuenta de sus dos primeras leyes; sencillas en apariencia, pero tan difíciles de descubrir que la Humanidad había necesitado miles de años en llegar a ellas. A saber:

- Primera ley: «Todos los planetas se desplazan alrededor del Sol describiendo órbitas elípticas. El Sol se encuentra en uno de los focos –o lados– de la elipse».
- Segunda ley: «La velocidad de los planetas alrededor del Sol no es constante; esta aumenta cuando los planetas se acercan al Sol y disminuye cuando se alejan».
- Tercera ley: para cualquier planeta, el cuadrado de su período orbital es directamente proporcional al cubo de la longitud del semieje mayor de su órbita elíptica.

En realidad, la tercera llegó 10 años después en *Harmonices Mundi* (*La armonía de los mundos*, 1619). Aunque con estas leyes Kepler lograba la inmortalidad, su producción científica no se detuvo. En 1621, publicó *Epitome astronomiae copernicanae*, en la que condensaba todos sus descubrimientos, obra que ayudó a expandir el heliocentrismo copernicano, que poco a poco iba minando las múltiples resistencias. En 1627, fue el momento de las *Tabulae Rudolphinae* (*Tablas Rudolfinas*), en las que comentaba el movimiento planetario interpretando los datos de Brahe; reducían notablemente los errores de las tablas anteriores sobre la posición de los planetas.
Como genio que fue, Kepler también se adentró por otros caminos, en especial por los de la óptica: formuló la Ley Fundamental de la Fotometría, descubrió la reflexión total, describió la primera Teoría de la Visión moderna, donde establecía que los rayos forman sobre la retina una imagen mínima e invertida. Además, desarrolló un sistema infinitesimal, antecesor del cálculo infinitesimal de Leibnitz y Newton.

Falleció en 1630 en Ratisbona. En el epitafio de su lápida, redactado por él mismo, puede leerse: «Medí los cielos, y ahora las sombras mido. Mi mente estaba los cielos, mi cuerpo reposa en la Tierra».

René Descartes

Filósofo racional, global y moderno

«Basta pensar bien para actuar bien». Es una de las muchas frases de René Descartes (1596-1650) que aún circulan y parece acertado subrayar para presentar a este matemático, físico y, sobre todo, filósofo francés. Porque para Descartes, si algo nos hace humanos es nuestra capacidad de pensamiento, de raciocinio; y cuanto más conocimiento, más capacidad para actuar correctamente. Y eso es lo que hizo: romper con la herencia filosófica medieval y escolástica para proponer la razón –el racionalismo– como único método para conocer la verdad.

SUEÑOS DE FILÓSOFO

Es cierto. Que a alguien tan racionalista, tan *cartesiano*, como se le supone a René Descartes, le llegase una iluminación sobre el camino a tomar con su vida a través de unos sueños de procedencia vaporosa resulta algo descorazonador. Pero es el padre del racionalismo el que nos lo dejó escrito en las primeras páginas de su *Discurso del método* (1637) y no somos nadie para afearle la inspiración a quien hizo evolucionar tanto el pensamiento occidental, y sobre el que tantos apoyaron sus disertaciones posteriores. El 10 de noviembre de 1619, en una caldeada habitación de Baviera, Descartes sufrió –o disfrutó– una serie de sueños vívidos que interpretó como una señal divina, Así, Descartes encontró su verdadera vocación: se dedicaría a la investigación de la verdad.

Hasta entonces, la vida del joven Descartes había transcurrido con la tranquilidad de haber nacido en una familia relativamente acomodada, pese a que su madre murió siendo él un bebé. Su padre le llegó a llamar «pequeño filósofo» por sus constantes preguntas. Acudió a un colegio jesuita, donde le impartieron una sólida formación clásica; sin embargo, con el tiempo renegaría de esa enseñanza: según él, no promovía el uso de la razón.

Sorprende que, en 1618, al acabar sus estudios de Derecho y Medicina, decidiera enrolarse como soldado para la Guerra de los Treinta Años en el ejército protestante de los Orange. No parece que fuera un soldado al uso, ya que pronto fue seducido por el conocimiento de Isaac Beeckman, un investigador que pertenecía a un grupo de «sabios» que pretendían aplicar sus propios descubrimientos. «Solo tú fuiste capaz de sacarme de mi estado de indolencia», le reconoció Descartes en sus escritos. En 1619, pasa a formar parte del ejército de Maximiliano I de Austria; es decir, de los católicos, lo que parece confirmar que a Descartes le daba igual la guerra, solo quería conocer mundo. O a sí mismo: en esa época, le llega su sueño revelador.

DECIDIDO A ENCONTRAR LA VERDAD

Entre 1625 y 1628, Descartes se estableció en París. Allí, en una de las capitales del mundo, entra en contacto con otros filósofos e intelectuales, como su gran amigo Marin Mersenne. Se consolida como una de las mentes más preclaras de Europa. Forma parte –o al menos entra en contacto– de un grupo más tarde conocido como «los libertinos», que practica una revolución metodológica, ética y religiosa. Defienden una actitud y un pensamiento inspirados en el relativismo y el perspectivismo, son partidarios entusiastas del nuevo modelo científico –heliocentristas, faltaría más–, escépticos en cuanto a religión, que no desdeñan, pero que colocan en una esfera independiente –para su tiempo– del conocimiento, y reivindican una plena libertad filosófica.

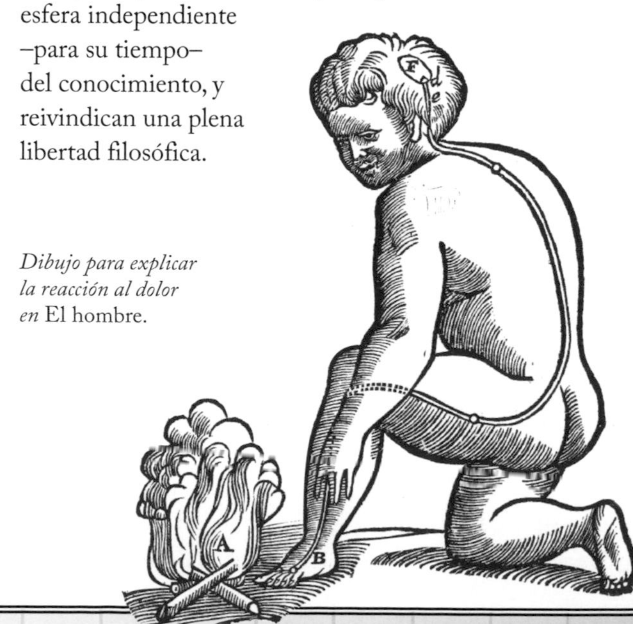

Dibujo para explicar la reacción al dolor en El hombre.

Con todo, Descartes era un hombre de convicciones religiosas, si bien a la manera del intelectual pre-ilustrado. Para él, la búsqueda de la verdad es la búsqueda de Dios mismo. Las verdades eternas, entre las que se encontraban las matemáticas o las geométricas, habían sido dispuestas por Dios. Un pensamiento fuera del canon de la Iglesia, incomprensible o blasfemo para muchos cristianos. Con ese prisma, el racionalismo con el que Descartes se enfrentaba al mundo podía verse como una muestra de orgullo, un desafío a Dios digno de castigo.

APORTACIONES FUNDAMENTALES

En 1633, condenan a Galileo. Seguidor de su obra, Descartes retira, poco antes de llegar a imprenta, dos de sus primeras obras: *El mundo o tratado de la luz* y *El hombre*; en la primera ofrece nuevos conceptos de óptica, y en el segundo, explicaciones al funcionamiento del cuerpo humano, como esbozos –entonces avanzadísimos– del sistema nervioso y del cómo y el porqué del dolor (el matemático Gottfried Leibniz se atreve a publicarlas, décadas después). Quizá por ese ambiente inquisitorial, deja la católica Francia y se instala en los Países Bajos, menos asfixiantes en lo intelectual. De poco le valdría: la Iglesia colocó sus obras en el *Índice de los libros prohibidos*, junto con otros gloriosos nombres.

Quizá su obra capital sea *Discurso del método*. Resulta aparentemente sencillo –propone tan solo cuatro normas– y pretende romper con los largos razonamientos escolásticos que regían las universidades. Esta obra consta de seis partes, y en la cuarta desarrolla el célebre *cogito ergo sum*: «Pienso, luego existo». Este principio, en el que basó su filosofía y forma de ver la naturaleza humana y su relación con Dios, fue a la postre uno de los elementos fundamentales del racionalismo occidental hasta la Ilustración. El método cartesiano propuso descomponer los problemas complejos en partes más sencillas para así analizarlas y, más tarde, volver a erigirlas con una visión más global.

No deberíamos olvidar –y menos cualquier estudiante de bachillerato– que, en matemáticas, Descartes sienta las bases de la geometría analítica, construida tomando un punto de partida y dos rectas perpendiculares que se cortan en ese punto: el denominado sistema de referencia cartesiano, o ejes cartesianos.

Sus aportes filosóficos son extensos y profundos. Centró su estudio en el conocimiento en sí, y sus obras parecen trascendentales para apuntalar aspectos más prácticos, como la moral, la medicina o la mecánica. Este énfasis que otorgó a los problemas epistemológicos lo seguirán sus sucesores, grandes nombres del pensamiento universal, que en mayor o menor medida, para apoyarse en él o corregirlo, lo estudiaron como maestro: de Pascal a Newton, de Spinoza a Kant, de Locke a Hume.

ESTOCOLMO, ÚLTIMO Y MISTERIOSO PUERTO

Descartes falleció el 11 de febrero de 1650, en Estocolmo. Cinco meses antes, la joven reina Cristina de Suecia le había hecho una oferta que no podía rechazar para convertirse en su filósofo de cabecera. Puede que fuese un arrebato *snob* adolescente, o simplemente que la reina Cristina estuviera anunciando, sin saberlo, el principio de la Ilustración. Más evidente resultaba que a Descartes no le iba bien aquello de empezar sus clases a las cinco de la mañana. En una de esas madrugadas camino a palacio, el filósofo agarró una neumonía que acabó con sus clases y con su vida, en este orden. En 1676, sus restos se llevaron a París. Sin embargo, investigaciones posteriores han determinado que los síntomas de su muerte se corresponderían mejor con los del envenenamiento por arsénico, lo que señalaría a algunos jerarcas protestantes, temerosos de que el francés convirtiera a Cristina al catolicismo –lo que acabó sucediendo, por cierto. También hubo quien lanzó la peregrina teoría de que todo fue una estratagema para volver al anonimato y regresar a su vida anterior (lo cual, además de subrayar la genialidad de Descartes, confirmaría que James Dean, Elvis Presley y Michael Jackson leían al filósofo).

Detalle del cuadro Disputa entre la reina Cristina de Suecia y René Descartes, *obra de Pierre Louis Dumesnil, conservada en el Palacio de Versalles, Francia.*

Blaise Pascal

Brillantez matemática y filosófica

El pensamiento occidental ha tenido la suerte de contar con mentes como la de Blaise Pascal (1623-1662). Un polímata como ningún otro, capaz de aunar razonamientos sobre ciencia y religión. Si bien destacó desde muy pequeño por su habilidad para relacionarse con los números, en su madurez tuvo una especie de revelación mística, que lo llevó a colocar el corazón y los sentimientos por encima de la razón. Solo con aquellos podríamos asomarnos a la nada y a lo infinito, encarnados en la figura de Dios.

UN JOVEN DE 10

«El corazón tiene razones que la razón no entiende». Es una de las frases más conocidas de Blaise Pascal, que hoy seguimos citando sin manejar bien su origen. Y en ella se resume, con belleza, la tensión entre sus dos principios: ciencia y religión. Pascal fue el primero en intuir que la mente humana podía concebirse como un procesador de información capaz de ser imitado por una máquina. Declaró que es el libre albedrío y no la razón lo que diferencia al humano de los animales. Es el corazón, y no el cerebro, lo que nos humaniza.

A tanto no llegaba –aún– el pequeño Blaise, que nació en Clermont-Ferrand, en una familia de magistrados y burgueses. Una buena cuna, al fin y al cabo, pero que quedó trastocada al morir su madre cuando él contaba solo tres años. Algo que sin duda marcó su devenir, puesto que su padre, Étienne –con el tiempo, respetado matemático– se hizo cargo en exclusiva de su educación. Fue su profesor, y parece que acertó en estimular sus pensamientos; el joven Blaise daba muestras de una inteligencia fuera de lo normal. En cuestiones de salud, sin embargo, se mostraba por debajo de la media; siempre tuvo alguna enfermedad al acecho, y los dolores de cabeza, la melancolía y la angustia fueron una constante y moldearían su vida y filosofía.

Así, tras la muerte de su madre, la familia se mudó a París en 1631, donde Blaise prosiguió su esmerada educación; en las matemáticas sobresalía de manera notoria. Con solo 11 años, dio con la proposición 32 del libro *Elementos*, de Euclides, lo que ofrece una buena muestra de sus capacidades especulativas. Ese talento gozaba de un entorno propicio para desarrollarlo. Como miembros de la pequeña nobleza, los Pascal departían –sobre todo Étienne– con la intelectualidad de la Francia de su tiempo: Fermat, el padre Martin Merssene (fundador de la Academia Parisina de las Ciencias), Gassendi o el mismísimo Descartes, entre otros.

En 1640, su padre obtuvo el puesto de recaudador de impuestos en Normandía. Algo que, casualmente, ayudó a Pascal a poner su primer hito en la Historia.

Estatua dedicada a Pascal en el Museo del Louvre.

PENSABAN, LUEGO DISCUTÍAN

Pascal y Descartes se conocieron en 1647 y se reunieron en varias ocasiones en París, sin gran empatía. En su obra filosófica *Pensamientos*, Pascal definió a su compatriota como «inútil e incierto»; por su parte, el padre del *Discurso del método* diría de Pascal que tenía «demasiado vacío en la cabeza». Una clara alusión a los estudios sobre el vacío del matemático –cuyos razonamientos, además de esclarecedores, llevarían a la invención de la jeringuilla de émbolo, casi idéntica a la que usamos hoy día. La existencia del vacío era por entonces uno de los asuntos científicos más controvertidos, en especial porque era a menudo negado: ¿cómo iba a existir «algo» en la «nada»? Valga solo para este caso: Pascal 1 - Descartes 0.

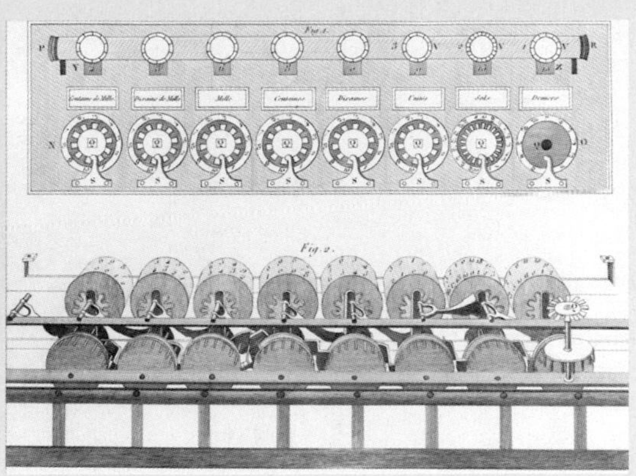

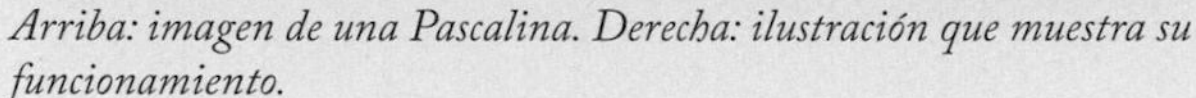

Arriba: imagen de una Pascalina. Derecha: ilustración que muestra su funcionamiento.

Con el fin de ayudar a su padre, que por su trabajo necesitaba efectuar un gran número de cálculos, desarrolló una «máquina aritmética»: la calculadora. Un objeto que podía ejecutar sumas y restas con simples movimientos de unas ruedecitas metálicas situadas en la parte delantera; las soluciones aparecían en unas ventanas situadas en la parte superior. Las posibilidades que tenía aquel artilugio resultaron evidentes, y gozó de cierta difusión en 1642. Durante esa época en Ruán, Normandía, Blaise y su familia se convirtieron, con mucho celo, al jansenismo, una corriente del calvinismo. Desde entonces, su pensamiento científico se supedita, o entrelaza, con el religioso, con el concepto de Dios omnipresente.

CIENCIA Y RELIGIÓN

Pero Pascal no deja de lado las dudas de razonable «hombre de ciencia». Realiza importantísimos ensayos sobre el vacío y la presión, complementando los de Torricelli, que cristalizan en libros como *Nuevos experimentos sobre el vacío* o *Relación del gran experimento de equilibrio entre los líquidos*, y explica que la presión atmosférica es la responsable del *horror vacui* de los cuerpos, resultado de su peso y la presión del aire. Es el primer científico que trata la hidrostática. En física, matemáticas y geometría, realiza aportes imprescindibles que siguen hoy en vigor, como el Principio de Pascal, el Triángulo de Pascal o el Teorema de Pascal, respectivamente.

En 1654, sufre un grave accidente del cual sale ileso, que lo conduce a una «fase mística» y un estado de recogimiento; deja de relacionarse con la intelectualidad y prefiere, desde entonces, a los eremitas jansenistas. Se centra en escribir una Apologética de la religión cristiana, pero que nunca llega a acabar. Sin embargo, deja muchos apuntes para lo que a posteriori se convertiría en uno de sus libros más influyentes: sus famosos *Pensamientos* (*Pensées sur la religion et sur quelques autres sujets*, 1669). Allí podemos leer: «El hombre sabe que es miserable. Es pues, miserable por lo que es; pero es grande por lo que sabe. Es solo una caña, lo mas débil de la naturaleza; pero es una caña pensante». Asimismo, obtiene uno de sus mayores éxitos populares con sus *Cartas provincianas* (1657), en las que ataca con sátira y humor a los jesuitas. Para el Pascal de los últimos años, lo esencial en el hombre no es la razón natural, sino la voluntad y capacidad de fe; o, en otras palabras, el corazón. También formula entonces su Apuesta de Pascal, donde analiza la creencia en Dios en términos de apuesta sobre su existencia; creyendo en Dios y manteniendo una conducta virtuosa, podemos ganar la vida eterna; si el hombre cree y finalmente Dios no existe, nada pierde.

Pascal murió a los 39 años, en París. Su pensamiento científico y filosófico lo recogerán muchos otros desde entonces –imprescindible para Leibniz, por ejemplo, y su desarrollo del cálculo infinitesimal.

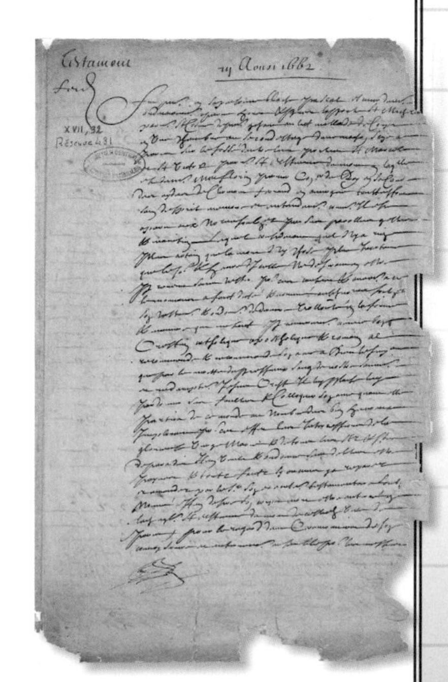

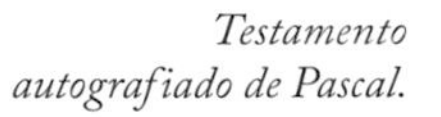

Testamento autografiado de Pascal.

Isaac Newton

PADRE DE LA FÍSICA MODERNA

PARAFRASEANDO AL ESCRITOR GEORGE ORWELL, TODOS LOS GENIOS SON IGUALES, PERO UNOS SON MÁS IGUALES QUE OTROS. ENTRE LOS «MÁS IGUALES», SIN DUDA, ENCONTRARÍAMOS A ISAAC NEWTON (1643-1727), CIENTÍFICO INGLÉS QUE OFRECIÓ A LA TIERRA Y A LOS CUERPOS CELESTES UN SISTEMA FÍSICO CERRADO Y COHERENTE. SUS TESIS ACABARON DE ENTERRAR LA FÍSICA ARISTOTÉLICA Y ESCOLÁSTICA. SU TALENTO LLEGÓ A OTRAS RAMAS DE LA ENTONCES FILOSOFÍA NATURAL PARA ILUMINAR NUEVOS CAMPOS EN LA ÓPTICA, EN LA ASTRONOMÍA O EN LAS MATEMÁTICAS, ADEMÁS DE CONVERTIRSE EN UN DESTACADO INVENTOR.

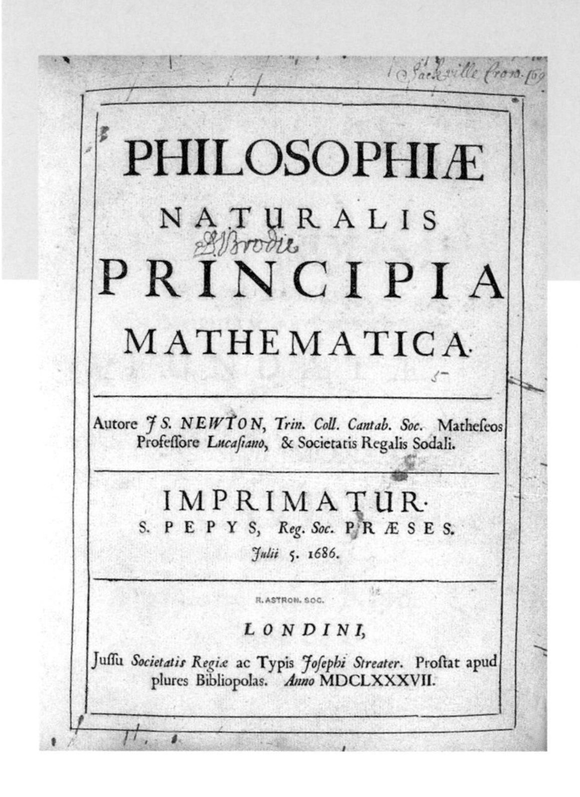

PHILOSOPHIÆ
NATURALIS
PRINCIPIA
MATHEMATICA.

Autore J S. NEWTON, *Trin. Coll. Cantab. Soc.* Matheseos Professore *Lucasiano*, & Societatis Regalis Sodali.

IMPRIMATUR.
S. PEPYS, *Reg. Soc.* PRÆSES.
Julii 5. 1686.

LONDINI,
Jussu *Societatis Regiæ* ac Typis *Josephi Streater*. Prostat apud plures Bibliopolas. *Anno* MDCLXXXVII.

EL HOMBRE QUE LO CAMBIÓ TODO

Durante casi 2 000 años, todo lo relacionado con la física se explicaba por medio de las ideas de Aristóteles. Por fortuna, el Renacimiento comenzó a sembrar dudas y Copérnico planteó un nuevo sistema astronómico, menos divino y más humano. La revolución científica daba sus frutos y, cada vez con más frecuencia, el conocimiento avanzaba de manos de la ciencia. Sin embargo, hasta que Isaac Newton publicase sus *Principios matemáticos de la filosofía natural* (1687), nadie se había atrevido a ofrecer, con carácter sistemático, una teoría general, capaz de sustentar la concepción científica del universo (válida hasta que Einstein la superó con su Teoría de la Relatividad). Isaac Newton lo hizo, y de manera tan acertada –y elegante, se dice–, que desde entonces *física clásica* y *física newtoniana* son sinónimos.

Se dice que Newton fue un científico introvertido, brillante y soberbio. Parece que son adjetivos que

GENIAL TAMBIÉN EN LOS DETALLES

Isaac Newton pudo aplicar su capacidad científica –o simplemente intuitiva– en diversos inventos. Se dice –aunque no existe constancia– que Newton fue el primero en realizar pequeñas puertas para perros y gatos en las puertas de las casas (él lo hizo en su estudio de Cambridge).

Mucho más probado está que el inglés fue el inventor de las pequeñas ranuras o incisiones en los cantos de las monedas. La Inglaterra de su época sufría grandes pérdidas por una especie de falsificación. Por entonces, si alguna de ellas valía una libra, su valor en oro equivalía a una libra. Así, era frecuente limar ligeramente los cantos, de manera casi imperceptible, a fin de quedarse parte de su valor. El gobierno británico nombró a Newton director de la Casa de la Moneda, confiando en que una mente tan eximia lograse una mejora. El científico respondió añadiendo a las monedas ese perfil lateral, con el que cualquier raspado se haría manifiesto.

En esta página: Newton, en un grabado que lo muestra realizando experimentos sobre la luz.

En la página anterior, primera página de Principios matemáticos de la filosofía natural, *obra cumbre de Newton y para muchos el libro científico más importante jamás escrito.*

arrastró durante buena parte de su biografía, ya que desde su época de estudiante se le conocen episodios donde buscaba afirmar su superioridad intelectual. Demasiado inteligente para su edad, pero con escaso talento social. En ocasiones intentaba ganarse el aprecio de sus compañeros ayudándoles con sus estudios, o regalándoles alguno de sus inventos; sin mucho éxito, al parecer. Algún compañero de entonces lo recordó como «sobrio, silencioso y meditativo».

Más que su inteligencia emocional, nos interesa aquello de los inventos. Desde joven, Newton tuvo la capacidad de fabricar cosas. Desde casas de muñecas para sus amigas a una especie de linterna atada a una cometa. Desarrolló una especial fascinación por los relojes. En la iglesia de Colserworth aún se conserva uno solar que construyó a los nueve años.

Con 18 años, Newton entró en el Trinity College de Cambridge. Por entonces, la física que se enseñaba era aún la aristotélica, razón que puede apoyar el notorio absentismo de Newton, que prefería documentarse en la biblioteca con trabajos más avanzados de matemática y filosofía natural. Descartes, Kepler, Galileo, Fermat o Huygens fueron sus verdaderos guías. Su profesor de matemáticas fue Isaac Barrow, el primero que ocupó la Cátedra Lucasiana de Cambridge –Newton lo sucedió–, que sembró en Newton sólidos conceptos, pero que pronto fue superado por el alumno.

GENIO Y FIGURA

Con apenas 20 años, Newton comenzó a formular sus certeras ideas. Sin embargo, cierto miedo –se especula– a que otros se apropiaran de ellas provocó que a menudo no se publicasen hasta varios años después. La primera gran aportación de Newton fue su aproximación al cálculo infinitesimal, realizado a la par e independientemente –según acuerdo de la mayoría de estudiosos– que Gottfried Leibniz (ver página 50). En su escrito *Analysis per aequationes número terminorum infinitos* (ca. 1665), Newton se jactaba de haber sido el primero en hallar la fórmula para el desarrollo de la potencia de un binomio con un exponente cualquiera, entero o fraccionario. En los años siguientes, fue refinando las series infinitas para el cálculo infinitesimal, de tal manera que afirmaba haber sido el primero en proponer un método general para el cálculo diferencial e integral. De nuevo, Newton dejaba atrás la geometría griega para llegar a un nuevo nivel de conocimiento. Los seguidores de Newton y Leibniz se enzarzaron en una disputa de gran calado. Ellos también, pero no fue obstáculo para que mantuvieran correspondencia sobre sus avances.

Pero parece que, para Newton, el cálculo infinitesimal era más una herramienta para conocer otros ámbitos de la naturaleza. Como por ejemplo la óptica, hacia donde inclinó buena parte de sus esfuerzos. Cuando trataba de explicar la forma en que surgen los colores,

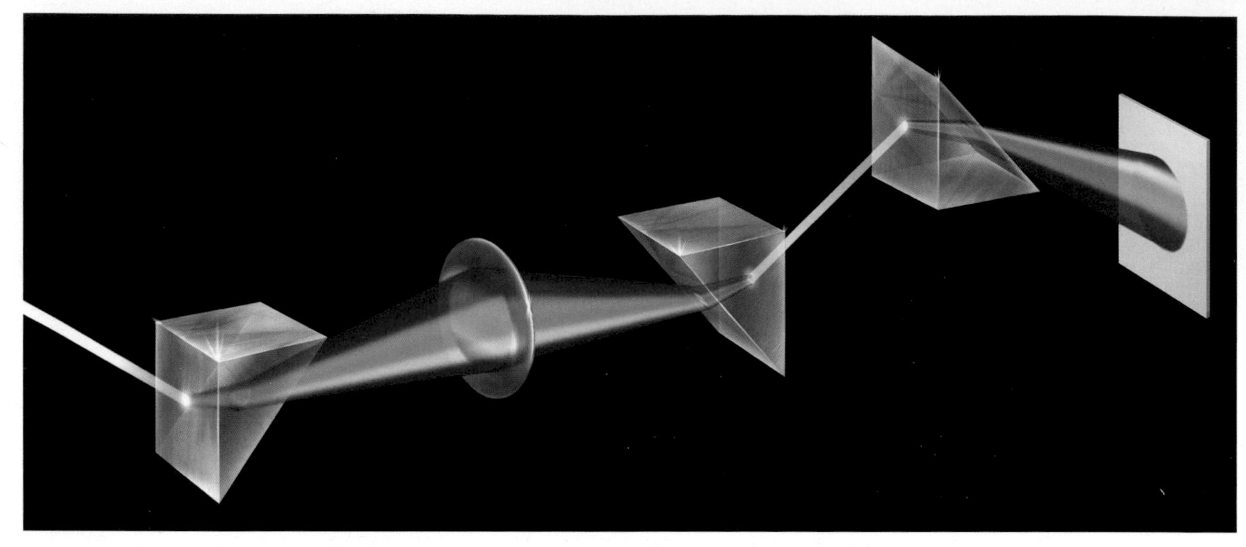

Ilustración que recrea uno de los experimentos de Newton para demostrar las propiedades de la luz.

llegó a la conclusión de que la luz del Sol es una mezcla heterogénea de rayos diferentes. Cada uno de ellos de ellos un color distinto, cuyas reflexiones y refracciones hacen que los colores aparezcan al separar la mezcla en sus componentes. En 1672, Newton demostró a la Royal Society de Londres su teoría de los colores haciendo pasar un rayo de luz solar a través de un prisma, el cual dividió el rayo de luz en colores independientes; después, ese mismo rayo dividido se volvía a concentrar para volver a ser luz blanca. Acompañó este descubrimiento con una teoría corpuscular de la luz, frente a la más dogmática que la creía una onda.

Newton, siempre celoso de su saber, consideró que su descubrimiento era «el más singular, si no el más

EL TELESCOPIO DE NEWTON

Debemos notar que, en el transcurso de estas investigaciones, Newton fabricó el primer telescopio reflector (o newtoniano) funcional, que utilizaba espejos en vez de lentes para agrandar la imagen, sorteando así la aberración cromática que propiciaban dichas lentes. La idea en sí no era completamente nueva, pero aún no se había puesto en práctica. La primera demostración que hizo de su uso a la Royal Society, en 1671, le supuso el ingreso en la prestigiosa organización. Con el tiempo, se perfeccionó mucho, especialmente cuando se logró fabricar espejos parabólicos perfectos. La sencillez del diseño de los telescopios newtonianos hace que sean los preferidos entre los creadores de telescopios aficionados.

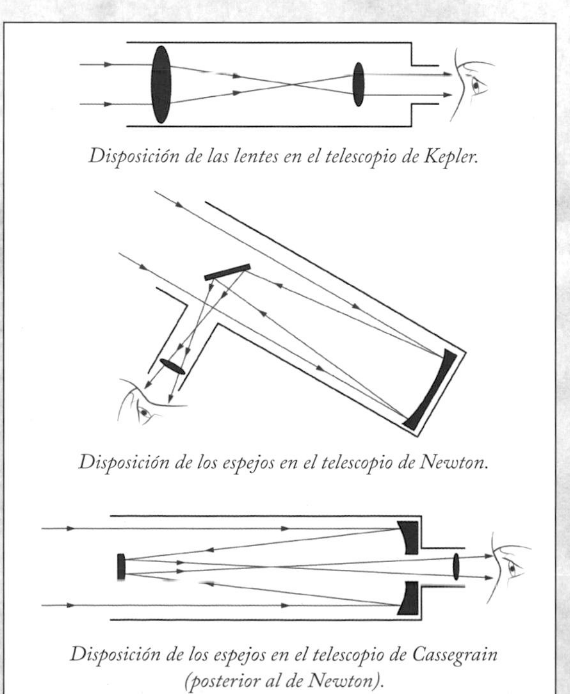

Disposición de las lentes en el telescopio de Kepler.

Disposición de los espejos en el telescopio de Newton.

Disposición de los espejos en el telescopio de Cassegrain (posterior al de Newton).

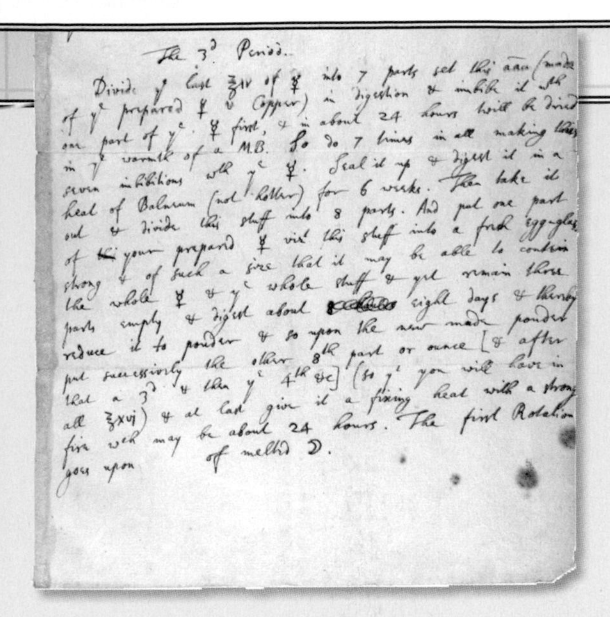

Arriba: *página manuscrita de Newton con estudios sobre alquimia. Pese a su labor como científico, Newton redactó textos para crear una piedra filosofal. Como teólogo, profetizó el fin del mundo 1 260 años después de la refundación del Sacro Imperio Romano llevada a cabo por Carlomagno, es decir, el año 2060 de nuestra era.*

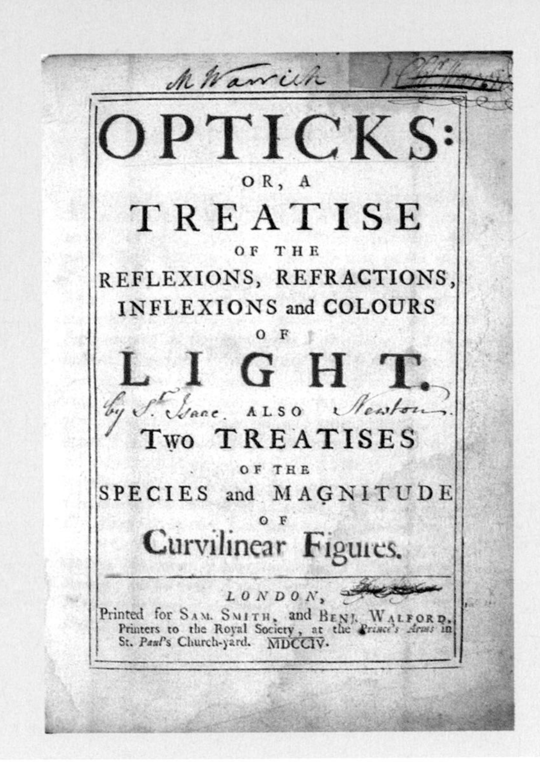

OPTICKS:
OR, A
TREATISE
OF THE
REFLEXIONS, REFRACTIONS,
INFLEXIONS and COLOURS
OF
LIGHT.
ALSO
Two TREATISES
OF THE
SPECIES and MAGNITUDE
OF
Curvilinear Figures.

LONDON,
Printed for SAM. SMITH, and BENJ. WALFORD,
Printers to the Royal Society, at the Prince's Arms in
St. Paul's Church-yard. MDCCIV.

Derecha: primera página de Opticks, *libro donde Newton da cuenta de todos sus descubrimientos sobre la luz.*

importante, de los que se han hecho hasta ahora relativos al funcionamiento de la naturaleza». Sin embargo, este hecho suscitó una tormenta de opiniones y acusaciones en el ámbito científico; decidió apartarse de ese ruido. No fue hasta 1704 cuando se decidió a publicar todos sus experimentos sobre la refracción, la reflexión, la dispersión de la luz y su naturaleza corpuscular, en su libro *Opticks*. Ya en el siglo XX, la mayoría de estudiosos determinaron que la luz posee una naturaleza dual: es onda y corpúsculo a la par, una cualidad sobre la que se sustenta la mecánica cuántica.

LA LEY DE LA GRAVEDAD

La aportación más célebre de Newton, de carácter monumental, es la relacionada con las leyes de la mecánica clásica. Las enunció en el citado *Philosophiæ naturalis principia mathematica* (su título original, al que se suele citar, simplemente, como *Principia*), que Newton publicó a instancias –sabemos ya de su reticencia a publicidad a sus hallazgos– de su colega Edmund Halley (sí, el del cometa), que incluso se hizo cargo de los gastos de la primera edición. Fueron tres esas leyes, que podemos resumir así:

- PRIMERA LEY, o ley de la inercia: los cuerpos mantienen su estado de reposo o de movimiento uniforme, a menos que actúen sobre ellos fuerzas impresas.
- SEGUNDA LEY, o ley fundamental de la dinámica: establece que la aceleración es proporcional a la fuerza aplicada sobre el objeto.
- TERCERA LEY, o ley de acción-reacción: Para toda acción hay siempre una reacción opuesta de igual magnitud. Para cualquier fuerza aplicada sobre un objeto, existe otra de igual magnitud, pero en dirección opuesta.

A partir de esas tres leyes le fue fácil –para él, posiblemente caía por su propio peso– deducir la ley de gravitación universal, que establece que la fuerza ejercida entre dos cuerpos es proporcional al producto de sus masas e inversamente proporcional al cuadrado de la distancia. Una idea que *flotaba* en el ambiente, pero que nadie había logrado encajar en un sistema amplio y con las formulaciones matemáticas precisas de Newton.

Dejó dicha Newton una de las frases más célebres de la historia científica: «Si he visto más lejos es porque estoy sentado sobre los hombros de gigantes» (escrita en una carta a su colega Robert Hooke, con quien mantuvo una relación profesional tempestuosa). Una pasajera muestra de humildad y reconocimiento a los Copérnico, Galileo, Kepler, Descartes o Huygens –a los que cita en el prólogo de *Principia*. Apoyado en ellos logró encaramarse al panteón de los más sabios de toda la Historia, de donde nadie lo bajará.

Gottfried Leibniz

GENIO DEL CÁLCULO INFINITESIMAL

UNO DE LOS MAYORES INTELECTUALES DE LA HISTORIA SE LLAMA GOTTFRIED LEIBNIZ (1646-1716). EL REFRÁN «APRENDIZ DE TODO, MAESTRO DE NADA» TIENE SU EXCEPCIÓN CON ESTE FILÓSOFO, MATEMÁTICO, INVENTOR E HISTORIADOR, ENTRE OTROS OFICIOS. SU TRABAJO SOBRE EL CÁLCULO INFINITESIMAL QUIZÁ CONSTITUYA SU LEGADO MÁS RESEÑABLE, PESE A QUE MANTUVO CON NEWTON UNA GRAN DISPUTA SOBRE LA AUTORÍA. DURANTE SU VIDA TUVO FUERTES DETRACTORES, COMO VOLTAIRE, POR LO QUE HASTA SU MUERTE NO FUE AMPLIAMENTE RECONOCIDO.

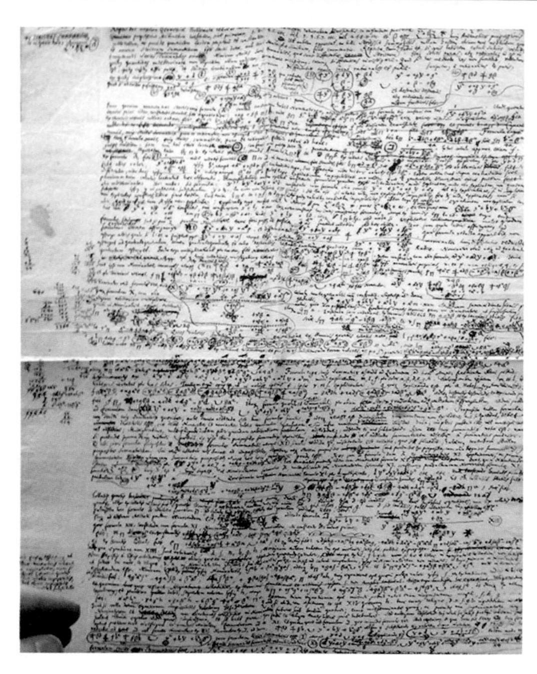

Fotografía de uno de los abigarrados cuadernos de Leibniz.

UN TALENTO PRECOZ

El filósofo alemán Wilhelm Dilthey dejó dicho: «Si el logro máximo de la Filosofía es elevar la cultura de una época hasta la conciencia de sí misma y hasta la clarificación sistemática, nadie ha logrado eso, desde Platón y Aristóteles, tan amplia y creativamente como este Leibniz». Es cierto que Leibniz, nacido en Leipzig, fue un genio, y apuntaba a ello desde muy pequeño. Se dice que aprendió solo latín y griego estudiando los libros que su padre atesoraba en casa. A los 12 empezó a interesarse por la lógica aristotélica gracias al estudio de la filosofía escolástica. Tan preparado se sentía el joven Gottfried que a los 15 ya entró a la Universidad de Leipzig, donde estudió Teología, Derecho, Filosofía y Matemáticas. Sin embargo, esa «insultante» juventud hizo que le cerraran la posibilidad de doctorarse, para lo cual hubo de viajar hasta la Universidad de Altdorf.

DUELO A MUERTE EN LAS ALTURAS

Tanto Leibniz como Newton se adjudicaron la concepción del cálculo infinitesimal, la base de las derivadas e integrales, hasta entonces solo al alcance de genios y, gracias a ellos, accesible para cualquier –esforzado– estudiante de bachiller. El cálculo infinitesimal es una herramienta científica y tecnológica, la más potente y eficaz para el estudio de la naturaleza desde las matemáticas. La pelea entre ambos fue áspera y sucia, un antecedente de las peleas mediáticas de los famosos de hoy, pero con el cociente intelectual al cuadrado. Newton y sus seguidores lo atacaron con crudeza, y Leibniz respondía, a menudo con suma elegancia. Hoy se cree que ambos llegaron a lo mismo pero por vías independientes. Newton lo escribió antes, pero Leibniz lo publicó primero. Y quizá mejor, porque es su sistema y notación la que se emplea (sirva como ejemplo su símbolo ∫ para representar la «integral»).

Cráneo de Leibniz, exhumado en 1902.

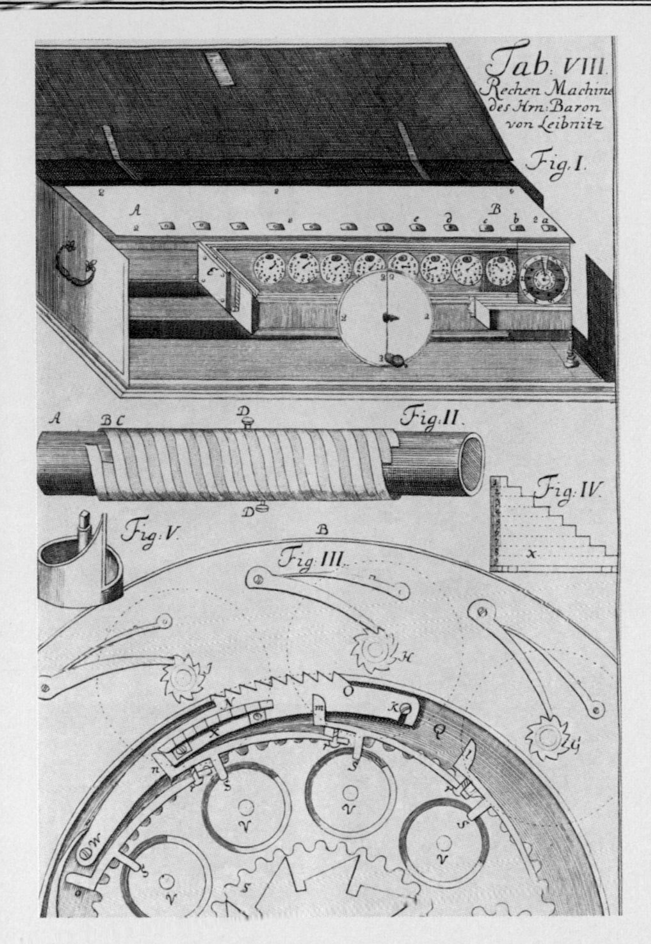

Izquierda: ilustración que detalla el funcionamiento de la calculadora de Leibniz.

Abajo: la calculadora de Leibniz, o Stepped Reckoner.

Sus primeros años como empleado los pasó en Maguncia, donde desarrolló una carrera diplomática. Esta lo llevó a viajar a París, donde entró en contacto con los escritos de Pascal y Descartes, que lo ayudaron con su formación matemática. Asimismo, le resultó esencial conocer al físico y matemático holandés Christiaan Huygens, quien le puso al día de ambas disciplinas. Otro viaje –¡qué importante es viajar!– lo acercó un tiempo hasta Londres, donde le dio tiempo a presentar ante la Royal Society su conocida *Stepped Reckoner*, la primera calculadora que pudo realizar las cuatro operaciones básicas. Decía Leibniz: «Es indigno de hombres excelentes perder horas como esclavos en el trabajo del cálculo, porque si se usaran máquinas, podría delegarse con seguridad a cualquier persona».

Cuando vuelve a su patria, en 1676, se pone bajo la protección de la casa de Brunswick, en Hannover, para la que realiza funciones de historiador, consejero político y bibliotecario de la fastuosa Biblioteca Ducal. Entre 1682 y 1692 publica sus trabajos matemáticos más destacados, como los del cálculo infinitesimal, en la revista *Acta Eruditorum*, que él mismo había fundado y que se convierte en uno de los altavoces más importantes en Europa para el progreso científico. En 1712 Leibniz inició una estancia de dos años en Viena, donde se le nombró consejero de la Corte imperial de los Habsburgo. Falleció en Hannover, solitario y apartado por la comunidad científica –dominada por los ingleses– en 1716, sin apenas reconocimientos.

EL CALADO DE UN GENIO

Leibniz aportó ideas de calado y amplio recorrido, como el sistema numérico binario, la idea del inconsciente, la concepción de Europa como unidad cultural, la formulación de una metafísica de la individualidad, la relevancia de las revistas y sociedades científicas como heraldos del saber, la elevación de la mujer a sujeto científico y filosófico al nivel del hombre o la teoría de las mónadas. Afirmó –para burla de Voltaire– que «vivimos en el mejor de los mundos posibles»; pero no como ingenuo, sino seguro de que Dios había optimizado el mundo contando con la libertad que daba a sus criaturas, con su capacidad innata para hacer el mal o el bien.

Leibniz alertó de que el mundo corría el peligro de contagiarse del futuro triunfo del mecanicismo, de la adoración a la utilidad. Así, defendió una Razón no meramente mecánica, sino integral y completa, que tuviese en cuenta la sustancia de las cosas y la complejidad del ser. Junto con René Descartes y Baruch Spinoza, Leibniz fue parte del núcleo de los grandes racionalistas del siglo XVII.

Benjamin Franklin

PADRE DEL PARARRAYOS Y DIPLOMÁTICO

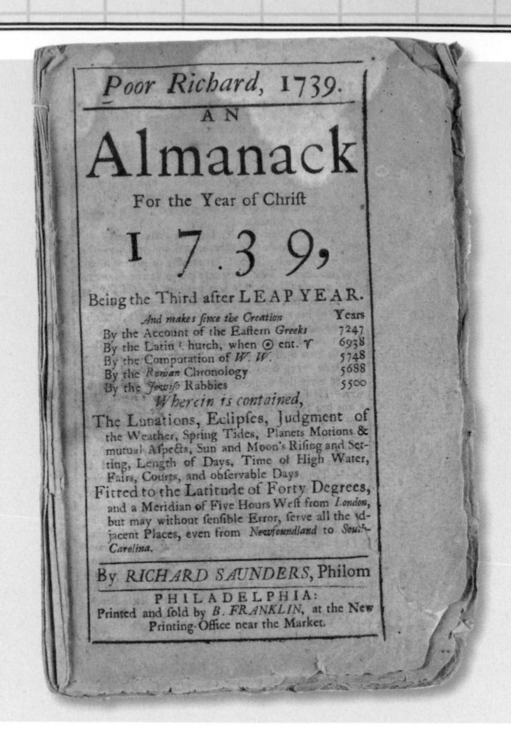

Poor Richard, 1739.

AN

Almanack

For the Year of Chriſt

1739,

Being the Third after LEAP YEAR.

And makes ſince the Creation	Years
By the Account of the Eaſtern *Greeks*	7247
By the Latin Church, when ☉ ent. ♈	6938
By the Computation of *W. W.*	5748
By the *Roman* Chronology	5688
By the *Jewiſh* Rabbies	5500

Wherein is contained,

The Lunations, Eclipſes, Judgment of the Weather, Spring Tides, Planets Motions & mutual Aſpects, Sun and Moon's Riſing and Setting, Length of Days, Time of High Water, Fairs, Courts, and obſervable Days

Fitted to the Latitude of Forty Degrees, and a Meridian of Five Hours Weſt from *London*, but may without ſenſible Error, ſerve all the adjacent Places, even from *Newfoundland* to *South-Carolina.*

By *RICHARD SAUNDERS*, Philom

PHILADELPHIA:
Printed and ſold by *B. FRANKLIN*, at the New Printing-Office near the Market.

EN ESTADOS UNIDOS, POCAS FIGURAS CONSERVAN MÁS PRESTIGIO Y RESPETO QUE LA DE BENJAMIN FRANKLIN (1706-1790), POLÍTICO, CIENTÍFICO E INVENTOR. FRANKLIN NO TENÍA MÁS FORMACIÓN QUE LA ELEMENTAL, PERO PESE A ELLO COMENZÓ A INTERESARSE POR LA CIENCIA UNA VEZ INICIADA SU CARRERA DIPLOMÁTICA. COMO POLÍTICO, PARTICIPÓ ACTIVAMENTE EN LA REDACCIÓN DE LA DECLARACIÓN DE INDEPENDENCIA Y LA CONSTITUCIÓN DE ESTADOS UNIDOS. COMO INVENTOR, CONTRIBUYÓ AL BIENESTAR DE MILLONES DE PERSONAS GRACIAS AL PARARRAYOS Y OTROS ARTILUGIOS. EN CADA DISCIPLINA ALCANZÓ GRANDES ÉXITOS; EN LA COMBINACIÓN DE AMBAS, NO SE CONOCE UN CASO IGUAL. ¿NOS IMAGINAMOS HOY ALGÚN POLÍTICO CAPAZ DE HACER LO MISMO?

UN JOVEN EDITOR

De apariencia tranquila y bonachona, y de personalidad afable y bienhumorada, Benjamin Franklin escondía una de esos caracteres que ocultaban un puño de hierro bajo un guante de seda. No se puede explicar de otra manera su éxito en todas las empresas que emprendió, desde las científicas hasta las políticas: fue igual de bueno domesticando a la naturaleza como a sus contemporáneos. Y no lo tuvo fácil. Nacido en Boston, fue el decimocuarto de 17 hermanos, razón de más para comprender que a los 10 años abandonase los estudios para empezar a trabajar como impresor en la imprenta de uno de sus hermanos. Pero, como buen genio –y curioso–, toda su vida fue un campus universitario.

Para alguien con su talento, fue natural dar el paso de impresor a escritor: tenía mucho que decir. Así, fundó y compró gacetas y, en especial, se encargó de editar el *Almanaque del pobre Richard*, una publicación anual famosísima en aquella América de las Trece Colonias británicas. En ella, Franklin depositó todo su saber y su ironía, donde puso de moda algo muy habitual hoy: aparecían proverbios y citas célebres, algunas de personajes famosos; otras, de su propia invención.

FRANKLIN, EL INVENTOR SIN PATENTES

Existe mucha información, no solo sobre la vida de Benjamin Franklin, sino también sobre sus opiniones. Esto es así porque, de 1771 a 1788 escribió su autobiografía, titulada editorialmente como *La vida privada de Benjamin Franklin*, dedicada a su hijo. Hoy es un gran clásico de su género. En ella da numerosas pistas sobre su carrera. Con respecto a la investigación e invenciones, ofrece una pista de por qué se mostró siempre reacio a registrar patentes de sus descubrimientos: «Del mismo modo que nosotros disfrutamos de las ventajas de los inventos ajenos, debería ser un orgullo servir a los demás con los nuestros, y hacer esto generosamente y sin ánimo de lucro».

Izquierda: portada del Almanaque del pobre Richard *de 1739.*

Derecha: pintura de John Trumbull que muestra al Comité de los Cinco (con Franklin a la derecha del grupo, en el centro de la composición) presentando el resultado de su trabajo en el Congreso. Óleo expuesto en el Capitolio de Washington, EE.UU.

Se imprimió durante 25 años y le generó grandes beneficios.

UN CIUDADANO EJEMPLAR

Desde joven fue una de las figuras prominentes del estado de Pensilvania. En Filadelfia, su ciudad principal, participó en la creación de la primera biblioteca pública, en el primer cuerpo de bomberos, en el primer hospital y en la Universidad de Pensilvania. También se encargó de la oficina postal del estado de 1737 a 1753, con tal éxito que le encargaron la formación de la oficina federal en 1775, poco antes de oficializarse la independencia.

Para entonces, en 1776, Franklin fue uno de los componentes del Comité de los Cinco, el grupo de ponentes que redactó la Declaración de Independencia de los Estados Unidos (hasta entonces, las Trece Colonias). Años después, fue uno de los firmantes de la Constitución. Si algo se movía, ahí estaba Franklin. No en vano se le considera uno de los padres fundadores de la patria; su imagen ilustra el billete de 100 dólares, el de mayor valor.

En los años sucesivos, lo enviaron como embajador a Francia para ganarse el favor galo en la Guerra de la Independencia. Y su personalidad se ganó no solo el

Izquierda: pintura de 1876 que muestra a Franklin realizando su experimento sobre los rayos, en 1752.
Abajo: billetes de 100 dólares, con el rostro de Franklin.

favor de Luis XVI, sino el del pueblo francés; se alzó como una celebridad, marcando estilo incluso a la hora de vestir. A lo largo de su carrera diplomática para conseguir la independencia de las Trece Colonias, tuvo que cruzar numerosas veces el Atlántico. Para cualquier otro hubiese sido un tiempo muerto; sin embargo, el poder de observación del bostoniano era tal que pudo estudiar en profundidad la Corriente del Golfo, el «río» de agua caliente que va del Golfo de México hacia Europa. Esta circunstancia la aprovechó para aconsejar a los barcos el rumbo óptimo para mejorar la velocidad postal transoceánica.

A Declaration by the Representatives of the UNITED STATES OF AMERICA, in General Congress assembled.

When in the course of human events it becomes necessary for one people to dissolve the political bands which have connected them with another, and to assume among the powers of the earth the separate and equal station to which the laws of nature & of nature's god entitle them, a decent respect to the opinions of mankind requires that they should declare the causes which impel them to the separation.

We hold these truths to be self-evident; that all men are created equal; that they are endowed by their creator with inherent & inalienable rights; that among these are life, liberty, & the pursuit of happiness; that to secure these rights, governments are instituted among men, deriving their just powers from the consent of the governed; that whenever any form of government

DOMADOR DE LA ELECTRICIDAD... Y EL FUEGO

Toda esta frenética actividad pública no fue óbice para desarrollar una notabilísima carrera como científico e inventor. Le interesaba todo lo que rodeaba a los fenómenos eléctricos. En 1747, fue uno de los primeros en enunciar el *principio de la conservación de la carga*, que dispone que el total de la carga eléctrica en un sistema aislado nunca cambia. Asimismo, fue el primero en considerar que en la electricidad hay una carga negativa y otra positiva. Hoy, el *franklin* es la unidad física de la carga eléctrica en el Sistema Cegesimal de Unidades (el Sistema Internacional usa el *culombio* en su lugar).

Decidió comprobar si la naturaleza de los rayos era eléctrica y para ello, en 1752, realizó un experimento que le proporcionó fama mundial. Una noche de tormenta, voló una cometa de armazón metálico y seda, incluido el cordel, con una llave atada al extremo. Comprobó que las nubes estaban cargadas de electricidad y que esta se conducía desde la punta metálica hasta la llave, demostrando así lo que hoy nos parece lógico, pero no entonces: que los rayos son electricidad. Utilizó la propia llave para almacenar la electricidad en una botella de Leiden. A raíz del experimento inventó el pararrayos, que se extendió a la velocidad de la luz por todo el mundo. Este sistema, básico a nuestros ojos, contribuyó decisivamente a la seguridad de los edificios. A través de varillas de acero en punta sobre los tejados, los pararrayos «excitan» y atraen la descarga para luego conducirla a tierra, donde es inocua. Con este invento y con la creación del cuerpo de bomberos de Pensilvania, Franklin hizo lo que pocos por el control del fuego.

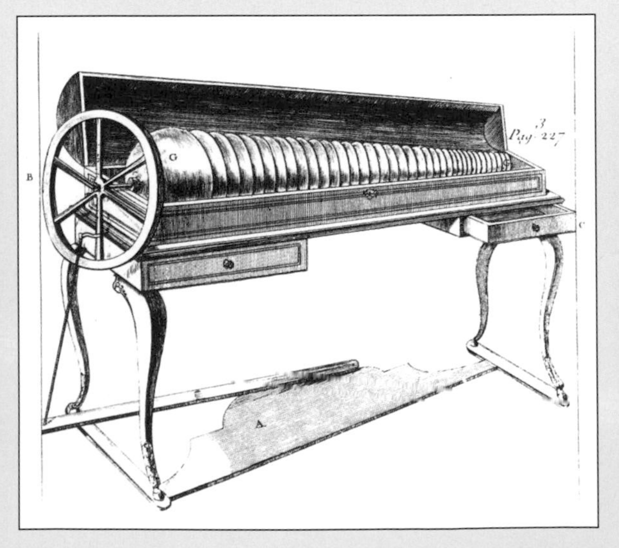

Izquierda: grabado que muestra las partes de la armónica de cristal. En un principio, se utilizó plomo para los cristales, y con el tiempo se demostró que eran peligrosas para la salud.

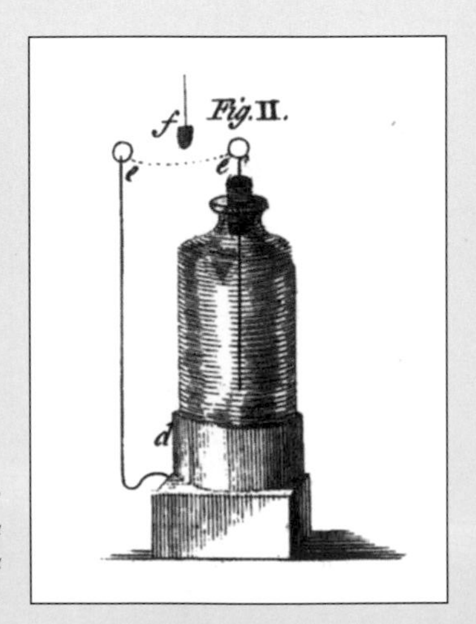

Derecha: dibujo de Franklin que ilustra cómo guardó la electricidad del rayo en una botella de Leiden.

Izquierda: proyecto de Declaración de Independencia de los Estados Unidos con enmiendas de Franklin. Este reemplazó las palabras «sagrado e innegable» por «evidente por sí mismo» (centro de la figura).

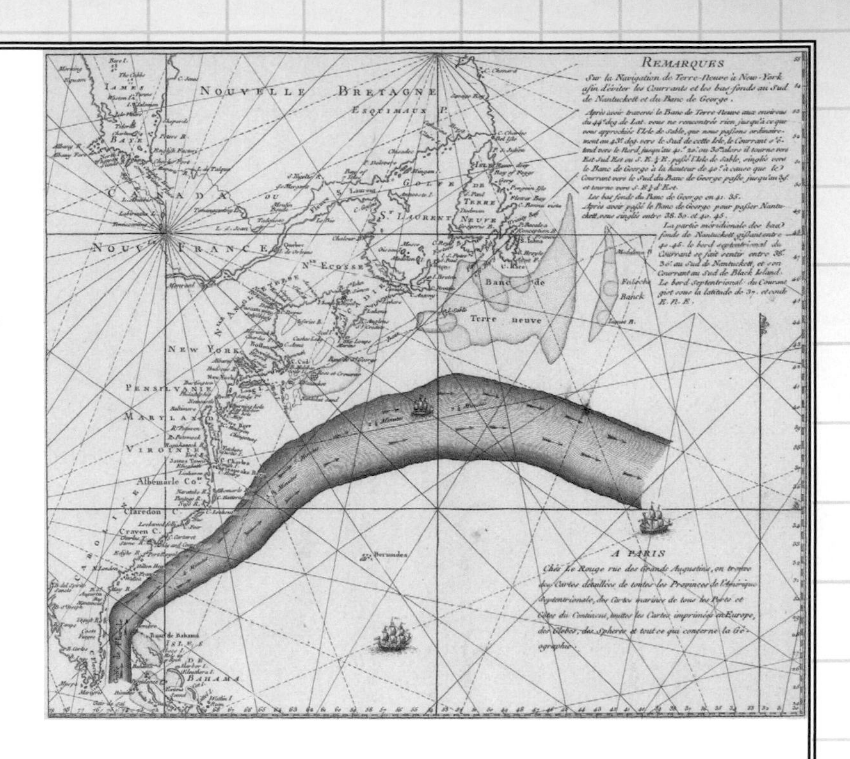

Derecha: edición francesa del mapa dibujado por Franklin para explicar el paso de la Corriente del Golfo. No fue el primero en darse cuenta, pero sí quien la estudió antes de una manera científica y ofreció sus estudios a la navegación. En sus viajes, Franklin se percató de que se tardaba más en viajar de América a Europa que de Europa a América.

Otro avance técnico –relacionado también con el fuego– de especial utilidad fue la invención de la estufa salamandra (la llamó así por la salamandra mítica que podía vivir en el fuego y no quemarse), realizada en 1743. Se la considera el primer sistema de calefacción moderno no integrado en la construcción, que reducía la cantidad de leña necesaria y bajaba drásticamente la posibilidad de accidentes.

INVENTOR PRÁCTICO

La prodigalidad inventiva de Franklin llegó hasta la música, donde inventó la armónica de cristal, un instrumento que utiliza su propio cuerpo como materia de resonancia. Lo creó en 1763, al poco de ver un concierto de copas llenas de agua. Se toca mojando los dedos ligeramente y tocando los platos mientras giran. El mismo Mozart compuso para este curioso instrumento.

El carácter práctico de Franklin lo llevó a inventar unas gafas bifocales, para su propio uso –en otras partes del mundo se crearon a la par. Dispuso unos cristales para visión cercana en la mitad inferior de la montura y otros para la lejana en la superior, cortados en dos y combinados sobre la montura.

El ingenio de Benjamin Franklin llegó a estos y otros campos. Baste notar que fue un estupendo jugador de ajedrez, el más grande de su país. Qué mejor que un tablero para desarrollar inteligencia, creatividad y estrategia: puro Franklin.

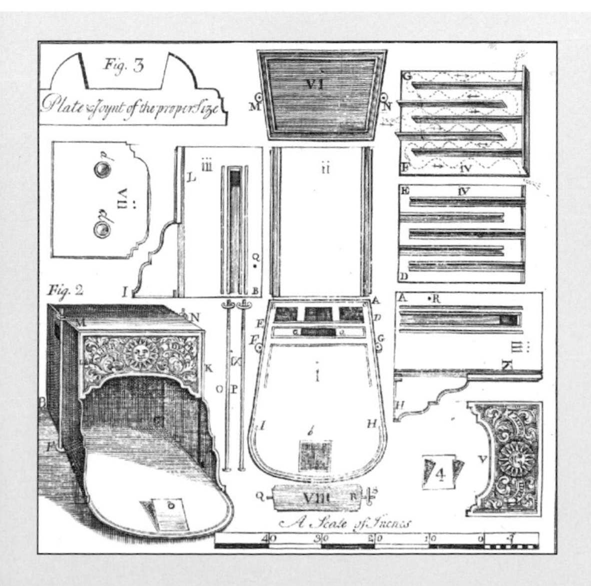

Izquierda: estufa salamandra original de 1744, que muestra el encaje de sus partes (dibujo de Franklin).

Franklin inventó unas gafas bifocales para su propio uso. En esta imagen, modelo que utilizó Franz Schubert.

Carlos Linneo

PADRE DE LA TAXONOMÍA NATURAL

LLAMAR A LAS COSAS POR SU NOMBRE RESULTA FÁCIL... SI LAS COSAS TIENEN UN NOMBRE. EN OCASIONES, NO SIEMPRE HA SIDO ASÍ. SI LO QUE SE PRETENDE ES IDENTIFICAR LA NATURALEZA TERRESTRE Y PONER DE ACUERDO A TODA LA COMUNIDAD CIENTÍFICA, EL RETO PARECE COLOSAL. PUES ESTO ES LO QUE CONSIGUIÓ CARLOS LINNEO (1707-1778), NATURALISTA, BOTÁNICO Y ZOÓLOGO SUECO, PADRE DE LA TAXONOMÍA: LA MANERA EN QUE CLASIFICAMOS EL MUNDO NATURAL.

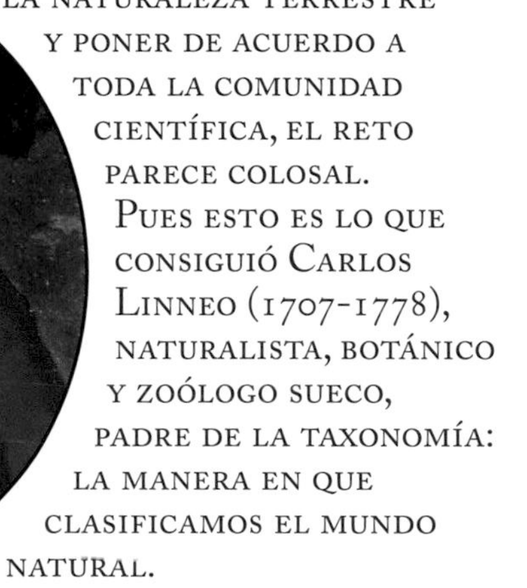

UN JOVEN CURIOSO

La biografía de los primeros años de Carlos Linneo (en sueco, Carl Nilsson Linnæus) arroja una enseñanza que no por sabida debemos olvidar: no hay como estimular la curiosidad de un niño para convertirlo en un hombre de provecho. Cuando era pequeño, su padre, observando el interés que mostraba en el cultivo de las plantas del huerto familiar, le cedió una parcela para que la llevase por su cuenta. Lo que comenzó como una afición, cambió la vida del joven Linneo y de toda la comunidad científica, años después.

Sus padres se preocuparon, además, de proporcionarle la mejor educación posible. Él era pastor luterano y ella, hija de un rector; unos «ilustrados» para la época. Por ello, contrataron primero a un tutor personal; luego, lo enviaron al Instituto elemental de Växjö, y más tarde, ya con 16 años, al Gimnasio de esa misma ciudad del sur de Suecia. Allí recibió una formación que parecía destinada a convertirlo en parte de la iglesia –en especial, teología, griego, hebreo y matemáticas–, para alegría de su padre. Sin embargo, Linneo no pasaba por ser un alumno brillante. Solo un profesor, botánico, vio en él algo especial. La pasión de aquel joven por las plantas no debía caer en saco roto. Lo protegió, le enseñó todo lo que sabía y, llegado el momento, lo encaminó a la Universidad de Upsala.

UN SISTEMA DE CLASIFICACIÓN UNIVERSAL

Su propia curiosidad y la formación que recibió de los mejores médicos y botánicos suecos de su época llevaron a Linneo a publicar una nueva propuesta para organizar a las plantas y animales. La obra se titulaba *Systema naturae*, editada en 1735. Este libro, escrito a los 28 años, sería el germen de la nomenclatura zoológica; su título completo da buena cuenta de sus intenciones: «Sistema natural, en tres reinos de la naturaleza, según clases, órdenes, géneros y especies, con características, diferencias, sinónimos, lugares». En los años siguientes, su fama fue progresando y varios mecenas se lo disputaron. Eran los tiempos de la Ilustración.

EL PADRE DE LA TAXONOMÍA

En 1750, Linneo fue nombrado rector de la Universidad de Upsala, una de las más prestigiosas (entonces y ahora) del mundo. Sus clases resultaban muy populares: era habitual verlo impartir su conocimiento en el jardín botánico. Enseñaba a sus alumnos –los llamaba sus «apóstoles»– a experimentar por sí mismos, a contrastar la verdad: a hacer buena ciencia, en definitiva.

Su saber, evolucionado, se cristalizó en *Philosophia Botanica* (1751) y en *Species Plantarum* (1753). En el

UN APELLIDO MUY NATURAL

Curiosamente, el apellido del propio Linneo tiene mucha historia. Su padre, Nils, fue el primero de su familia en tomar un apellido «fijo», dejando atrás el sistema de patronímicos. Eligió la palabra «lind» (tilo, en sueco), porque le gustaba ese árbol de su jardín. Latinizado –el gusto de la época–, ese terminó se convirtió en *Linnaeus* –adoptado como Linneo al castellano. Más tarde, en el apogeo de su fama, el rey sueco Adolfo Federico le otorgó un título nobiliario en 1757, con lo que se convirtió en Carl von Linné.

primero, además de plantear cómo redactar un diario de viajes y cómo gestionar un jardín botánico, fijaba su sistema de taxonomía. En el segundo, describía más de 7 300 especies a lo largo de 1 200 páginas. Junto con su anterior *Systema naturae*, supone el comienzo de la nomenclatura botánica moderna.

Linneo no partía de cero. Por entonces, ya habían aparecido otros intentos de organizar y ponerle nombre a los seres vivos, como los del francés Joseph Pitton de Tournefort o el británico John Ray. Estos sistemas no llegaron a arraigar en la comunidad científica, mientras que el de Linneo perduró, al dividir a los seres vivos en géneros, que a su vez se agruparon en familias. Estas se separaron en clases, y las clases se dividieron en tipos (fila), colocados a su vez en reinos. Otro legado suyo, que persiste fuera incluso de la biología, es el uso del símbolo ♂ para indicar el sexo masculino (el escudo y la lanza de Marte) y de ♀ para lo femenino (el espejo de Venus).

Uno de los trabajos de Linneo que aunaba ciencia, botánica y humanismo era un proyecto de jardín con un reloj floral, en el que se supiera la hora del día según la flor que se fuera abriendo.

CAROLI LINNÆI

S:Æ R:GIÆ M:TIS SVECIÆ ARCHIATRI, MEDIC. & BOTAN. PROFESS. UPSAL; EQUITIS AUR. DE STELLA POLARI; nec non ACAD. IMPER. MONSPEL. BEROL. TOLOS. UPSAL. STOCKH. SOC. & PARIS. CORESP.

SPECIES PLANTARUM,

EXHIBENTES PLANTAS RITE COGNITAS, AD GENERA RELATAS, CUM DIFFERENTIIS SPECIFICIS, NOMINIBUS TRIVIALIBUS, SYNONYMIS SELECTIS, LOCIS NATALIBUS, SECUNDUM SYSTEMA SEXUALE DIGESTAS.

TOMUS I.

Cum Privilegio S. R. M:tis Sueciæ & S. R. M:tis Polonicæ ac Electoris Saxon.

HOLMIÆ, IMPENSIS LAURENTII SALVII. 1753.

Portada de la obra de Linneo Species Plantarum *(1753).*

La nomenclatura binomial de Linneo se basa en un esquema taxonómico que observa las partes sexuales de la planta, utilizando el estambre para determinar la clase y el pistilo para establecer el orden. También utilizó su nomenclatura para nombrar plantas específicas, seleccionando un primer término para el género (que empieza en mayúscula) y un segundo para la especie, ambas en cursiva. Esto no se aceptó, de entrada, en su día; aunque fácil de aprender y usar, no ofrecía buenos resultados en muchos casos. Algunos críticos también la atacaban por su explícita naturaleza sexual: uno de ellos, el botánico Johann Siegesbeck, la llamó «aborrecible prostitución» (Linneo, no obstante, le respondió sibilinamente: a una mala hierba sin interés la llamó *Siegesbeckia*).

LINNEO: FIJISMO O EVOLUCIÓN

Un siglo después, Charles Darwin se basó, en parte, en las ideas de Linneo. Sin embargo, este queda lejos de poder considerarse un evolucionista, ya que consagró toda su obra hacia la teología natural, una escuela de pensamiento muy antigua, pero popular, alrededor de 1700: puesto que Dios ha creado el mundo, es posible comprender la sabiduría de Dios estudiando Su creación. Para Linneo, todas las especies procedían de la mano del Señor; asumía que se crearon todas a la vez y que eran inmutables. Pero, en su taxonomía se escondía, para quien lo supiera ver, uno de los hilos de la madeja de la evolución de las especies.

James Watt

Heraldo de la Revolución Industrial

El paso adelante que dio la humanidad durante la Revolución Industrial no habría sido tan grande sin los aportes de James Watt (1736-1819). Este ingeniero mecánico escocés perfeccionó la máquina de vapor de tal manera que su uso fue mucho más eficiente. Los motores de vapor ya se habían inventado, pero necesitaban demasiada energía para conseguir poco rendimiento. El suyo permitió que una amplia variedad de industrias se beneficiasen, cambiando la vida de millones de personas.

MANITAS ANTES QUE INGENIERO

La Revolución Industrial es ese momento de la Historia en el cual la curva del progreso se aceleró de manera muy pronunciada respecto a todo lo que se había conseguido antes. Para que eso sucediera, los expertos coinciden en señalar un momento clave: el perfeccionamiento de la máquina de vapor a cargo de nuestro hombre, James Watt.

Watt nació en Greenock (Escocia) en 1736. Desde pequeño fue considerado un chico brillante, pero su delicada salud le impidió acudir con regularidad a la escuela, por lo que los primeros años fue educado por sus padres. En el taller de su padre, carpintero, aprendió a manejar con destreza todo tipo de instrumentos. Lo que nos viene a recordar que no está mal que, de cuando en cuando, dejemos a los chavales trastear con nuestras cosas…

De la carpintería pasó a construir instrumentos matemáticos, arreglar violines o lentes: el joven Watt se confirmaba como un manitas de primera categoría. Lo enviaron a Glasgow para que siguiera formándose y allí quiso abrir su primer taller, licencia que le fue denegada. Pero no sucedió así en la Universidad de Glasgow, donde en 1757 lo contrataron para arreglar el material defectuoso o averiado. Dos años después, consiguió al fin su sueño: abrir su propio taller.

LA MÁQUINA DE VAPOR

Allí Watt perfeccionó su conocimiento de todo tipo de instrumentos, tanto para repararlos como para, en ocasiones, inventarlos y construirlos. Cuando le llegaba uno cuyo funcionamiento desconocía, no cejaba hasta comprender sus principios. Su valía como ingeniero mecánico subía como la espuma.

Una de aquellas máquinas endiabladamente novedosas –y difíciles de reparar– era la «máquina

EL WATT INVENTOR

La carrera como ingeniero e inventor de Watt fue más allá de la máquina de vapor. Realizó importantes contribuciones al diseño mecánico de órganos y a la teoría del sonido. Inventó una máquina para dibujar en perspectiva, otra para el copiado de documentos y una tercera para la reproducción de estatuas. Descubrió que el agua no era un elemento en sí, sino un compuesto de oxígeno e hidrógeno (a la par que Cavendish y Lavoisier). Además, fue un miembro destacado de la Sociedad Lunar de Birmingham, una organización clave para la difusión de ideas ilustradas.

James Watt, de pie en el centro, atendiendo a una visita en su taller de Glasgow.

Arriba: uno de los inventos de Watt, una copiadora de documentos. Derecha: prototipo de la máquina de vapor.

de Newcomen», o máquina de vapor atmosférica, inventada en 1712 por Thomas Newcomen. No era la primera máquina de vapor de la historia. En el siglo I, Herón de Alejandría inventó un prototipo muy sencillo, que quedó aparcado. En 1606, el inventor español Jerónimo de Ayanz y Beaumont patentó la primera máquina de vapor moderna. Pero hasta entrado el siglo XVIII no hubo máquinas aplicables para la industria.

La de Newcomen creaba el vacío en un depósito a base de enfriar vapor de agua. Pero presentaba un problema: su funcionamiento se basaba en calentar y volver a enfriar sucesivamente un depósito. Esto provocaba roturas del mismo, aparte de suponer una pérdida energética que minaba el rendimiento de la máquina. Watt tuvo la oportunidad de reparar una, y a través de su estudio ideó cómo mejorarla: gracias a un condensador separado. Eso ocurría en 1765 y en 1769, junto con su socio Roebuck, patenta su primera máquina de vapor.

En los años posteriores, ya en Birmingham, fue mejorando la máquina junto a su nuevo socio, Matthew Boulton. Patentó en 1784 un carruaje a vapor, pero abandonó el proyecto al creerlo inviable en aquel momento. Defendió con uñas y dientes sus patentes, por lo que se le criticó que con esta actitud retrasase la extensión del uso de la locomoción a vapor. Sin embargo, bajo su supervisión, el crecimiento de esta se hizo imparable, al aplicarse en diferentes sectores industriales, desde la minería hasta la fabricación de tela y lana.

REPERCUSIONES

Que una máquina –de manera fiable y eficiente– pudiese sustituir, complementar o mejorar el esfuerzo humano supuso una auténtica ampliación de horizontes. La máquina no solo afectó en lo técnico; su empuje a la Revolución Industrial condujo al predominio de la sociedad urbana frente a la rural, a que millones de personas -primero en Gran Bretaña, posteriormente en toda Europa– cambiaran su residencia y sus costumbres. Y, por supuesto, esta máquina –y sus sucesivas mejoras– fueron la base para la implantación del ferrocarril y de la navegación a vapor, con lo que el mundo se haría cada vez más pequeño.

El peso como inventor –no solo relacionado con la máquina de vapor– de Watt fue inconmensurable, y recibió en vida múltiples reconocimientos. En 1784 fue elegido miembro de la Royal Society de Edimburgo y el año siguiente de la de Londres. En 1814 fue honrado como uno de los ocho Asociados Extranjeros de la Academia de Ciencias francesa. El gobierno de su país le llegó a ofrecer, incluso, un título de barón, que Watt rechazó. Inventó la unidad de potencia «caballo de vapor», y en 1889, años después de su muerte, se acordó que la unidad de potencia se llamase «watt» (vatio). No está nada mal para un autodidacta que empezó trasteando en el taller de su padre.

Wolfgang Amadeus Mozart

UN TALENTO INNATO PARA LA MÚSICA

TODOS HEMOS TARAREADO, A SABIENDAS O NO, ALGUNAS DE LAS MELODÍAS DE WOLFGANG AMADEUS MOZART (1756-1791). QUIZÁ DEBERÍAMOS DECIR MUCHAS. PORQUE HAY CIERTO *QUORUM* EN SEÑALAR A ESTE NIÑO PRODIGIO COMO EL TALENTO NATURAL MÁS GRANDE DE LA HISTORIA DE LA MÚSICA, Y SU CAPACIDAD PARA ASOMBRARNOS SIGUE INTACTA. MOZART COMPUSO VARIOS TIPOS DE MÚSICA A LO LARGO DE UNA BIOGRAFÍA CORTA Y TEMPESTUOSA. NUNCA UNA MUERTE PREMATURA CAUSÓ TANTO DAÑO AL PATRIMONIO DE LA HUMANIDAD, PRIVADO DE UN LEGADO QUE HUBIERA SIDO AÚN MÁS GLORIOSO.

GENIO UNIVERSAL

La música de Mozart –en concreto, el *Aria de la reina de la noche* de *La flauta mágica*– viaja por el espacio interestelar dentro de la sonda Voyager 1, en un disco de oro. Es un regalo para posibles civilizaciones extraterrestres, en caso de que se crucen con este mensaje en la botella del universo. A buen seguro, por

Dibujo de Carmontelle (1763) que representa a Leopold, Wolfgang y Maria Anna Mozart, en uno de sus conciertos.

muy peculiar oído –o lo que sea– que tengan, sabrán disfrutarlo. La música de Mozart es universal.

Mozart vino al mundo en Salzburgo, entonces parte del Sacro Imperio Romano Germánico, fruto del matrimonio entre Leopold Mozart y Anna Maria Pertl. Su padre era violinista en la corte del príncipe arzobispo Segismundo. En casa del pequeño Woferl –como lo llamaban en familia– se vivía por y para la música. A los tres años había aprendido, por imitación, a tocar el clavecín; a los cuatro, su padre le daba ya lecciones de música; a los cinco, componía con acierto en el pentagrama sus primeras obras. Leopold decidió «irse de gira» con sus dos hijos por media Europa, para que los aristócratas se maravillasen del talento precoz de sus pequeños. Cada una de sus representaciones servía de exhibición para su virtuosismo con el

MOZART Y HAYDN, GENIOS RESPETADOS

Aunque Mozart no necesitaba de padrinos para destacar en la escena musical, contó con un gran apoyo, aparte del de su padre: el del músico austríaco Joseph Haydn. Este era unos 25 años mayor y, con el tiempo llegó a ser considerado como el «padre de la sinfonía» y el «padre del cuarteto de cuerda». Se conservan cartas de ambos dirigidas a otros amigos en las cuales se alaban mutuamente; por lo general, el autor de *Don Giovanni* (1787) no resultaba muy diplomático con sus compañeros de profesión, pero con Haydn hacía una excepción. Aunque más joven, se cree que Mozart pudo influir en que Haydn también entrase en la francmasonería. Se sabe también que el joven Beethoven fue a Viena para estudiar con Mozart, atraído por su fama, aunque se ignora si realmente se ocasionó tal encuentro.

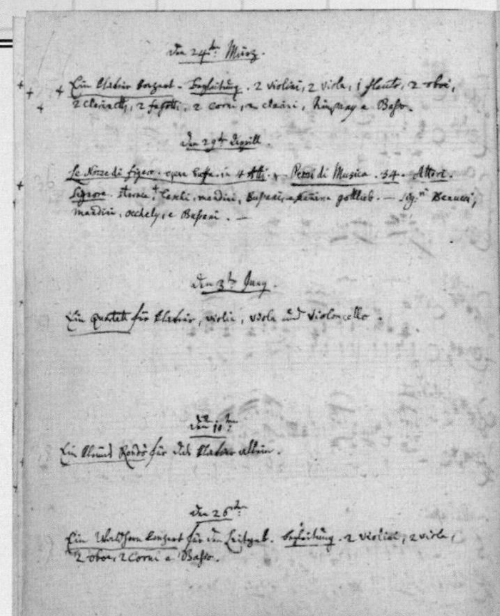

Detalle de un cuaderno de notas de Mozart.

clavecín y el violín –podía tocar el teclado con los ojos vendados–, y su capacidad de improvisación sobre lo que el público le proponía. Fue una época feliz, en la que el vivaracho y espontáneo Mozart conoció a grandes personalidades, aun siendo un niño. Pero su salud, toda su vida delicada, se vio afectada a lo largo de tantos kilómetros.

UNA VIDA ATRIBULADA

A la muerte de Segismundo, hacia 1773, la capacidad económica de la familia se resiente. El nuevo arzobispo no lo tiene en consideración y se producen graves desencuentros entre ambos. El carácter de Mozart estaba bien lejos de la diplomacia y, pese a su carácter risueño y bondadoso, se salía de sus casillas si se sentía atacado o humillado. Así que esto le empuja a Viena hacia 1781, donde comenzaría otro período vital. En 1782 contrae matrimonio con Constanze Weber y compone la ópera *El rapto en el serrallo*, que devino en un gran éxito. Una anécdota que denota su carácter rebelde y ácrata: el emperador José II comentó al final del estreno de: «Música maravillosa para nuestros oídos, si bien creo que tiene demasiadas notas»; el compositor replicó: «Exactamente, ¿cuántas son?». Por aquella época, Mozart se adhirió a la francmasonería, una sociedad que le influiría desde entonces. Entró en una época de derroche, incapaz de administrar sus bienes, adepto al disfrute del momento. Pero, cuando estalla la guerra entre Austria y Turquía, la música pierde peso y el ahogo económico llega de nuevo a su hogar, ya repleto de niños.

Este último período, aunque opresivo en lo económico, resulta muy provechoso en lo creativo. En ocasiones, para los genios, lo más sencillo es cerrar los ojos a su alrededor y seguir adelante. Termina *Così fan tutte* (1790) o *La flauta mágica* (1791), pero no puede acabar el *Réquiem en re menor*. La muerte lo alcanza a finales de 1791, tras semanas de grave enfermedad; él llegó a decir que lo habían envenenado, aunque la versión más ampliamente aceptada es la muerte por una fiebre reumática aguda.

La producción de Mozart incluyó sinfonías, sonatas, cuartetos de cuerdas, serenatas, divertimentos, mucha música sacra y óperas. Genio absoluto, autor de una música que conserva toda su frescura y su capacidad para sorprender y emocionar, Mozart ocupa una posición de privilegio en los altares de la música.

Detalle del cartel que anunciaba el estreno de Las bodas de Fígaro *(1786).*

Ludwig van Beethoven

COMPOSITOR MONUMENTAL

CUANDO HABLAMOS DE LUDWIG VAN BEETHOVEN (1770-1827) NOS ACERCAMOS NO SOLO A UN GENIO DE LA MÚSICA, SINO A UN EJEMPLO DE VALÍA HUMANA, INTEGRIDAD Y SUPERACIÓN. APRENDIÓ A COMPONER CUANDO EL BARROCO ECHABA EL CIERRE, Y SU CAPACIDAD CREATIVA LLEVÓ A LA MÚSICA HACIA EL ROMANTICISMO. EN SU VIDA SE INTERPUSO UNA SORDERA QUE LO ASALTÓ APENAS PASADA LA TREINTENA Y QUE LE CAUSÓ GRANDES PESARES. PESE A QUE POCO A POCO SE FUE ALEJANDO DEL MUNDO, SUS PARTITURAS CADA VEZ FUERON MEJORES. LA BÚSQUEDA DEL PROGRESO Y LA LIBERTAD FUERON SUS PRINCIPALES TEMAS.

PRODIGIO A LA FUERZA

Beethoven nació en Bonn a finales del siglo XVIII, y creció en plena Ilustración, con Goethe y Schiller dando lustre a las letras germanas, con Kant publicando *Crítica de la razón pura* y cuando la creencia de que la sociedad europea debía dar un paso adelante se cristalizó en la Revolución Francesa de 1789. Habrá que tener en cuenta este entorno liberal para explicar al Beethoven compositor maduro. Antes, el joven músico «sufrió» la influencia indirecta de Mozart, cuya fama como prodigio había llegado a oídos de su padre. Tanto este como el abuelo de Beethoven eran músicos, y tras observar que el joven Ludwig gozaba de un talento musical innato, decidieron hacer de él otro niño prodigio. Sin embargo, pese a que su talento era inconmensurable, la presión familiar afectó negativamente al joven en su vida social, que quedó reducida, si no eliminada.

En 1787 viajó a Viena para proseguir su formación. Es el momento en el que pudo producirse su hipotético

Arriba: partituras para el Quinteto para dos violines, dos violas y violonchelo.

Página derecha: partitura de la Sonata para violín n.º 9 «Kreutzer», *revisado y corregido por Beethoven; escrita por su amanuense Ferdinand Ries. La apariencia de las composiciones de Beethoven era mucho más caótica.*

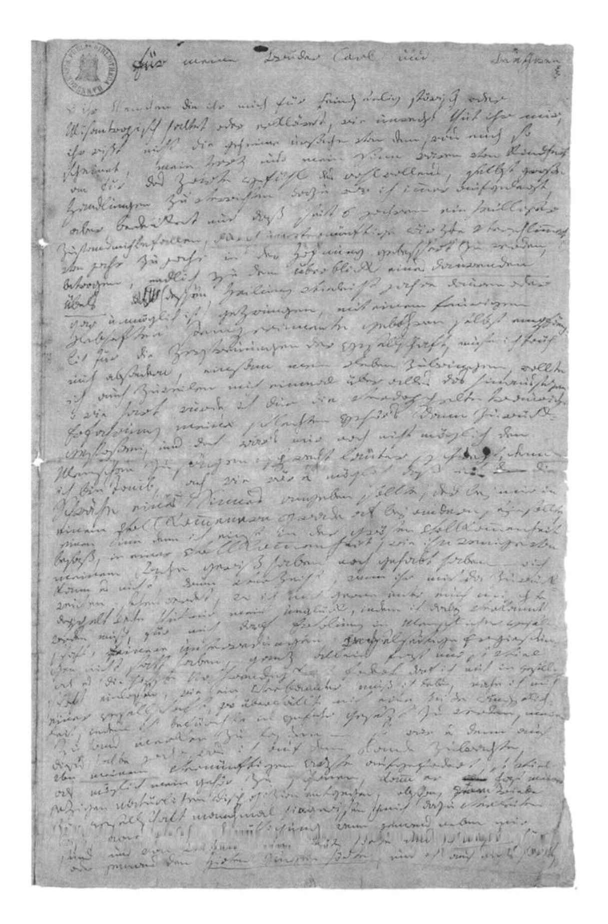

Primera página del testamento de Heiligenstadt, escrita por Beethoven el 6 de octubre de 1802; golpeado por su sordera inicial, exponía tanto su desesperación como su deseo de continuar.

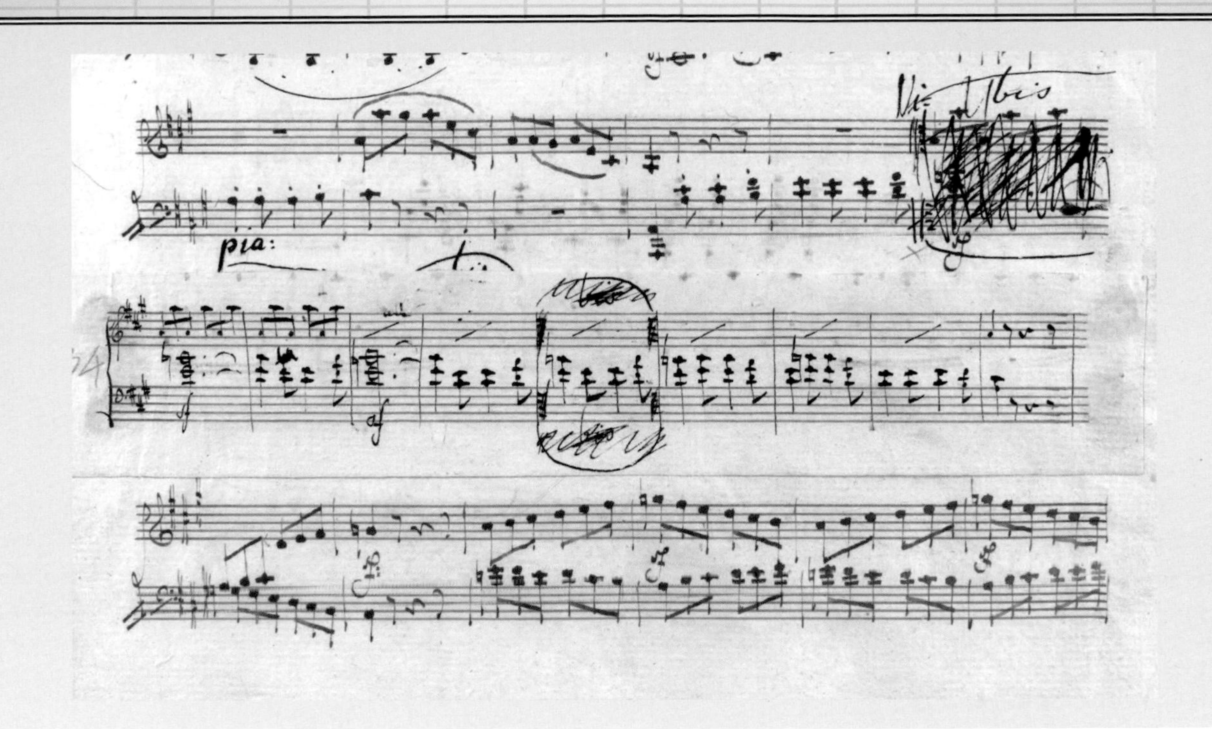

encuentro con Mozart. Sin embargo, al poco falleció su madre, su padre entró en una espiral de alcoholismo y depresión que lo acabó llevando a la cárcel, y con apenas 17 años se vio obligado a ganar dinero como profesor de piano y tocando en una orquesta, a fin de mantener a sus hermanos menores. Su padre falleció en 1792, y entonces regresó a Viena, para afincarse definitivamente allí, una auténtica capital mundial de la música.

LA VIDA ALEGRE DE VIENA

En Viena completa su instrucción con profesores de la talla de Joseph Haydn, que le guía en la composición y al que le dedica tres de sus obras, y de Antonio Salieri, tutor de lírica. Bajo esas influencias de estilo clásico completó sus primeros conciertos para piano, las cinco primeras sonatas para violín y las dos para violoncelo, varios tríos y cuartetos para cuerda, el lied *Adelaide* y su primera sinfonía. Y, sin embargo, bajo esas notas ya se escuchaba su voz propia, más melancólica y dolorosa, la que cuando explotase lo llevaría a la cumbre del arte musical. En ese período sigue acudiendo, invitado, a salones de la nobleza, donde deliberadamente mostraba un carácter rudo, explosivo, fuera de lugar. Era su manera de decir: «Sois mis mecenas, tengo que aceptar vuestro dinero, pero

LA SINFONÍA QUE FUE NAPOLEÓNICA

En 1805, Beethoven estrenó su *Tercera Sinfonía*. Tres años antes, había redactado el famoso *Testamento de Heiligenstadt*, documento en el manifestaba el horror que suponía su inminente sordera y los instintos suicidas que lo acosaban. La *Tercera* se compuso en pleno abatimiento, pero, a la par, bajo una firme voluntad de enfrentarse a la adversidad. Cuando comenzó a pensar en ella, Beethoven estaba fascinado por la figura de Napoleón Bonaparte, que en sus primeros años públicos aparecía como adalid de los valores de la Revolución Francesa, un bastión contra el feudalismo, una lanza de los derechos cívicos. Todo lo que un amante de la libertad, un humanista convencido como Beethoven, admiraba. Bajo ese influjo fue creando la *Sinfonía Bonaparte*, hasta que empezaron a llegar las noticias de un Napoleón cada vez más endiosado. Sobre todo, en 1804, tras su coronación como emperador. A Beethoven se le atribuye haber dicho entonces: «Entonces, ¿no es más que un ser humano vulgar?», decepcionado con el francés. Así, la *Tercera* se estrenó con el nombre de *Sinfonía heroica, compuesta para celebrar la memoria de un gran hombre*. La *Heroica*, como es más conocida, fue recibida con extrañeza. Pasado el tiempo, se la considera la sinfonía, probablemente, más influyente y rompedora que se conoce.

1783

Diferentes retratos de Beethoven a lo largo de su vida. Debido a sus rasgos y a su tez morena, de pequeño, su familia le decía que «parecía español».

1801

1803

no estáis por encima de mí; detesto vuestra hipocresía y cursilería». Por entonces Beethoven se ganaba la vida, holgadamente, como concertista de piano. Un veinteañero que se comía el mundo, apenas preocupado por unos ligeros y ocasionales problemas de oído.

UNA CRUELDAD INTOLERABLE

La enfermedad acechaba a Beethoven y, llegado el siglo XIX, sus efectos eran evidentes. El músico prefería pasar por misógino antes que confesar su sordera. Quizá fuera esa la razón última por la que nunca contrajo matrimonio, pese a que tuvo romances sonados y sufrió, mucho, por amor. Amores imposibles, por recurrir al tópico, que plasmó en obras como *Claro de luna* (*Sonata para piano n.º 14*) o la bagatela *Para Elisa*, composiciones tan bellas como dolorosas. Su médico le recomendó un tiempo de retiro en Heiligenstadt, donde redactó una carta a sus hermanos, acaso despidiéndose, tan fuerte era su malestar físico y espiritual. Pero, en sus propias palabras, pesó más lo que le quedaba por expresar que el dolor que lo inundaba. Así consiguió regresar a Viena, dispuesto a escribir sus mejores obras, y a seguir, con peor suerte si cabe, eligiendo romances sin futuro.

Comenzaba un período de madurez artística de Beethoven, un tiempo de superación en el que convertía el dolor personal en belleza. Un «héroe trágico» dispuesto a enfrentarse al destino que llamaba a su puerta. Técnicamente se confirmó como un

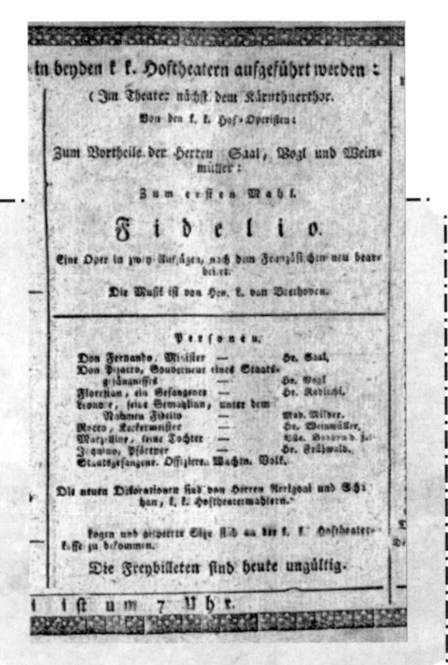

In beyden k. k. Hoftheatern aufgeführt werden:

(Im Theater nächst dem Kärnthnerthor.

Von den k. k. Hof-Opernisten:

Zum Vortheile der Herren Saal, Vogl und Weinmüller:

Zum ersten Mahl.

Fidelio.

Eine Oper in zwey Aufzügen, nach dem Französischen neu bearbeitet.

Die Musik ist von Hrn. L. van Beethoven.

Personen.

Don Fernando, Minister — Hr. Saal.
Don Pizarro, Gouverneur eines Staatsgefängnisses — Hr. Vogl.
Florestan, ein Gefangener — Hr. Radichi.
Leonore, seine Gemahlinn, unter dem Nahmen Fidelio — Mad. Milder.
Rocco, Kerkermeister — Hr. Weinmüller.
Marzelline, seine Tochter —
Jaquino, Pförtner — Hr. Frühwald.
Staatsgefangene. Offiziere. Wachen. Volk.

Die neuen Dekorationen sind von Herren Arrigoni und Schindler, k. k. Hoftheatermahlern.

Logen und gesperrte Sitze sind an der k. k. Hoftheater-Kasse zu bekommen.

Die Freybilleten sind heute ungültig.

ist um 7 Uhr.

Programa del estreno de Fidelio*, el 23 de mayo de 1814, en Viena.*

LA ÚNICA ÓPERA DE BEETHOVEN

Beethoven solo compuso una ópera, que sin embargo goza de gran prestigio y es un compendio de sus principales valores: la libertad y el progreso. *Fidelio* es la historia de una mujer que desafía los principios de la ópera hasta el momento, una heroína protagonista que no espera que la salven, sino que será salvadora. En esta ópera de música grandiosa se ve el camino claro de Beethoven, que abre las puertas al Romanticismo. Comienza como una pequeña comedia de enredo que, poco a poco, se va transformando en un drama a través de un trayecto simbólico. A nivel humano, es un elogio de la revolución que tiene algo de lo ideal y de la conquista del espíritu.

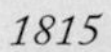

1815

1820

1823

superdotado, al arrancar de la orquesta una potencia natural, y al revolucionar la escritura para piano. No obstante, hacia 1814 dejó de poder mantener cualquier diálogo, por lo que se hizo inseparable de su «libro de conversación», en el que quienes querían dirigirse a él anotaban sus palabras. Pero cada vez menos osaban ya a dirigirse al genio, cada vez más malhumorado y temperamental.

SU LEGADO

Beethoven dejó para la posteridad un importante legado: nueve sinfonías, una ópera, dos misas, tres cantatas, 32 sonatas para piano, por señalar una parte de su producción. Es especialmente celebrado por sus sinfonías; se suele decir que ese formato no llegó a su esplendor hasta que el alemán compuso las suyas. Técnicamente, se caracterizó por haber dejado atrás el clásico ritmo de minueto por el vigor del *scherzo*, para lograr contrastes más intensos y emotivos, de tal manera que expandió la sonoridad y las texturas sinfónicas. La música de Beethoven corrió en paralelo a su biografía, así que su período juvenil fue más sereno; la impetuosidad de la «heroica beethoveniana» llegó con su madurez y sus conflictos personales.

De sus sonatas para piano destaca la *Patética* (*Sonata para piano n.º 8*), una obra con matices filosóficos, muy interpretada desde que se estrenó en 1799. La *Tercera Sinfonía* (ver recuadro) lo consagra como genio, y la fuerza de la *Quinta* lo hace inmortal: las cuatro primeras notas de su primer movimiento (*Allegro con brio*) se tienen por las más conocidas de toda la música clásica, tanto por su potencia como por su sencillez. Ese ta-ta-ta-taaa es conocido como el «motivo del Destino llamando a la puerta», si bien no fue Beethoven el que le puso ese sobrenombre, sino uno de sus seguidores. A la *Sexta Sinfonía* se la llama la *Pastoral*, y fue presentada a la par que la *Quinta*, lo que la deslució en su momento; sin embargo, con el tiempo ha llegado a ser considerada como una de las obras de música programática (que busca evocar ideas o imágenes en el oyente) más hermosas. Destaca por tener cinco movimientos, en vez de los cuatro habituales.

El *Allegretto* de la *Séptima* es quizá uno de los temas musicales más solemnes que se hayan compuesto nunca, reutilizado por el cine en varias ocasiones. La *Octava* es una sinfonía inusualmente alegre, justo en un momento en el que a Beethoven se le acumulaban las malas noticias, familiares y amorosas: otra vez, encontró en la música un lugar donde transformar el dolor en belleza. Hay quien dice que las sinfonías de número impar de Beethoven son majestuosas, mientras que las pares son tranquilas. Así, la *Novena Sinfonía*, con su adaptación de la *Oda a la Alegría* de Friedrich von Schiller, es coral y deslumbrante, un himno a la fraternidad, y se introduce por primera vez la voz humana en un sinfonía. En 1985 fue elegida como himno oficial de la Unión Europea.

Se especula que Beethoven falleció mientras empezaba una décima sinfonía. Era 1827; a su funeral, en Viena, acudieron 20 000 personas.

Louis Daguerre

Padre del daguerrotipo

Si hoy existe algo banal, eso es hacerse una foto y compartirla con media humanidad en apenas unos segundos. Eso no era así a principios del siglo XIX, cuando una serie de iniciados impulsaron la técnica fotográfica. Entre ellos destaca el francés Louis Daguerre (1787-1851), creador del daguerrotipo, el primer sistema fotográfico «oficial» que se conoce. Hasta entonces, aquello de representar las cosas tal y como eran quedaba en manos de los pintores. La Ilustración auspició esa necesidad del hombre moderno de registrar la realidad de la forma más neutra y precisa.

UNA PATERNIDAD MÚLTIPLE

Para datar la invención de la fotografía cabe destacar que la cámara, como tal, existía desde mucho tiempo atrás. La cámara oscura ya la conocían los antiguos griegos; sabían que, si se practicaba un pequeño agujero en la pared de una sala oscura, en la pared interior se proyectaba una imagen invertida del exterior, lo que resultaba muy útil para los pintores, como apoyo a la creación de la perspectiva. Incluso a finales del siglo XVIII, algunos viajeros portaban pequeñas cámaras oscuras para calcar sobre papel los paisajes que contemplaban. Existía la cámara, pues, pero no la manera de registrar y conservar esas imágenes.

Ya en el siglo XVII había noticia de ciertos materiales fotosensibles, es decir, capaces de registrar cambios de luz en su superficie. Partiendo de esa base, el francés Joseph Nicéphore Niépce (ver recuadro) comenzó a investigar, hacia 1815, diferentes maneras para que la imagen invertida de una cámara oscura permaneciese

Daguerrotipo del Boulevard du Temple de París, en el año 1838. El primero en el que aparecen personas (abajo, izquierda).

impresa en un soporte. Empezó a lograr resultados más o menos convincentes unos 10 años después, en lo que denominó heliografía (del griego *helios*, «sol», y *grafía*, «escritura»).

EL DAGUERROTIPO Y SU COMPETENCIA

Casi a la par, un joven Louis Daguerre, pintor y escenógrafo, creaba para las representaciones teatrales en las que trabajaba los primeros dioramas. Estos eran unas maquetas en las que se representaban imágenes de paisajes naturales o urbanos, con figuras humanas, vehículos o animales presentados dentro de un entorno que, juntos, configuraban una escena. A menudo, se creaban efectos como el movimiento de las nubes, o de iluminación, para cambiar la tonalidad del paisaje en caso de que el sol se pusiera. Daguerre, interesado por conseguir unas imágenes cada vez más fieles, empezó a investigar con el óptico Charles Chevalier la manera de registrar esas imágenes. Fue este quien puso en contacto a Daguerre con Niépce. Ambos crearon una sociedad, establecida por contrato el 5 de diciembre de 1829, para colaborar en la mejora de un sistema de registro de imágenes. En ella, Daguerre reconocía que Niépce era autor de «un nuevo procedimiento para fijar, sin necesidad de recurrir al dibujo, las vistas que ofrece la naturaleza».

Como suele ocurrir en estos casos, la colaboración estuvo plagada de recelos, con lo cual el intercambio de información se daba con reservas. De hecho, al morir Niépce en 1833, Daguerre aprovechó las dificultades económicas de sus herederos para ir ocultando su nombre en los sucesivos contratos, e incluso llegó a eliminarlo.

En cualquier caso, Daguerre logró una serie de mejoras al proceso de Niépce que lograron dar a aquella heliografía mayor consistencia. Al resultado, Daguerre lo llamó daguerrotipia y lo presentó el 7 de enero de 1839, en la Academia de las Ciencias en París. La principal ventaja frente a la heliografía era que necesitaba menor tiempo de exposición, unos 10 minutos en un día luminoso, frente a las dos horas, o más, de la heliografía. La calidad y nitidez de las imágenes también era superior.

Cámara de daguerrotipo construida por Susse Frères en 1839, que contaba con una lente diseñada por Charles Chevalier.

Una silla con el dispositivo de sujeción necesario para mantener al sujeto inmóvil durante la toma de retratos.

La popularidad del daguerrotipo creció como la espuma. En París se tomaron medio millón de ellos en apenas un año. Daguerre comercializó la cámara *Daguerrotype* para todo tipo de usuarios. Al poco tiempo, el Estado francés le compró el invento a Daguerre por una pensión vitalicia anual de 6 000 francos, así como otra de 4 000 para el hijo de Niépce. Este, en 1841, publicó un libro sobre la historia del daguerrotipo que obligó a Daguerre a reconocer el peso de su padre en el proceso.

Las características principales del daguerrotipo eran:

- A partir de 1841, los retratos se podían tomar en menos de un minuto.
- Eran positivos y, por tanto, copias únicas; no se podían hacer copias del mismo (a menos que se volviesen a fotografiar).
- Como consecuencia, la imagen estaba invertida lateralmente, como en espejo.
- El registro se hacía en una placa de cobre plateado. La única visión perfecta era frontal; observado de manera lateral, los reflejos desvirtuaban la imagen.
- El revelado se realizaba con vapores de mercurio, muy perjudiciales para la salud.
- Las imágenes, muy frágiles, debían conservarse en un estuche.

A la par que el daguerrotipo aparecieron otros sistemas que lo fueron superando, como el calotipo del inglés Fox Talbot, este sí, capaz de generar negativos y, por lo tanto, copias múltiples. Pero al registrar su patente, su uso resultó menos extendido, frente a la liberalidad del Estado francés para expandir el uso del daguerrotipo.

Hacia 1870, la técnica fotográfica evolucionó considerablemente, se simplificaron los procesos y se mejoró el material. Hoy, miles de millones de personas llevan en su bolsillo una cámara fotográfica con la que tomar imágenes a todo color y compartirlas al instante; y apenas quedan rincones vírgenes…

NIÉPCE, EL PIONERO

Niépce obtuvo las primeras imágenes fotográficas de la historia en 1825. Sin embargo, la primera imagen conservada –al menos de manera consensuada por los expertos– es *Punto de vista desde la ventana de Gras* (imagen a la derecha). Niépce tomó la foto con una cámara oscura enfocada en una placa de peltre de 20 cm × 25 cm, impregnada con betún de Judea en la placa de registro. Se guarda en la Universidad de Texas, en Estados Unidos.

Lord Byron

BANDERA DEL ROMANTICISMO DEL SIGLO XIX

MURIÓ JOVEN Y DEJÓ UN BONITO CADÁVER; TANTO QUE, CUANDO ABRIERON SU ATAÚD EN 1938, AÚN SEDUCÍA SU SONRISA. PERO GEORGE GORDON BYRON (1788-1824) AMABA LA VIDA Y LA EXPRIMIÓ HASTA SU ÚLTIMA GOTA –QUIZÁ POR ESO MURIÓ DESANGRADO. LA HISTORIA LO HA ETIQUETADO COMO EL HÉROE ROMÁNTICO POR EXCELENCIA, APASIONADO, LUCHADOR Y FIEL A UNOS IDEALES, O QUIZÁ SOLO A SUS PROPIAS PULSIONES. PERO LO QUE LO CONSAGRA COMO GENIO ES SU TALENTO POÉTICO, SU VIRTUOSISMO A LA HORA DE EXPRESAR LOS SENTIMIENTOS QUE A TODOS NOS IGUALAN.

LA PROVOCACIÓN, DESDE LA CUNA

Quizá fuera Lord Byron la primera celebridad de la historia, mediáticamente hablando. Daba que hablar tanto o más que de leer. Sus aventuras, sus locuras, sus viajes, sus versos… hubo un momento en el que todo en él era opinable. Incluso puede parecer que Lord Byron era un personaje que, cuando dejaba de ser Lord Byron, se ponía a escribir poesía. Es decir, el personaje relega al poeta, algo no muy sano si eres escritor –dicho sea sin mirar a nadie. Sobre todo si, en realidad, eres un gran poeta, como Byron.

Pero antes que poeta –técnicamente–, fue Lord, y antes de Lord, niño que llegó al mundo en el seno de una familia acomodada, pero poco convencional. A su padre lo llamaban Jack «el Loco», y despilfarró su fortuna tras casarse con Catalina Gordon; arruinó también la de ella, gastándosela en «mala vida», poco antes de morir. El pequeño George nació, pues, en Londres, con una cojera congénita –él no dudó en culpar a su madre por llevar corsé– que arrastraría toda su vida; llegada la madurez, la ocultaría como andares dignos de un *dandy*. En la infancia le acarreó ciertos sinsabores, pero con el tiempo supo sobrellevarlo. Hizo de una frase su *leit motiv*: «Cuando un miembro se debilita siempre hay otro que lo compensa»; ¿cuál sería el suyo? Sigamos leyendo.

Con nueve años, lo dejaron a cargo de una institutriz y enfermera, devota calvinista, que lo inició en la Biblia y en el sexo, en este orden. Dejó dicho que esa época lo ayudó a madurar y comprender la melancolía. También por entonces murió un tío abuelo noble sin descendencia; de él heredó el título de Lord, algunas rentas y una hermosa y espectacular abadía, cargada de deudas. Con el dinero le llegó para estudiar en el Trinity College y posteriormente en la Universidad de Cambridge (1805). Dos instituciones heráldicas que no consiguieron templar un carácter que ya prometía grandes titulares. Destacó allí por su brillantez e ingenio, además de por ser un brillante deportista –tenía más carácter que cojera– como boxeador, tirador de esgrima o nadador. Publicó su primer libro de poemas (*Composiciones fugaces*), que acabó en la hoguera, víctima de un párroco suspicaz.

El poeta, retratado con una indumentaria típica albanesa. Óleo de Thomas Phillips, en la National Portrait Gallery de Londres, Reino Unido.

VIAJAR PARA ESCRIBIR, Y VICEVERSA

Duró poco en la universidad; sus problemas no fueron académicos, sino de dinero, que malgastaba. En 1809, al cumplir la mayoría de edad, ingresó en la Cámara de los Lores. No fue menos incómodo que como poeta. Defendió las revoluciones de las colonias británicas contra Inglaterra y las tesis de la Revolución Francesa. Abogó por los derechos de los tejedores ludistas contra la explotación capitalista, y se declaraba contrario al férreo anglicanismo oficial. Aprovechó un tiempo para viajar por buena parte del Mediterráneo, de España –en plena Guerra de la Independencia– a Turquía, donde pretendió descubrir Troya. En Grecia, cruzó el Helesponto a nado.

A la vuelta, con sus experiencias, escribió el excelente poema *Las peregrinaciones de Childe Harold* (1812), que lo lanzó definitivamente a la fama. A partir de entonces, el foco lo acompañó en todos sus actos, escandalosos entonces, e incluso ahora. Se casó en un matrimonio que nacía muerto por sus continuas infidelidades y locuras, pero que le dio su única hija legítima: Ada Lovelace, a la postre célebre matemática. A los pocos meses su mujer lo dejó, y se fue a vivir con su medio hermana, con quien también tuvo un enésimo romance. Byron siempre estaba en la picota. «O todo lo que se dice de mí es verdad y en ese caso no soy digno de Inglaterra, o lo que se dice es mentira, entonces Inglaterra no es digna de mí. En uno u otro caso debo abandonar Inglaterra». Y abandonó su país en 1816, para no volver.

EL ROMANTICISMO GRIEGO

A la par, su obra literaria iba cobrando más y más fuerza, apuntalando su fama. En 1817 editó *Manfredo* y luego *El prisionero de Chillón*. Posteriormente publicó *Don Juan*, versión muy personal del mito, y una de las obras más estudiadas de la poesía inglesa.

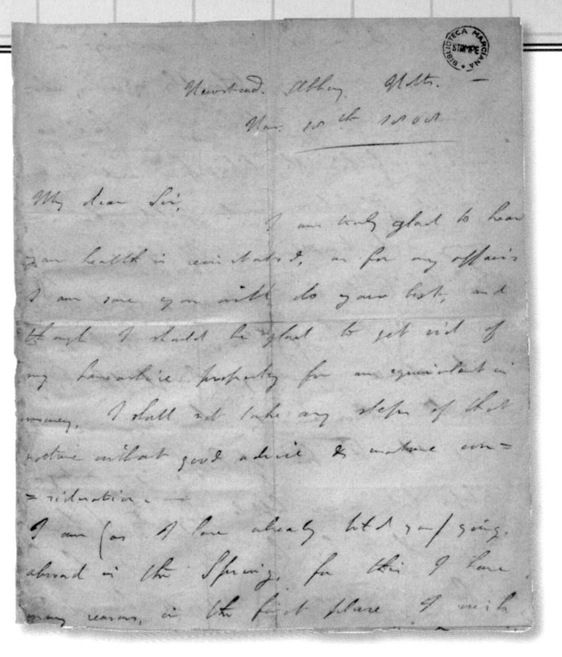

Newstead Abbey Notts.
Nov. 18th 1808

My dear Sir,
I am truly glad to hear your health is re-established, as for my affairs I am sure you will do your best, and though I should be glad to get rid of my Lancashire property for an equivalent in money, I shall not take any steps of that nature without good advice & mature consideration. —
I am (as I have already told you) going abroad in the Spring, for this I have many reasons, in the first place I wish

Carta manuscrita de Lord Byron a su abogado.

El signo de los tiempos casaba con la rebeldía propia de Byron. El romanticismo iba de la mano del nacionalismo, y las monarquías absolutistas de la época tenían bajo su yugo a diversas naciones. La que sedujo a Byron fue Grecia, que vivía bajo la dominación de los otomanos. Fletó un barco con sus propios fondos y acudió a la lucha con los griegos, que lo acogieron como a un héroe. Pero los héroes tienen su talón de Aquiles. El suyo era la epilepsia, que minaba su salud. Debilitado, contrajo fiebres que los médicos intentaron solucionar con el método universal de entonces: sangrías con el bisturí y con sanguijuelas en las sienes. Moría con 36 años el agitador de una época, un depravado o un adelantado a su tiempo, orgullo y fustigador de sus compatriotas. Con una sensibilidad exaltada, supo describir su época como ninguno. Tras la noticia de su muerte, el dramaturgo alemán Johann Wolfgang von Goethe escribió: «Descansa en paz, amigo mío; tu corazón y tu vida han sido grandes y hermosos».

VILLA DIODATI, VERANO DEL 16

Hay veranos más frescos que otros, y luego está el verano de 1816. Un verano que no lo fue, por la erupción en 1815 del volcán Tambora, en Indonesia, que oscureció el cielo durante meses. Esas vacaciones las pasó Byron en Villa Diodati, cerca del lago Ginebra, e invitó a sus amigos Percy y Mary Shelley, además de a su médico personal, John Polidori. En aquellas noches destempladas, seguidas de días sin sol, Byron, siempre juguetón y provocador, hizo una apuesta: cada uno de los cuatro tendría que escribir una historia de terror, a lo largo de tres noches. Solo Polidori y Mary Shelley la concluyeron, tiempo después. El primero, con el relato *El vampiro*, la primera historia sobre vampiros tal y como los conocemos hoy; la segunda, con algo más que una novela, con un mito: *Frankenstein*.

Michael Faraday

La electricidad aplicada en el día a día

Una de las peores cosas de vivir en el futuro es no haber podido coincidir con Michael Faraday (1791-1867). No se puede decir menos de quien, desde una educación muy humilde y autodidacta, llegó a lo más alto del conocimiento científico de su época. Y que, una vez arriba, supo acordarse de esos orígenes, prestándose a difundir su saber y experiencia a los menos favorecidos, en especial a los niños. Pero, por supuesto, siempre será recordado por sus descubrimientos en electromagnetismo, punto de partida para muchos de los avances técnicos que hoy nos rodean.

UN CIENTÍFICO «ADORABLE»

Hay pocas historias tan «fotogénicas» en esta relación de genios de la humanidad como la de Michael Faraday. Nació en los suburbios de Londres, sin más aspiraciones que las de ganar dinero para su familia. Para ello, a los 14 años entró como aprendiz en la empresa que le quedaba más a mano: una encuadernadora de libros. Benditos libros, que dan a uno todo lo que necesita. A Faraday le proporcionaban la oportunidad de llevar dinero a casa, pero también de leer por la noche lo que encuadernaba por la mañana. Bendita, también, su insaciable curiosidad; tras siete años trabajando en la encuadernación, aprendió tanto que se dio cuenta de todo lo que quedaba por aprender. Sobre todo, en el campo de la ciencia. Y, más aún, en la electricidad.

Más razones para seguir queriendo a Faraday. Con 20 años, comenzó a asistir a las conferencias del destacado químico inglés Humphry Davy, de la Royal Institution y de la Royal Society: uno de los científicos estrella de la época, sobre todo por sus trabajos con la electrólisis. El joven Faraday, epítome del entusiasmo, le envió un libro –encuadernado por él– de 300 páginas con las notas que tomó durante esas charlas. ¿Cuántos jóvenes de hoy hacen lo mismo… pero con el cantante o futbolista de moda? Al poco tiempo, Davy lo tomó como su ayudante.

UN GENIO ELÉCTRICO

Faraday empezó por los trabajos más ingratos en el laboratorio, pero su aplicación y constancia lo llevaron a convertirse en poco menos que imprescindible para Davy. Asimismo, empezó a codearse con los mejores científicos europeos. Entre sus primeros logros se encuentran el descubrimiento del benceno y la creación de un precedente del mechero Bunsen, tan común hoy en todos los laboratorios.

Ilustración que representa a Faraday durante una de sus conferencias.

FARADAY, UN DIVULGADOR PARA TODOS LOS PÚBLICOS

Una muestra de la calidad humana y científica de Michael Faraday la encontramos en las Conferencias Navideñas de la Royal Institution. Él, que había sido un niño pobre, completamente autodidacta, no se olvidaba de sus inicios. Por ello, en la Navidad de 1825 instauró una costumbre, que se mantiene viva hasta hoy, en la que la Royal Institution acogía –y sigue acogiendo– una serie de charlas que presentan asuntos científicos de forma amena y entretenida, abiertas a todo tipo de públicos, eruditos o legos, con especial preferencia para los jóvenes.

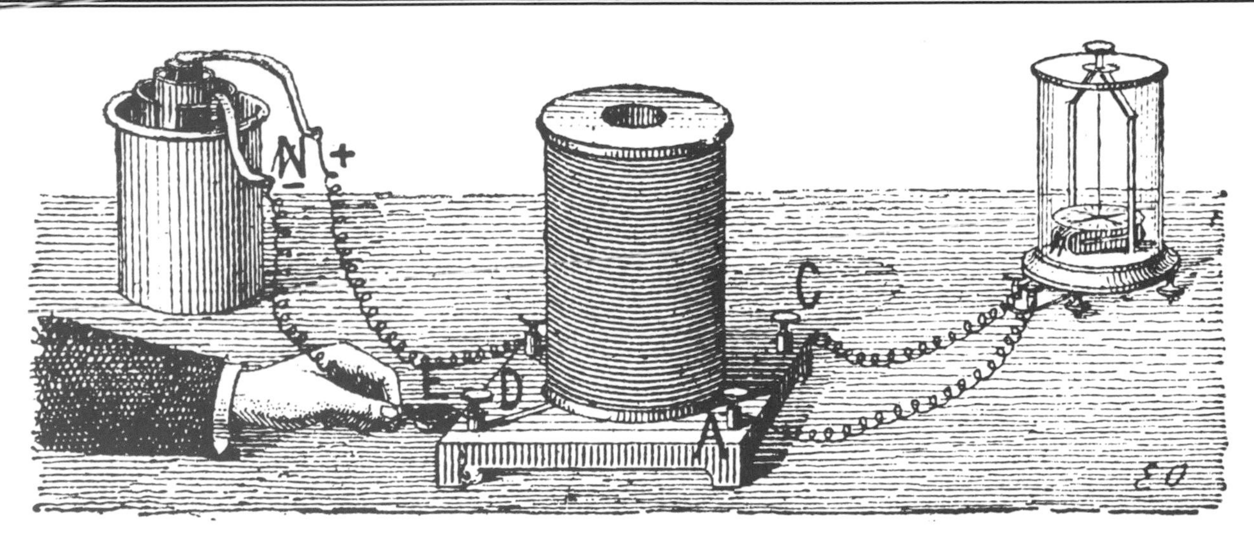

Grabado que ilustra uno de los experimentos de inducción electromagnética de Faraday.

Gracias a los experimentos iniciales en electromagnetismo de investigadores como Ørsted o Amper, llegó antes que nadie a convertir la electricidad en movimiento, un avance brutal si pensamos en la cantidad de trabajos que un motor eléctrico puede ejecutar. Sin embargo, esto le granjeó las antipatías de Davy, que lo acusó de plagio. Como superior suyo, lo «desterró» cinco años en Alemania, para que estudiara cristales, algo lejos de su campo. Fueron años infructuosos... al menos a priori. Solo tras la muerte de Davy pudo volver a Londres a seguir investigando en lo que más deseaba. Y pronto dio un nuevo aldabonazo de escala universal. Si años antes había conseguido convertir la electricidad en movimiento (motor eléctrico), su nueva vía de investigación iba a conseguir el camino inverso: que el movimiento se convirtiese en electricidad (el generador eléctrico). En efecto, era el movimiento de imanes –de los campos magnéticos– lo que producía la inducción electromagnética, responsable de la generación de electricidad.

LOS CAMPOS MAGNÉTICOS

Los dos citados descubrimientos ya son suficientes para entrar en cualquier libro de genios, de los que cambian para siempre la vida de los humanos. ¡Faraday había conseguido que un ejército de sirvientes invisibles se pusiera a nuestras órdenes! Además, la Ley de Faraday, el efecto Faraday o la jaula de Faraday son solo algunos de los conceptos que cualquier químico o físico de hoy sigue estudiando.

Con el paso de los años, Faraday fue perdiendo salud y memoria. Sin embargo, su capacidad intelectual y científica estaba a buen recaudo. De hecho, fue capaz de poner en tela de juicio unos de los postulados de Newton. En aquel momento, se pensaba que las fuerzas de atracción se ejercían de manera inmediata, a distancia, sin más. Pero Faraday dudaba de esa premisa: tenía que existir algo que se propagase desde la fuente (un imán, por ejemplo) hasta el cuerpo (un circuito). A la postre, pudo demostrarlo gracias a uno de los cristales que conservaba de aquellos años «infructuosos» en Alemania. Fue la primera demostración de la existencia, científica, de los campos magnéticos y las líneas de fuerza. No obstante, aquella idea resultaba tan revolucionaria que a Faraday no le dio tiempo a comprobar que la comunidad científica la aceptaba.

En sus últimos escritos, anunciaba que todo aquello se aplicaría en otros órdenes, adelantándose así a la teoría de las ondas gravitacionales propuesta por Einstein y recientemente demostrada. No en vano, el genio alemán tenía una fotografía de Faraday en su despacho. Con todo lo que nos aportó –y con su ejemplo humilde y entusiasta–, cualquiera de nosotros podría imitarlo.

Samuel Morse

HIZO EL MUNDO MUCHO MÁS PEQUEÑO

SI UNO DE LOS PRINCIPALES PROBLEMAS DE LA HUMANIDAD ES LA COMUNICACIÓN, ENTONCES SAMUEL MORSE (1791-1872) HIZO LO QUE POCOS POR NUESTRO GÉNERO. EL ESTADOUNIDENSE CREÓ UN NUEVO SISTEMA DE REPRESENTACIÓN DE LETRAS Y NÚMEROS MEDIANTE SEÑALES, NECESARIO PARA DAR VIDA AL INVENTO DE LA ÉPOCA: EL TELÉGRAFO, UN MEDIO AL QUE ADEMÁS CONTRIBUYÓ EN SU DESARROLLO. POCOS CONOCERÁN, SIN EMBARGO, QUE SU PROFESIÓN ERA LA DE PINTOR, EN ESPECIAL DE RETRATOS. CON SUS PINCELES CARACTERIZÓ A NUMEROSOS PERSONAJES DE LA SOCIEDAD NORTEAMERICANA DE SU TIEMPO.

UN ARTISTA Y CURIOSO

En el siglo XIX, la gran estrella de la ciencia era la electricidad. Todo curioso se interesaba por ella, y, sin duda, Samuel Morse debía de ser uno de los buenos. Solo así se explica el devenir de la carrera de un hombre ligado, con éxito, a los pinceles.

Nacido cerca de Boston, Massachusetts, era el hijo mayor de un estricto pastor calvinista, además de uno de los más renombrados geógrafos de aquel país recién independizado. Le ofreció una buena educación a Samuel, quien acudió a la Universidad de Yale, donde estudió Matemáticas, Religión y Veterinaria equina; y, de manera libre, acudía a clases de electricidad. Con ese *collage*, resulta comprensible que se acabase aficionando a la pintura. Washington Allston, un pintor con buen ojo para los talentos, alabó sus cuadros –muchos de ellos, de motivos calvinistas– y se lo llevó a Londres en 1811 para que perfeccionase su técnica. Siguió viajando por Europa y se especializó en copiar cuadros del museo del Louvre. En una de esas visitas conoció a Louis Daguerre, inventor del daguerrotipo, primer antedecente de la fotografía. Fue Morse quien dio a conocer este invento por medio de un artículo al público norteamericano.

EL INVENTO QUE DIO LA VUELTA AL MUNDO

En paralelo, el interés de Morse por los avances eléctricos aumentaba. La leyenda dice que hay un punto de inflexión en 1825, cuando mientras pintaba a Lafayette recibe a un mensajero a galope con una carta de su padre: «Tu mujer está gravemente enferma». Para cuando quiso llegar a su hogar pasaron días, y su mujer ya estaba enterrada. Y se propuso utilizar la electricidad para facilitar la comunicación a distancia.

En 1832 conoció a un científico que estaba al tanto de los avances en electromagnetismo en Europa –a cargo de Faraday, Ampère y otros–, así como de los progresos que allí se hacían con un incipiente telégrafo. A su vuelta, ya tenía en mente la idea de su telégrafo, si bien otros compatriotas trabajaban en paralelo con un proyecto similar. La clave de este medio era aprovechar las interrupciones en la

UN PINTOR REPUTADO

En Estados Unidos, la figura como pintor de Samuel Morse fue ganando prestigio hasta recibir encargos por parte del expresidente (imagen de la izquierda) John Adams –el segundo tras Washington–, el presidente James Monroe –en ejercicio en 1819– o el marqués de Lafayette, aquel francés que pujó por la independencia estadounidense. En 1826, contribuyó a la fundación de la Academia Nacional de Dibujo de Estados Unidos, a la cual hoy pertenecen grandes artistas de todo el mundo.

transmisión eléctrica como una clave. Se asoció con el joven Alfred Vail, con quien desarrolló no solo su sistema telegráfico, sino el código Morse. Para 1838 ya lo habían perfeccionado: consta de una serie de puntos, rayas y espacios que, combinados entre sí, pueden formar palabras, números y otros símbolos. Para transmitir las letras del código, cada punto y cada raya se separa con breves pausas. La velocidad de transmisión de las palabras que forman el mensaje depende en gran medida de la habilidad y experiencia del telegrafista, tanto para transmitir como para recibir los mensajes. El tiempo de demora de una raya debe superar en tres veces el de un punto. La separación entre una palabra y la otra debe ser equivalente al que se requiere para transmitir seis puntos.

En 1843, el Congreso se decantó por su proyecto y le financió la construcción de 60 km de cables entre Washington y Baltimore. En mayo de 1844 se inauguraba oficialmente la línea con unas palabras que se harían famosas: *What Hath God Wrought* (una cita bíblica cuya traducción libre sería «Lo que Dios ha creado»), emitidas desde la cámara de la corte suprema en el sótano del Capitolio.

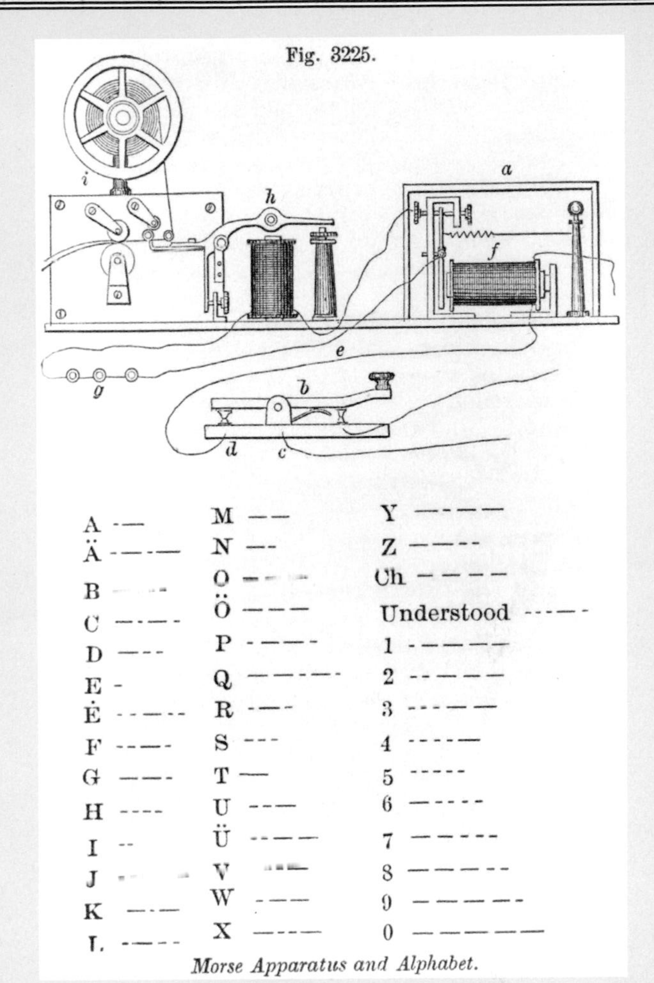

Arriba: ilustración de la época que explica el funcionamiento del telégrafo y del código Morse.

FÁCIL, PRÁCTICO Y REVOLUCIONARIO

Morse desarrolló un aparato que utilizaba un pulsador accionado a mano, que permitía el paso de una corriente eléctrica por un electroimán. A su vez, este reproducía el movimiento de una pluma, que dejaba su marca en una cinta de papel. El registro permanente del mensaje, su simplicidad, velocidad y bajo coste fueron las virtudes fundamentales de este telégrafo. El sistema de transmisión de mensajes telegráficos por cables de forma inmediata y a largas distancias, así como el código que él y Vail crearon, es el más sencillo y práctico que ha empleado la humanidad durante muchos años. Su uso hizo de la Tierra un lugar mucho más pequeño, en especial cuando se tendió la primera línea telegráfica submarina en el Atlántico.

El invento se desarrolló a la par en otros países, por lo que Morse litigó para obtener en exclusiva los derechos de su sistema. Lo consiguió en 1854 cuando la Corte Suprema de los Estados Unidos confirmó su patente. Con su invento, Morse ganó una gran fortuna y en sus últimos años se dedicó a hacer obras filantrópicas. Ninguna, en cualquier caso, sería mejor para sus congéneres que la de eliminar distancias a la velocidad de la luz.

Abajo: Samuel Morse junto a su aparato, en 1857.

Charles Darwin

Padre de la teoría de la evolución

En diversas ocasiones, se ha considerado «El origen de las especies» como el libro más importante de la historia, al menos desde un punto de vista académico. El inglés Charles Darwin (1809-1882), con su teoría evolucionista, les cambió la vida a todos los seres vivos, fueran conscientes o no. Nadie hizo jamás tanto por despejar el pasado –y el futuro– de la especie humana, nadie hizo tanto por desterrar mitos y presentar certezas; nadie, en resumen, hizo tanto por la Ciencia. Y todo fue posible gracias al día en que se subió al *Beagle*, un fantástico barco que iba a dar la vuelta al mundo.

Caricatura de Darwin con la que sus detractores pretendían burlarse de su teoría evolutiva.

¿SACERDOTE O NATURALISTA?

En 1831, el joven Charles Darwin terminaba sus estudios eclesiásticos. Su profesor favorito, el reverendo Henslow, botánico y entomólogo, le ofreció la posibilidad de subirse al *HMS Beagle* como naturalista –sin sueldo– en un viaje científico del Almirantazgo británico para trazar las costas de América del Sur. Pese a la oposición de sus padres –que desconfiaban de aquella osadía–, Charles hizo lo que hacen los genios: esquivar lo establecido y poner rumbo a su destino. Hasta entonces, la vida de aquel joven curioso parecía navegar hacia una ordenación como sacerdote. Nació en una familia acomodada, de intelectuales y burgueses; quien más le influyó fue su abuelo Erasmus Darwin, que en 1794 escribió un libro planteando la posibilidad de un «antepasado común». En efecto, desde los trabajos de Linneo (ver pág. 56), algo se venía agitando en la biología, versión historia natural; pero no se acababa de concretar nada definitivo.

LAS CONSECUENCIAS DE UN GRAN VIAJE

El 27 de diciembre de 1831, el *HMS Beagle* zarpó de Plymouth. El capitán, Robert FitzRoy, había indagado en el mundo académico para encontrar a un naturalista con conocimientos en mineralogía y geología: Henslow le recomendó al curioso Darwin, que se enroló en lo que iba a ser un viaje de dos años; fueron cinco. De ellos, 18 meses los pasaron navegando y el resto, en expediciones

LA SELECCIÓN NATURAL DE LA TEORÍA EVOLUTIVA

El aspecto más débil de la teoría de Darwin era el de la herencia, basada en la errónea concepción de la transmisión de los caracteres adquiridos. De hecho, la comunidad científica aceptó sin mayores problemas el concepto de evolución, pero no tanto el de selección natural. Algo no acababa de encajar… Hasta que el redescubrimiento de las leyes de la herencia de Mendel (ver página 84) hacia 1930 hizo entender mejor el proceso. Hacia 1970, el biólogo japonés Motō Kimura propuso la teoría neutralista de la evolución neutra, que propone que las mutaciones no son ni favorables ni desfavorables; es decir, que la variación de las poblaciones no se debe tanto a la selección natural como al azar.

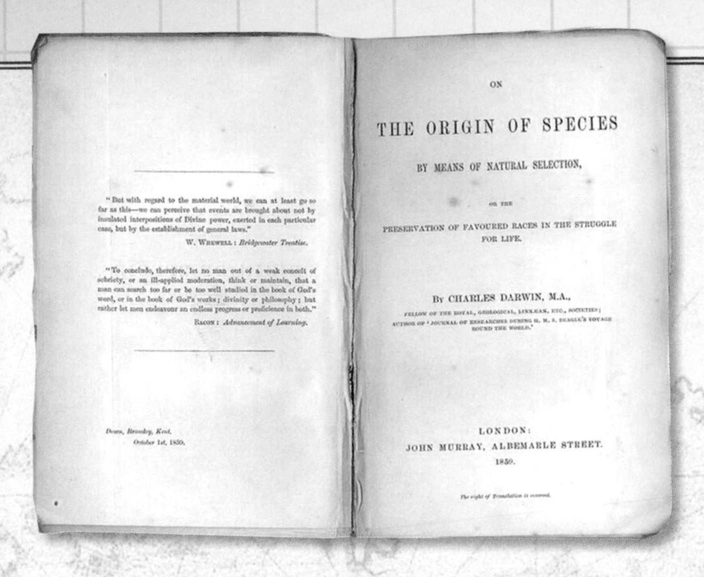

"But with regard to the material world, we can at least go so far as this—we can perceive that events are brought about not by insulated interpositions of Divine power, exerted in each particular case, but by the establishment of general laws."

W. Whewell: *Bridgewater Treatise.*

"To conclude, therefore, let no man out of a weak conceit of sobriety, or an ill-applied moderation, think or maintain, that a man can search too far or be too well studied in the book of God's word, or in the book of God's works; divinity or philosophy; but rather let men endeavour an endless progress or proficience in both."

Bacon: *Advancement of Learning.*

Down, Bromley, Kent,
October 1st, 1859.

ON

THE ORIGIN OF SPECIES

BY MEANS OF NATURAL SELECTION,

OR THE

PRESERVATION OF FAVOURED RACES IN THE STRUGGLE FOR LIFE.

By CHARLES DARWIN, M.A.,

FELLOW OF THE ROYAL, GEOLOGICAL, LINNÆAN, ETC., SOCIETIES;
AUTHOR OF 'JOURNAL OF RESEARCHES DURING H. M. S. BEAGLE'S VOYAGE ROUND THE WORLD.'

LONDON:
JOHN MURRAY, ALBEMARLE STREET.
1859.

The right of Translation is reserved.

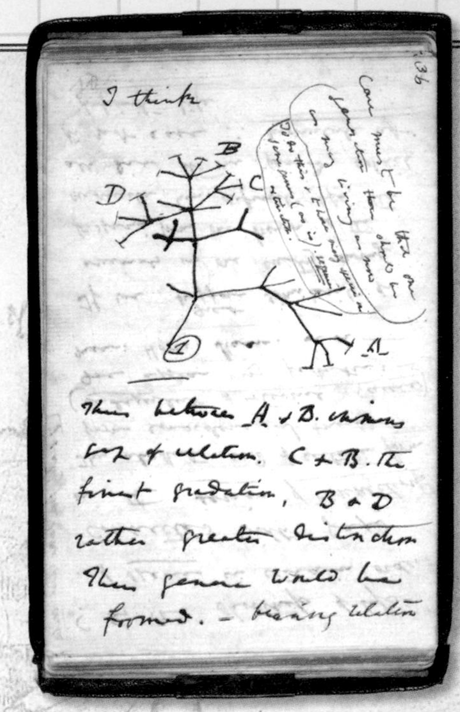

Arriba: primeras páginas de la primera edición de El origen de las especies.
Derecha: cuaderno de Darwin en el que presenta un «árbol de la vida».

terrestres. Darwin comenzó a sufrir fuertes mareos casi desde el principio, que fueron en aumento. Su salud se deterioró –se especula en si contrajo el Chagas por la picadura de un mosquito–, algo que arrastró a lo largo de toda su vida. Pero la experiencia, sin duda, resultaba única. Darwin llevó un diario de viaje que publicó en 1839 bajo el título *El viaje del Beagle*.

La expedición arribó a Inglaterra el 2 de octubre de 1836. Era el momento de poner en orden los materiales que Darwin había recogido y enviado regularmente a Cambridge. En la distancia ya se había convertido en una pequeña celebridad, ya que Henslow había ido enseñando sus descubrimientos. Darwin iba perfilando ya en su mente y en ciertos escritos, que no deseaba enseñar, su teoría de la evolución. Durante más de 20 años estuvo desarrollando ideas y experimentos relacionados con su viaje en el *Beagle*. Pero se mostraba reticente a mostrar su principal idea; por entonces iban surgiendo otras similares –sin el rigor científico que sustentaba la suya– que eran ridiculizadas por el pensamiento religioso dominante.

Así, es importante reseñar la figura de Alfred Russel Wallace, un joven que estaba a punto de publicar una teoría similar a raíz de sus viajes por el mundo. Apremiado por esta coincidencia, se decidió a publicar en 1859 *El origen de las especies mediante la selección natural o la conservación de las razas favorecidas en la lucha por la vida*, que en familia conocemos por sus cinco primeras palabras. En ella razonaba que las especies provienen de un ancestro común, que evolucionan y descienden unas de las otras; y que la principal causa es la llamada selección natural, la supervivencia de los mejor adaptados, que disponen de más oportunidades para obtener recursos limitados (idea que tomó de los trabajos en demografía de Robert Malthus, popular en la época).

El resultado no se hizo esperar. Tanto Darwin como su teoría se hicieron tremendamente populares. Esta vez sí, alguien presentaba pruebas sólidas de que el humano no era más que una de las especies que poblaba la Tierra, con el único privilegio de su inteligencia. Por supuesto, se le echaron encima numerosos sectores que veían cómo les movían sus cimientos. En vano; gracias a Darwin, empezamos a mirarnos en el espejo tal y como somos.

Grabado que muestra al **Beagle** *varado en tierra firme, en Patagonia.*

Richard Wagner

Revolucionario de la música clásica

Pues por fin hemos llegado a Richard Wagner (1813-1883). Para el mundo de la música, la presencia del genio de Leipzig es indiscutible; posiblemente, hasta para sus detractores, que los hay, y bastantes. Porque alrededor de Wagner, todo es exceso, de talento y personalidad. La suya era tremenda, caprichosa y arrogante, lo cual se dejó notar en su economía, en sus opiniones políticas y en sus relaciones con las mujeres. La música del siglo XX se vio influida en gran medida por su obra, tanto por imitación como por rechazo.

INICIOS TITUBEANTES

«Creo en Dios, Mozart y Beethoven», dijo Wagner. Y en sí mismo, desde luego. Desde joven dio muestras de una gran autoconfianza –hay *quorum* en considerarlo arrogante–, por lo que, pese a las escasas posibilidades económicas de su familia, se empeñó en conseguir una educación musical, a base de profesores particulares. Su padre «oficial», por cierto, murió a los seis meses de su nacimiento, y su madre se fue a vivir con Ludwig Geyer, actor y dramaturgo –y, posiblemente, su verdadero progenitor–, quien influyó notablemente en la querencia artística de su ahijado.

Su carrera profesional comenzó a los 20 años, cuando fue contratado como director de coro de Würzburg. Compuso sus primeras operas para teatros de poca categoría, sin destacar entonces especialmente. Sus deudas acumuladas –una constante durante la mitad de su vida; incluso llegó a estar preso– mientras trabajó en los teatros de Königsberg, Dresde y Riga, lo obligaron a huir del país; París fue su destino y durante una travesía hacia Londres una serie de terribles tempestades le inspiró una nueva opera: *El holandés errante* (estrenada en 1843).

WAGNER Y LOS LISTZ

La vida privada de Richard Wagner fue bastante pública. Se casó con la actriz Minna Planer en 1836, y aunque oficialmente estuvieron casados 30 años, su matrimonio fue convulso desde el principio, por los constantes romances de ambos, especialmente de Richard. Parece que hubo más amor con Cósima Listz (en la foto superior, con Wagner), hija ilegítima del pianista y compositor húngaro Franz Liszt y la escritora Daniel Stern. Franz Listz fue el máximo protector del joven Wagner. Eso le permitió acercarse a su hija, con quien inició una relación extramatrimonial –estaba casada con el director Hans von Bülow, ferviente admirador de Wagner, casi tanto como su entonces esposa– en 1865 y se casaron en 1870 en medio de un escándalo. Cuando enviudó, Cósima se hizo cargo, con gran acierto, del Festival de Bayreuth.

LA REVOLUCIÓN WAGNERIANA

Con esta obra aparece el Wagner personal y renovador; encuentra su voz propia, la que le impele a dejar atrás el formalismo de la ópera, tanto a nivel musical como representativo. Wagner, gran amante de la literatura -escritor prolífico de libros, poesía y artículos–, se había decantado por este formato al poder dar rienda suelta a todos sus conocimientos. Su gran aspiración no era otra que la de lograr la *Gesamtkunstwerk*, la «obra de arte total» en la que se sintetizaran los lenguajes artísticos de la música, la danza, la poesía, la pintura, la escultura y la arquitectura. El genio daba un paso de gran importancia hacia el drama musical al utilizar desde la obertura la unión de temas musicales con los personajes principales, los sentimientos y los hechos del drama, adquiriendo gradualmente la noción de *leitmotiv* o tema conductor, que sería esencial en la forma de componer sus óperas posteriores. Por otro lado, aumenta su interés por el mundo germánico, sobre todo por el mítico y legendario, tan importante en la tradición cultural alemana, de tal manera que se basa en él en casi todas sus obras.

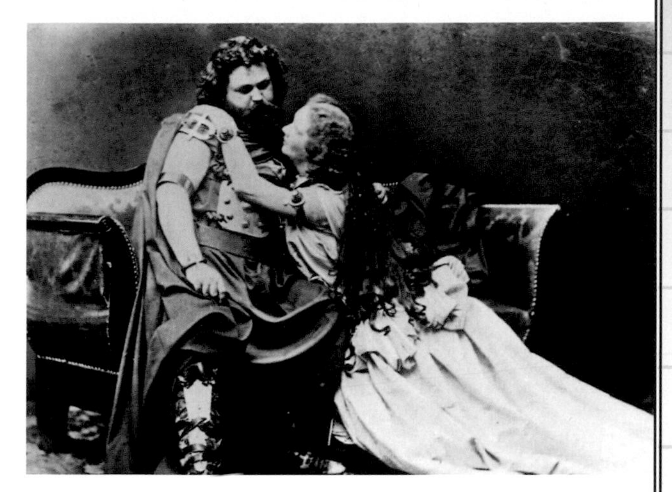

Los protagonistas del primer montaje de Tristán e Isolda.

Cuando Luis II de Baviera subió al trono en 1864, este, declarado admirador suyo, decidió ejercer de mecenas; canceló sus deudas y puso a su disposición una gran cantidad de recursos. Es en el último tercio de su vida cuando compone sus obras más rompedoras e influyentes, como *Tristán e Isolda* (1865), cuya tonalidad y disonancias establecen la base para la dirección de la música clásica en el siglo xx; ciertamente, no se había escuchado nada igual hasta entonces. La buena relación de Wagner con el rey Luis II le sirvió para que le financiara otro de sus grandes *caprichos* (de los que hoy nos aprovechamos): la construcción en Bayreuth de un teatro de ópera (ver fotografía abajo), dedicado en exclusiva a la representación de sus óperas. Wagner supervisó personalmente su diseño, que albergaba distintas innovaciones arquitectónicas para dar cabida a las grandes orquestas con las que Wagner contaba para ofrecer sus espectaculares montajes. El Festival de Bayreuth comenzó en 1876 y sigue vivo en la actualidad, con un prestigio y expectación únicos.

Wagner muere en 1883 de un ataque al corazón. Su atribulada vida personal, sus relaciones amorosas, sus opiniones políticas, en ocasiones antisemitas, sus gustos lujosos o su arrogancia, quedan atrás cuando se valora su talento y su influencia. De ello se dio cuenta el gran compositor Gustav Mahler: «Solo hubo Beethoven y Richard Wagner: y después de ellos, nadie».

Ignaz Semmelweis

PIONERO DE LOS MÉTODOS ANTISÉPTICOS

NO HACE TANTO, MORIR DANDO A LUZ ERA UNA POSIBILIDAD COMÚN Y ACEPTADA EN EL MUNDO OCCIDENTAL. ENTRE EL 15 % Y EL 20 % DE LAS MUJERES DE MEDIADOS DE SIGLO XIX FALLECÍAN DURANTE EL PARTO, DEBIDO A LA FIEBRE PUERPERAL. IGNAZ SEMMELWEIS (1818-1865) FUE EL PRIMER MÉDICO EN AVERIGUAR CÓMO PARAR ESA SANGRÍA DE VIDAS. BASTABA CON LAVARSE LAS MANOS PARA NO TRANSMITIR ENFERMEDADES DURANTE LA EXPLORACIÓN. PERO, PESE A LAS EVIDENCIAS, LA COMUNIDAD CIENTÍFICA LE DIO LA ESPALDA. UN MAL EJEMPLO DE CORPORATIVISMO QUE COSTÓ MILES DE VIDAS, HASTA QUE EL PESO DE LA VERDAD SE IMPUSO.

UNA SOSPECHA ELEMENTAL

Ignaz Philipp Semmelweis nació en Budapest (Hungría). Aunque empezó los estudios de Derecho en Viena, pronto los dejó para encaminarse por los de Medicina, en aquella misma universidad. Tras doctorarse, y no poder acceder a un puesto de internista, se especializó en obstetricia.

En 1846 entró como ayudante en la Primera Clínica de Maternidad del Hospital General de Viena. Allí, Semmelweis descubrió una realidad que le resultó imposible asumir: más del 13 % de las mujeres que daban a luz morían de una enfermedad conocida como fiebre puerperal o fiebre del parto. El origen de la enfermedad se desconocía, pese a existir diversas teorías, algunas poco menos que esotéricas. Angustiado al asistir a la muerte lenta y dolorosa de tantas madres, Semmelweis se propuso encontrar la causa de la enfermedad y prevenirla.

El Hospital General de Viena tenía dos clínicas de maternidad separadas. La reputación de la Clínica Primera era bastante mala: morían alrededor del 10 % (con puntas mucho más altas, en ocasiones) de las pacientes. En la Clínica Segunda, la media bajaba hasta el 4 %. Esto era *vox populi* y las mujeres intentaban evitar, con cualquier excusa, ingresar en la Clínica Primera. Curiosamente, la tasa de supervivencia de las mujeres que daban a luz en la calle superaba a la de esta clínica.

CONTAGIO POR LAS MANOS

Semmelweis decidió que esto no podía ser casual e indagó en los posibles motivos. En apariencia, todo resultaba igual en ambas clínicas: material, procedimientos, tiempos… Solo quedaba un cabo suelto: en la Clínica Primera, se enseñaba a estudiantes de Medicina. En la Clínica Segunda, a matronas. Y esbozó la siguiente teoría: muchos de aquellos estudiantes practicaban autopsias y, acto seguido, acudían a los partos. Suficiente para que las «partículas cadavéricas» pasaran de un organismo a otro. Por entonces, el concepto de «germen» o «bacteria» apenas se conocía. Tan solo algunos científicos lo

Die Aetiologie, der Begriff

und

die Prophylaxis

des

Kindbettfiebers.

Von

Ignaz Philipp Semmelweis,

Dr. der Medicin und Chirurgie, Magister der Geburtshilfe, o. ö. Professor der theoretischen und praktischen Geburtshilfe an der kön. ung. Universität zu Pest etc. etc.

Pest, Wien und Leipzig.
C. A. Hartleben's Verlags-Expedition.
1861

Portada original de La etiología, el concepto y la profilaxis de la fiebre puerperal *(1861), de Ignaz Semmelweis, donde da cuenta de toda su experiencia en la obstetricia.*

habían esbozado, pero aún quedaban unas décadas hasta que Louis Pasteur publicara sus trabajos sobre microbiología. Lo más común era aceptar que los contagios eran obra de las «miasmas».

Pero Semmelweis no se conformó con aquello. Para contrastar su teoría, impuso la norma de que todos los médicos se lavaran sus manos con una solución de hipoclorito cálcico –poco más que agua con jabón– antes de entrar a las salas. Aquello bastó para que, a los tres meses, la mortalidad de la infausta Clínica Primera bajase prácticamente hasta cero.

RECHAZO INJUSTIFICADO

El éxito rotundo salvó muchas vidas en el hospital vienés. Sin embargo, lejos de celebrar este resultado, el estamento médico– al menos, sus superiores en el Hospital General de Viena, además de otras figuras importantes– lo ignoró. Ningunearon el acierto y dieron de lado a Semmelweis, hasta el punto de ridiculizarlo. ¿Por qué, si todo resultaba tan evidente, y los beneficios tan rotundos? Por un lado, varios médicos se negaban a admitir que fueran ellos la vía de transmisión: sus manos, qué menos, eran fuente de sanación, no de muerte. Por otro, la teoría de Semmelweis chocaba contra el pensamiento imperante, aquel del aire malsano, las miasmas, y el desequilibrio en los cuatro humores básicos en el cuerpo (sangre, bilis, linfa y flema), conocido como discrasia. Con aquellas creencias pre-científicas, la mejor solución para los problemas de salud era un sangrado.

DESTIERRO Y MUERTE

Como «premio», Semmelweis obtuvo el despido del hospital, incomprendido por sus superiores. Volvió a Budapest, donde reanudó su práctica –y éxito– de la obstetricia en el pequeño hospital de St. Rochus.

Sello emitido hacia 1954 por el gobierno húngaro para conmemorar la figura de Ignaz Semmelweis.

Emprendió una campaña para reivindicar su método, escribiendo cartas a las más altas autoridades. Su mensaje fue calando, pero no tanto por sus esfuerzos, sino por los trabajos en paralelo de otros científicos en microbiología y asepsia –Louis Pasteur, Jospeh Lister y Robert Koch, especialmente–, que proporcionaron el respaldo teórico a lo que él había demostrado con la práctica. En 1861 publicó la obra en la que recogía toda su experiencia: *La etiología, el concepto y la profilaxis de la fiebre puerperal.*

Semmelweis no llegó a sentirse reconocido y le consumía saber que seguían muriendo mujeres de manera tan absurda. Sus amigos y su mujer creyeron que estaba perdiendo la cabeza, y lo ingresaron, con engaños, en un centro psiquiátrico. Allí murió, a las dos semanas, víctima de las heridas –infectadas, cómo no– que le causaron los guardias del centro.

Años antes, los responsables del Hospital General de Viena fueron despedidos, y sus sucesores no dudaron en lavarse las manos antes de entrar a la sala de partos.

SEMMELWEIS, O EL RECHAZO A LO NUEVO

La historia –la parte triste– que persiguió a Ignaz Semmelweis ha cristalizado en un concepto bastante conocido en el mundo científico, y que se ha trasladado a otros ámbitos de la sociedad. Es el llamado «reflejo de Semmelweis»: la tendencia refleja a rechazar o ignorar cualquier nueva evidencia o conocimiento por ir contra las normas, las creencias, o los paradigmas establecidos, sobre todo por parte de la jerarquía. Extrapolado al mundo laboral, se utiliza para llamar la atención sobre las ideas que los empleados dan a sus superiores, a menudo rechazadas sin previo análisis cuando pueden resultar geniales. El reverso de la moneda lo encontramos en aquellos «milagreros» que airean con indignación que sus tesis son ignoradas por ir contra la corriente general… cuando no puede ser de otra manera.

Louis Pasteur

PADRE DE LA MICROBIOLOGÍA

DE ENTRE TODOS NUESTROS GENIOS, QUIZÁ EL QUE MAYOR BIEN PRÁCTICO HAYA GENERADO SEA LOUIS PASTEUR (1822-1895). CUANDO TOMAMOS LECHE, CERVEZA O VINO, POSIBLEMENTE ESTAMOS BEBIENDO EL FRUTO DE SU TRABAJO. TAMBIÉN CUANDO NOS VACUNAMOS, O CUANDO NOS DIAGNOSTICAN UNA ENFERMEDAD INFECCIOSA. ESTE QUÍMICO FRANCÉS ES CONSIDERADO EL PIONERO DE LA MICROBIOLOGÍA. PASTEUR FUE EL PRIMERO EN DEMOSTRAR CÓMO ALGO TAN PEQUEÑO NOS PODÍA CAUSAR TANTO DAÑO; Y, SABIENDO CÓMO FUNCIONABA EL «ENEMIGO», EMPEZAMOS A VENCERLO.

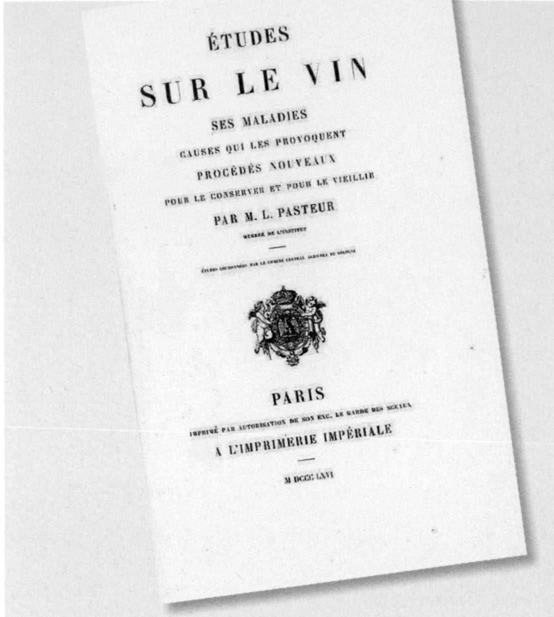

ÉTUDES
SUR LE VIN
SES MALADIES
CAUSES QUI LES PROVOQUENT
PROCÉDÉS NOUVEAUX
POUR LE CONSERVER ET POUR LE VIEILLIR
PAR M. L. PASTEUR

PARIS
A L'IMPRIMERIE IMPÉRIALE
M DCCC LXVI

Estudios sobre el vino, *edición de 1866, en los que Pasteur recoge sus experiencias en la conservación de los caldos franceses: su consejo, calentarlos a 57 °C para eliminar todos los gérmenes y mantener las propiedades.*

UN QUÍMICO PARA TODOS

Dicen que Louis Pasteur tenía dos grandes pasiones: el vino y la microbiología. Si es cierto, el suyo es un ejemplo de éxito en la fusión de afición y trabajo. Gracias a sus avances, tanto él como sus congéneres pudieron disfrutar de un mejor vino durante más tiempo. Y no solo vino: toda la industria agroalimentaria mejoró y se desarrolló gracias a sus avances.

Las contribuciones de Pasteur a la ciencia y a la salud son ingentes. No parecía apuntar a eso durante su infancia; su expediente académico no sobresalía en nada, aunque sí se mostró como un pequeño maestro del dibujo a mano. Más tarde, orientaría sus estudios hacia las ciencias y se doctoró, no sin dificultades, en Física y Química en 1847.

Sus primeros trabajos profesionales se relacionaron con la cristalografía, describiendo por vez primera la estructura tridimensional de las moléculas, lo que le

Uno de los matraces con cuello largo que diseñó Pasteur para sus experiementos con objeto de demostrar el origen microbiano de las enfermerdades infecciosas.

Ilustración que muestra a Pasteur en su campaña por los campos franceses para la vacunación preventiva de las ovejas.

convierte en el fundador de la estereoquímica: la rama de la química que estudia la distribución espacial de los átomos que componen las moléculas, y sus efectos en la materia. Descubrió la quiralidad de las moléculas (dos moléculas con la misma composición, pero dispuestas en forma de espejo, simétricas, con pequeñas pero singulares diferencias entre ellas), base de la isomería óptica. Para algunos estudiosos, este fue su principal descubrimiento. Con 26 años, esto le ganó la Legión de Honor francesa; algo que le encantaría a su padre, militar en su momento bajo las órdenes de Napoléon, quien le transfirió un alto sentimiento patriótico. Aún le quedaba mucho por entregar a Francia, y a todo el mundo.

FERMENTACIÓN Y ESTERILIZACIÓN

Aún le quedaba, ahí es nada, dar comienzo al estudio de la microbiología. Ya como profesor universitario, Pasteur se empeñaba en ofrecer soluciones prácticas a la industria. La del vino, por ejemplo, recurrió a sus servicios para que redujese la acidificación que sufrían los caldos con el tiempo. Pasteur observó que eran dos levaduras –dos hongos– las causantes de la fermentación. Si calentaba el vino en cubas selladas, durante un corto tiempo, hongos y bacterias desaparecían. Y, lo que era aún mejor, este sistema se podía extrapolar a otros alimentos –leche, cerveza, etc.–, impidiendo la fermentación sin alterar su estructura ni sus componentes.

Por entonces imperaba la teoría de la «generación espontánea», que venía a decir que ciertos organismos básicos –desde las larvas hasta los semidesconocidos gérmenes– podían surgir espontáneamente de entre la materia, viva o muerta. Esto ya fue defendido por Aristóteles, cuando se atribuían las enfermedades a desequilibrios de los humores internos del cuerpo; otros, como Descartes o Newton, apostaron por esta explicación. Por fortuna, ya en el siglo XVII hubo quien empezó a dudar de su validez, como el médico italiano Francesco Redi. Sin embargo, solo los experimentos de Pasteur pudieron acallar a los fisiólogos teologizantes.

En 1864 presentó en la Universidad de La Sorbona una serie de resultados que demostraba el origen microbiano de las enfermedades infecciosas: estas se producen por gérmenes patógenos ambientales que penetran en el organismo sano. En su demostración, hirvió caldos en matraces, con un filtro que

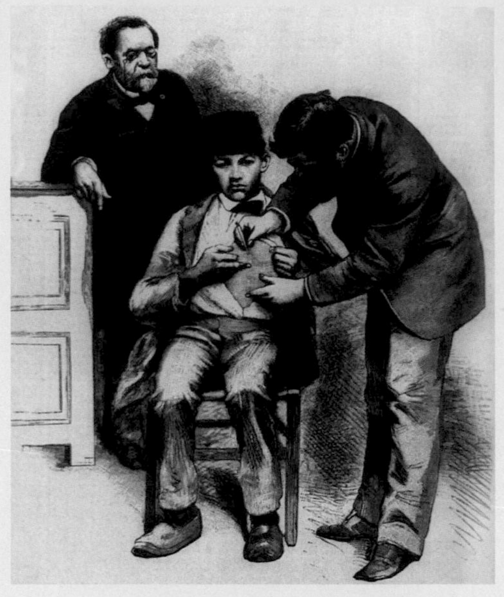

Izquierda: Pasteur, fotografiado en su laboratorio de la Rue d'Ulm.
Derrecha: observando a un joven paciente durante una campaña de vacunación (Pasteur, que no era médico, carecía de autorización para inyectar él mismo la vacuna).

imposibilitaba el paso de polvo o bacterias hasta el interior; a la par disponía de otros matraces sin ese filtro, pero con un cuello muy alargado y curvado que complicaba el paso del aire hasta el caldo de cultivo. Al cabo de un tiempo observó que nada crecía en los caldos demostrando así que los organismos vivos que aparecían en los matraces sin filtro o sin cuellos largos provenían del exterior, bacterias o mohos en el aire, en forma de esporas. Así hacía buena la expresión latina *omne vivum ex vivo*: todo ser vivo procede de otro ser vivo anterior. En la buena ciencia no caben los milagros. El camino que se abría para la investigación de las enfermedades era insondable.

MICROBIOS Y VACUNAS

En 1865, la industria francesa de la seda entró en pánico cuando millones de gusanos murieron. Convertido ya en una pequeña celebridad nacional, el Gobierno lo envió al sur del país a investigar las causas de la epidemia –pebrina–, así como para ofrecer soluciones. Con el tiempo estableció que la afección la causaban unos corpúsculos

EL SALVADOR PASTEUR Y SU FIEL MEISTER

En 1885, al pequeño Joseph Meister (a la derecha) le mordió un perro con rabia. Su madre, desesperada por lo que entonces parecía una sentencia de muerte, lo llevó a París ante el eminente Louis Pasteur: creía que solo él lo podría salvar. Un apuro para Pasteur: si no le inyectaba la vacuna al niño, seguramente moriría, pero si lo hacía y fallecía, perdería credibilidad. Decidió tratar al chico y tras 12 días de tratamiento y 10 inyecciones diarias, sanó. La popularidad del caso hizo posible la suscripción popular para el Instituto Pasteur. Años después, el joven entraría como conserje en la institución, hasta el fin de sus días. En 1971, cuando los diarios del científico se hicieron públicos, se puso en duda que la mordedura del perro hubiera llegado a contagiar realmente la rabia a Meister. Pero, ¿desde cuándo preferimos la realidad a una buena historia?

Arriba: fachada del Instituto Pasteur en París. La tumba de su fundador se encuentra en su cripta.

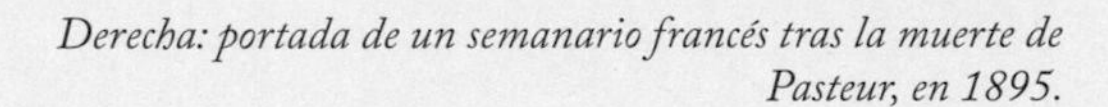

Derecha: portada de un semanario francés tras la muerte de Pasteur, en 1895.

Le Petit Journal

SUPPLÉMENT ILLUSTRÉ

Huit pages : CINQ centimes

DIMANCHE 13 OCTOBRE 1895

A LOUIS PASTEUR

microscópicos que aparecían en huevos de hembras enfermas; seleccionando huevos libres de la plaga, la sericicultura sobrevivió. De este modo fue corroborando su intuición de que muchas enfermedades se debían a infecciones de microorganismos patógenos. Este principio científico fue esencial para la teoría germinal de las enfermedades, que establece que son los gérmenes quienes las causan y propagan. Algo que aún no se entendía muy bien por entonces: ¿cómo algo tan pequeño –invisible para la mayoría– podía matar a seres infinitamente más grandes? Por una vez, creer en la ciencia parecía cosa de magia. Hasta entonces, la creencia generalizada era que la causa provenía del interior del cuerpo debido a un «desequilibrio de humores»; y para restablecer ese equilibrio, pocos «remedios» mejores que los sangrados, la «técnica multiusos» hasta entonces.

Pero el tiempo, los resultados, y los trabajos de otros colegas –como Joseph Lister o Robert Koch– apuntalaban el trabajo de Pasteur, quien comenzó a aplicar su experiencia en el estudio de las enfermedades contagiosas. Aunque las vacunas ya se conocían desde el trabajo de Edward Jenner contra la viruela, la técnica estaba muy lejos de resultar extrapolable y segura. Pasteur determinó que, si los debilitaba, los gérmenes resultaban menos patógenos, aunque al inocularlos en un individuo sano seguían ofreciendo una respuesta defensiva contra las enfermedades. Un gran acierto de Pasteur fue encontrar la manera de debilitar artificialmente los patógenos; hasta entonces, como en el caso de Jenner, había que encontrarlos disminuidos en la naturaleza. Gracias a esto, los mismos patógenos de la enfermedad servirían. Durante años trabajó con animales obteniendo éxitos, hasta que en 1885 (ver recuadro) realizó su primer experimento en humanos. La vacunación se convertiría desde entonces en el mejor seguro de vida conocido. La extensión de sus trabajos supondría también un espaldarazo a la idea de esterilización, que, compartida con otros como Lister o Semmelweis, salvó las vidas de millones de pacientes de quirófanos y bebés.

Lanzado hacia la fama y el reconocimiento internacional, el apoyo popular hizo posible la construcción del Instituto Pasteur, en el año 1888, enfocado sobre todo a prevenir y tratar enfermedades infecciosas. Hasta la fecha, ocho científicos de este Instituto han obtenido el Premio Nobel de Fisiología o Medicina, y se han abierto 33 sedes hasta la fecha. Pasteur murió en 1895, entre merecidos reconocimientos.

Gregor Mendel

PADRE DE LA GENÉTICA

La genética es una de las disciplinas científicas de las que más partido se saca. Millones de personas consumen elementos mejorados genéticamente, y los cultivos resisten mejor a las plagas y las sequías por la selección genética. Todo esto comenzó a ser posible por los descubrimientos de Gregor Mendel (1822-1884), un monje agustino cuyos trabajos, pese a mostrarse irrebatibles, no se tuvieron en cuenta hasta el siglo XX.

SACERDOTE Y CIENTÍFICO

El joven Johann Mendel (tomó el nombre de Gregor cuando se ordenó sacerdote) nació en Heinzendorf, en lo que entonces era el Imperio Austrohúngaro y hoy es la República Checa. Su familia, germano hablante –por lo que se le considera más austriaco que checo–, vivía en un granja de su propiedad, por lo que Johann tuvo la oportunidad desde pequeño de trabajar como jardinero y apicultor, actividades que a posteriori practicaría en su vida profesional. Pese a la penuria económica de su familia, pudieron ofrecerle una buena educación, e incluso cursó estudios universitarios de Medicina y Filosofía, si bien su hermana pequeña tuvo que financiar esos estudios con su dote –en el futuro, él ayudaría en la educación de sus sobrinos. Cuando la prolongación de sus estudios se convirtió en inviable desde un punto de vista económico, optó por ingresar como fraile agustino en el convento de Brünn (hoy Brno), en 1847. Esto le permitió seguir sus estudios en la Universidad de Viena en 1851, donde estudió Botánica, Física, Química, Matemáticas e Historia. Allí comenzaría diversos análisis sobre la herencia de las abejas.

LAS LEYES DE MENDEL

En 1856, el científico Gregor Mendel comenzó sus trabajos de experimentación con híbridos de guisante en el jardín del recinto. Durante el siglo XVIII hubo importantes estudios sobre hibridación vegetal, pero Mendel fue mucho más allá y con sus trabajos, concienzudos y mil veces repetidos, estableció las bases de lo que con el tiempo sería la genética. Creó términos que siguen en uso como *dominante*

TRES LEYES PARA LA ETERNIDAD

Durante ocho años, Mendel trabajó con los guisantes. Cruzó dos especies, gigante y enana, y obtuvo una generación (la primera generación F1) de individuos iguales. Esperaba que las plantas fueran de un tamaño intermedio, pero todas alcanzaron un tamaño gigante. Tras estos resultados, llamó *dominante* al carácter «gigante», y al «enano» lo llamó *recesivo*. Esta es la primera ley de Mendel, o LEY DE LA UNIFORMIDAD, que afirma que cuando se cruzan dos variedades distintas de individuos, ambos de raza pura, para un determinado carácter (homocigotos), todos los híbridos de la primera generación son iguales: manda el dominante. Después, Mendel quiso averiguar qué ocurriría con la descendencia de esa primera generación. Cultivó estos híbridos de F1 y los hizo reproducirse por autofecundación. Para su sorpresa, reaparecieron los caracteres recesivos. Mendel realizó sucesivos experimentos de esta segunda generación para tener una muestra estadística sólida, y observó que uno de cada cuatro guisantes era enano verde y los otros tres eran gigantes. Como resultado de los experimentos de autofecundación de los individuos de la primera generación Mendel enunció su segunda ley: la LEY DE LA SEGREGACIÓN DE LOS CARACTERES. En ella se afirma que se puede transmitir un carácter aunque en los progenitores no se manifieste. La tercera concluye que, en el caso de que las dos variedades de partida difieran entre sí en dos o más caracteres, cada uno de ellos se transmite con independencia de los demás, es decir, como si no existiera presencia del otro carácter. Es la LEY DE LA TRANSMISIÓN INDEPENDIENTE, que carece de valor universal, ya que muchos caracteres están ligados a otros y su segregación no es independiente, como se puede comprobar con los caracteres diferentes que contiene un mismo cromosoma. Estas leyes son el comienzo del estudio de la genética universal.

(el carácter que aparece), *recesivo* (el carácter que no aparece), *factor* e *híbrido*. También tipificó las características fenotípicas (apariencia externa) de los guisantes con el nombre de *caracteres*, y empleó el término *elemento* para referirse a las entidades hereditarias separadas. En la época de Mendel no se conocía la biología molecular; lo que en la actualidad se denomina *gen* es lo que Mendel en su día denominó *factor hereditario*: una unidad biológica responsable de la transmisión de rasgos genéticos. Mendel supuso que los caracteres alternativos están determinados por estos «factores hereditarios», que se transmiten a través de los gametos, y que cada factor puede existir en dos formas alternativas o *alelos*. Para estos experimentos, Mendel no eligió especies, sino razas autofecundas de la especie *Pisum sativum*.

Los avances científicos posteriores han puesto de relieve que las tres leyes de la herencia de Mendel constituyen una simplificación de procesos que a menudo son más complejos. Sin embargo, aún sirven como base fundamental para la ciencia de la genética. Mendel los presentó a la Sociedad de Historia Natural de Brünn en 1865, y los publicó en al artículo *Experimentos sobre hibridación de plantas* en 1866. Nadie los tomó en cuenta. Solo a partir de 1900 fueron rescatados por varios científicos a la par, como quien descubre en el desván un tesoro de valor incalculable. Para Gregor Mendel ya era tarde, pero para la humanidad empezaba un período que aún no ha terminado. Los caminos de la genética guardan peligros, pero nos ofrecen destinos apasionantes.

A la derecha, abadía de Santo Tomás, en Brno, donde Mendel realizó sus experimentos.

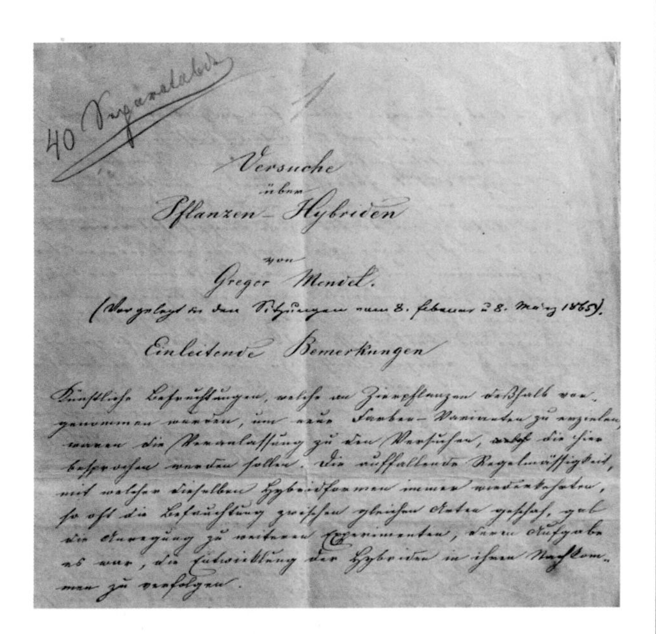

Versuche
über
Pflanzen-Hybriden
von
Gregor Mendel.
(Vorgelegt in den Sitzungen vom 8. Februar u. 8. März 1865).

Einleitende Bemerkungen

Künstliche Befruchtungen, welche an Zierpflanzen deshalb vorgenommen wurden, um neue Farben-Varianten zu erzielen, waren die Veranlassung zu den Versuchen, die hier besprochen werden sollen. Die auffallende Regelmässigkeit, mit welcher dieselben Hybridformen immer wiederkehrten, so oft die Befruchtung zwischen gleichen Arten geschah, gab die Anregung zu weiteren Experimenten, deren Aufgabe es war, die Entwicklung der Hybriden in ihren Nachkommen zu verfolgen.

Fragmento de la primera página del manuscrito de Mendel para su artículo Experimentos sobre hibridación de plantas *(1866).*

Lewis Carroll

LITERATURA INFANTIL PARA TODOS

SI LO QUE DEFINE A UN GENIO ES LA CAPACIDAD DE INVENTAR ALGO RADICALMENTE NUEVO, AQUÍ TENEMOS UNO. SE LLAMABA CHARLES LUTWIDGE DODGSON (1832-1898), PERO COMO YA SABEMOS QUE LE GUSTABA LO NUEVO, LO RADICAL Y LOS INVENTOS, DECIDIÓ QUE, EN LO REFERENTE A SU GENIO, LO LLAMASEN LEWIS CARROLL. UNA TARDE DE VERANO, PENSÓ QUE NO ESTARÍA NADA MAL DEDICARLE UNA OBRA A UNA PEQUEÑA AMIGA SUYA. SE LLAMABA ALICIA Y ERA MARAVILLOSA. AUN ASÍ, UNA REINA CON POCO CORAZÓN LE QUERÍA CORTAR LA CABEZA. TODO EN LEWIS CARROLL FUE JUEGO, INGENIO Y PARADOJA. Y GENIAL.

BRILLANTE PERO DOLIENTE

Hay quien dice que si Lewis Carroll no hubiese escrito *Alicia en el país de las maravillas*, hoy lo conoceríamos como pionero de la fotografía artística o como afilado matemático. Carroll, o, mejor, Charles Lutwidge Dodgson, fue profesor de Matemáticas en la Universidad de Oxford. Allí publicó decenas de obras científicas y divulgativas sobre álgebra, lógica y geometría. Pero antes de llegar a eso, el joven Charles ya había dejado muestras de su brillantez en la escuela, donde varios profesores lo consideraron el alumno más prometedor que había pasado por sus manos.

Nacido en una familia conservadora, de fuertes raíces anglicanas, tercero de 11 hermanos, destacaba en cualquier actividad intelectual. Sin embargo, a nivel físico, su salud se resentía más de lo debido y no era un atleta precisamente; a los 17 años se quedó sordo de un oído, y durante toda su vida arrastró cierta tartamudez.

UNA VIDA CREATIVA... Y DISCRETA

Dodgson era un tipo especial, sin duda alguna. Su creatividad era innata, pero algún secreto parecía torturarlo por dentro, quizá desde sus años en el colegio. Sobre esa época, dejó escrito que si por las mañanas sufría, no era nada comparado con lo que le sucedía por las noches. Se especula mucho sobre eso.

Quién sabe si ese dolor interno lo llevó a refugiarse en actividades tan entretenidas como introspectivas; y a rodearse de niños. Como decíamos, Dodgson fue un entusiasta fotógrafo, retratista de niñas y naturalezas muertas; también se guardan varios autorretratos, y practicó el paisajismo y el estudio anatómico. Las imágenes de las niñas las tomaba en presencia de sus padres y una de las más fotografiadas fue Alicia Liddell, hija de Henry Liddell, quien lo ordenó

Alicia junto a La Reina Blanca y La Reina Roja, ilustración original para A través del espejo y lo que Alicia encontró allí.

CHARLES ± LEWIS ≈ DODGSON ± CARROLL

Charles Dodgson empleó el pseudónimo Lewis Carroll por primera vez en 1856. Fue a la hora de publicar el poema *Solitude*, su mayor éxito hasta entonces. La fórmula –recordemos que Dodgson era matemático– fue esta: si latinizaba su apellido materno, Lutwidge, se convertía en Ludovicus, que a su vez, en inglés, se convertía en Lewis. De igual manera, Charles en latín es Carolus, que algo se parecía al apellido irlandés Carroll. Así que Charles Lutwidge, en latín, era *Carolus Ludovicus*, que en inglés se quedaría como Carroll Lewis. Y, como lo de jugar con las palabras era lo suyo, ¿por qué no Lewis Carroll?

diácono en 1861. No tardaremos mucho en volver sobre esa pequeña tan especial…

La fotografía le sirvió a Dodgson para contactar con el mundo artístico. Fue amigo de varios prerrafaelitas, en especial de Dante Gabriel Rossetti, e hizo retratos de personalidades como John Everett Millais, Julia Margaret Cameron o Michael Faraday, entre otros.

Además, Dodgson, creó ingeniosos artilugios, como el nictógrafo, con el que podía tomar notas a oscuras cuando las ideas le sobrevenían en mitad de la noche, y un mecanismo de dirección para un velocímano, una especie de triciclo propulsado a mano. Diseñó un papel engomado para dejar notas en los libros (¿antecedente del pósit?), un atril para leer en la cama, pesas para hacer gimnasia o un billar circular. Propuso nuevas formas de representación parlamentaria, e incluso normas que mejorarían los torneos de tenis. Pero su fuerte fue, claro, la creación de juegos –se habla de un antecedente del actual *Scrabble*–, y en especial juegos de palabras y sistemas de mensajes cifrados.

Alicia junto al dodo, ilustración original para Alicia en el País de las Maravillas.

UN REGALO… PARA LA HISTORIA

¿Y la literatura? Dodgson –perdón, en adelante, Carroll– comenzó enviando poemas y pequeños textos satíricos y humorísticos a revistas y semanarios. Se los aceptaban con regularidad, pero eso no le servía para creerse escritor, a lo que aspiraba. Su idea era alcanzar el éxito con algo para niños. Y ahí llega la tarde del 4 de julio de 1862 –según el diario del propio Carroll–, en la que, mientras pasaba un día de campo con Alicia y su familia, empezó a contarle un cuento a la pequeña, que le entusiasmó y le pidió que lo escribiera. Así hizo, y en 1865, tras diversas pruebas y cambios de títulos, apareció *Alicia en el País de las Maravillas*. Años después, Carroll rehusaba que el personaje del cuento, como tal, estuviera basado en la Alicia real, y la propia Liddell, ya anciana, se sentía cansada de que la identificaran con la fantástica Alicia.

El libro obtuvo un éxito radical e inmediato. Sir John Tenniel realizó las ilustraciones originales –parece ser que a Carroll no le convencían.

Alicia Liddell, fotografiada por Carroll.

Carroll se hizo muy popular, quizá más de lo que el mismo quería o podía permitirse; el buzón se llenó de cartas de admiradores. En 1871 escribió la continuación *A través del espejo y lo que Alicia encontró allí*, pero esta obra parecía más oscura y adulta. Se especula que la escribió en plena depresión por la muerte de su padre. Carroll realizó otras obras notables, todas entre los juegos de lógica y el sinsentido, como por ejemplo el poema *La caza del Snark*.

Charles Lutwidge Dodgson murió en 1898. La neumonía se llevó a un personaje brillante por fuera y complejo por dentro. Quizá otro genio, Jorge Luis Borges –y apasionado de su obra– lo comprendiera mejor que nadie. En palabras del argentino: «En el trasfondo de los sueños de Lewis Carroll acecha una resignada y sonriente melancolía; la soledad de Alicia entre sus monstruos refleja acaso la del célibe que tejió la inolvidable fábula. La soledad de un hombre que no se atrevió nunca al amor y que no tuvo otros amigos que algunas niñas que el tiempo fue robándole, ni otro placer que la fotografía, menospreciada entonces».

Dimitri Mendeleyev

Creador de la tabla periódica

Desde pequeñitos nos enseñan que hay que ser ordenados. El orden da una buena base, y desde una buena base se pueden alcanzar grandes cotas. Podemos partir de esta explicación con tintes paternales para dar una idea de lo que supuso la creación de la tabla periódica de los elementos por parte de Dimitri Mendeleyev (1834-1907), científico ruso cuyas aportaciones también llegaron a la industria de su país. Pero, indudablemente, su huella perenne la logró con una tabla que, con ligeros retoques, aún sigue en plena vigencia.

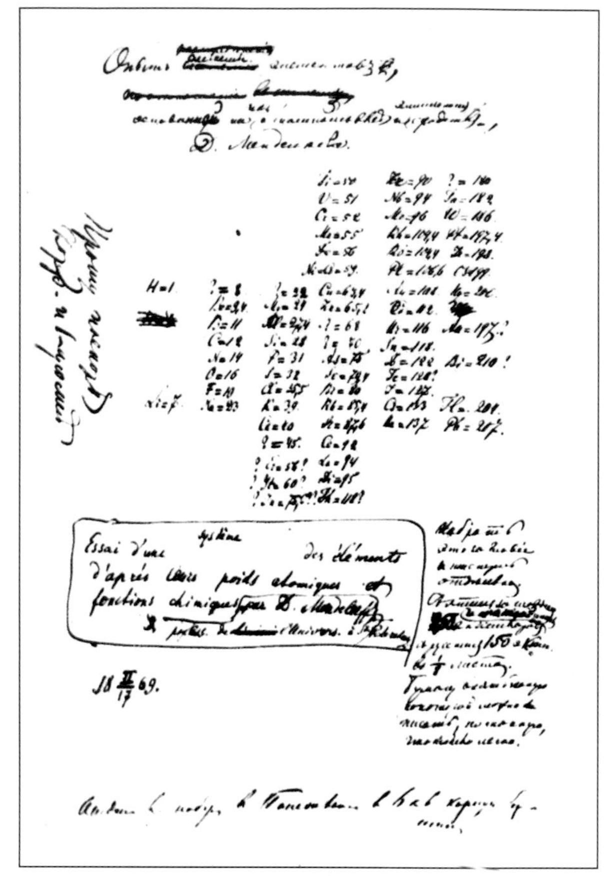

Manuscrito de Mendeleyev con apuntes de la ley periódica.

CIENTÍFICO Y LIBERAL

Ser el más pequeño de una familia de 17 hermanos debe dejar consecuencias extremas. O te vuelves loco o te haces un genio. Por fortuna, Dimitri Mendeleyev optó por esta segunda vía. Nacido en Siberia, la vida no se lo puso fácil ni a él ni a su familia. Su padre se quedó ciego al poco de nacer él, y la fábrica de cristales que dirigía su madre se quemó. Esto los llevó a buscarse la vida en Moscú, donde los miraron por encima del hombro por su origen siberiano. Dimitri no fue admitido en la universidad moscovita ni en la de San Petersburgo, hasta que se hizo un hueco en el Instituto Pedagógico de esta última ciudad. Amplió sus estudios en Alemania, y a su vuelta, la magnitud de sus trabajos lo convirtieron en profesor universitario. En general, en su país no fue muy bien visto por las altas esferas, ya que para la época era todo un liberal, algo que lo hacía sospechoso para el régimen imperial zarista. Además, en su vida privada, Mendeleyev se divorció de su primera mujer –un

MENDELEYEV, EL NOBEL Y LAS RELACIONES PÚBLICAS

En la larga lista de «olvidados» por el Nobel, sobresale la figura de Dimitri Mendeleyev. A buen seguro, al anciano cascarrabias –según lo definían– no le importó mucho, pero la realidad es que estuvo a milímetros de conseguirlo. En 1906, un año antes de su fallecimiento, la concesión del premio parecía cantada; casi todos los miembros de la Real Academia de las Ciencias de Suecia estaban de acuerdo en otorgar el Nobel de Química a quien tanto admiraban: lo habían nombrado miembro de su Academia un año antes. Pero la intercesión de Svante August Arrhenius, ganador del Nobel en 1903 por la teoría de la disociación electrolítica consiguió hacerles cambiar de opinión. La explicación parece encontrarse en que Mendeleyev criticó con fiereza su teoría cuando le otorgaron el premio. Arrhenius no se lo perdonó.

matrimonio obligado– para casarse inmediatamente con una joven 25 años menor que él –y de la que estaba enamorado con locura: amenazó con suicidarse si no se desposaban–, por lo que la iglesia ortodoxa lo consideraba un bígamo. En vida, su fama traspasó fronteras, y fue más allá de estas donde obtuvo mayor reconocimiento institucional.

GENIO PARA PROPIOS Y EXTRAÑOS

En su país, pese a los reparos del gobierno, tocó varios campos, lo que da idea de su valor como científico. Mejoró la productividad de los campos, investigó para que la industria petrolífera fuera más rentable y apostó por que el combustible se distribuyese mediante tuberías; realizó un accidentado viaje en globo en solitario para observar un eclipse solar sobre las nubes –tan imperfecto que, tras sobrevivir, su fama se disparó por las nubes–, colaboró con la Armada rusa para crear nuevos explosivos y con la Marina en el diseño de los primeros rompehielos, inventó un aparato para medir la densidad de los líquidos e impulsó la transición del país hacia el sistema métrico, entre otras acciones. También fue un profesor respetado, y asesoró durante años al ministro de Hacienda del país.

Pero, a nivel mundial, su fama le viene por aportar la tabla periódica de los elementos. En 1869 establece la ley periódica, base de la tabla periódica que afirma que las propiedades físicas y químicas de los elementos químicos tienden a repetirse de forma sistemática conforme aumenta el número atómico. Al disponer todos los elementos en una tabla se producían algunas incongruencias y quedaban sitios vacíos, pero Mendeleyev, en lugar de dudar de la validez del criterio, supuso que se debían a errores de medición del peso atómico, y que los vacíos correspondían a elementos aún no conocidos. Esto último fue la clave del éxito, y de la vigencia de la tabla, que abrió el camino hacia el conocimiento de la estructura de los átomos y de sus núcleos; hubo otros intentos previos, pero sin la clarividencia de la tabla de Mendeleyev. Mediante la clasificación de los elementos químicos conocidos en su época en función de sus pesos atómicos crecientes, consiguió que aquellos elementos de comportamiento químico similar estuvieran situados en una misma columna vertical, formando un grupo. Su tabla no solo ordenaba lo que ya existía, sino que sugería dónde buscar: como gran innovación, no solo resolvía enigmas, sino que creaba otros nuevos.

Escultura dedicada a Mendeleyev en San Petersburgo.

Dimitri Mendeleyev, en 1897.

Esta capacidad para ordenar y prever los elementos colocó los cimientos de una nueva época en el desarrollo de la química y de otras ciencias afines, como la física atómica, la geoquímica y la química cósmica. Murió en 1907, y en 1955 tuvieron el detalle de dedicarle un elemento químico recién descubierto, el de peso atómico 101: desde entonces, el mendelevio. Algo elemental, visto lo visto.

Thomas Alva Edison

El fénix de los inventos

Cuando hablamos de «genios» se nos vendrán muchos a la cabeza, pero si pensamos en «inventores», casi seguro que todos pensamos en el mismo: en Thomas Alva Edison (1847-1931). A lo largo de su incansable carrera registró más de mil patentes a su nombre en Estados Unidos. Desde muy joven se interesó por la ciencia en su vertiente más práctica, y su sentido comercial era innato. Generó una estimable cantidad de adelantos que proporcionaron bienestar a millones de personas en todo el mundo.

EL GENIO INQUIETO Y PRÁCTICO

Desde que llegó al Nuevo Continente procedente de Ámsterdam, la familia Edison no había tenido mucho olfato para saber por dónde venían los vientos. En sucesivas guerras, siempre se alineaban con el bando perdedor, lo que los convirtió en nómadas por Norteamérica. Pero aquel «romanticismo del perdedor» se invirtió cuando nació el joven Thomas Alva. No ha visto la Historia alguien con mayor olfato práctico: para los inventos y los negocios.

De niño, Thomas se mostró como un desastre en la escuela, así que fue su madre, profesora, quien lo acabó

educando en casa. Quizá fuera ella, o simplemente la genética, quien despertó desde temprano los mayores valores de Edison: la curiosidad y la iniciativa. Con 12 años vio negocio en los aburridos vagones de la línea de ferrocarril. Llevó una pequeña prensa a un vagón vacío y editó un semanario que vendía como rosquillas, a la vez que ofrecía comida. A la par, instaló un pequeño laboratorio, en el que realizaba experimentos. El vagón acabó incendiado cuando derramó fósforo y Edison fue invitado a no regresar jamás con una patada en el trasero… Pero lo que aprendió también se lo llevó puesto.

En su biografía, Edison reconoce que uno de sus golpes de suerte fue cuando salvó a un niño de morir en las vías del tren. El padre de la criatura, telegrafista, se lo agradeció enseñándole el código morse y la telegrafía. Así, a los 15 años comenzó a trabajar como telegrafista, donde trabó contacto con su futuro gran amor: la electricidad. Como buen curioso, el joven Edison invertía parte de su salario en comprar libros y aparatos de investigación. Así, llegó hasta los trabajos de Michael Faraday (nuestro buen Faraday, otra vez; ver página 70), que le despertaron la imaginación y le encauzaron su capacidad inventiva. Empezó a ser

EDISON Y TESLA, FUGAZ ENCUENTRO

A los cuatro años de haber fundado la Edison Electric (1880), su empresa para explotar el uso de la electricidad, Thomas Alva recibió una recomendación de un poderoso amigo. Debía contratar a un joven científico procedente de Europa: un tal Nikola Tesla. Durante apenas un año, los dos astros convergen en un mismo punto. Pero Tesla, que pronto demostró su singular valía, no se conformó con el salario que su jefe le pagaba. Un talento como el suyo aspiraba a más. Al poco fichó por la empresa de George Westinghouse, donde empezó a desarrollar la corriente alterna, frente a la continua que utilizaba Edison. Se impuso la más eficiente –la alterna–, lo que le costó a Edison quedar fuera del negocio de la distribución eléctrica.

más ordenado y a seguir un método. Dejó los cables y se hizo inventor a tiempo completo. Registró su primera patente en 1868: un contador eléctrico de votos que ofreció al Congreso, pero que fue calificado de superfluo (hoy, por supuesto, se emplea uno similar). Esa definición le dolió: desde entonces, siempre supo que sus inventos debían de ser útiles y relevantes.

LA PRIMERA FÁBRICA DE INVENTOS

Llegado 1876, gracias a los ingresos que le proporcionaron sus mejoras al telégrafo, levantó en Menlo Park, New Jersey, un «centro de invenciones», toda una novedad entonces, con laboratorio, biblioteca, talleres y viviendas para él y sus colaboradores –Edison reconocía que pasaba más tiempo con sus inventos que con su familia. Desde allí, por ejemplo, desarrolló una serie de mejoras a la bombilla incandescente para realizar el primer sistema de alumbrado. Las acciones de las compañías de gas –encargadas de iluminar hasta entonces las ciudades– cayeron en picado al día siguiente. Su sistema de aplique –la «rosca de Edison»– sigue siendo el más común hoy. Se asoció con el financiero J. P. Morgan para que su invención se extendiera por todo el país. Empezó a vender sus bombillas muy por debajo del precio de coste, con tal de que se extendiera su uso.

También inventó por entonces el fonógrafo, un aparato revolucionario que reunía bajo un mismo principio la grabación y la reproducción sonora, cuya comercialización lo enriqueció aún más. Una idea de su carácter práctico –siempre más un inventor que un científico– lo da que en 1880 descubre lo que se conoció como «efecto Edison»; sobre dicho efecto la ciencia asentó numerosos avances, pero Edison lo descartó al no verle utilidad inmediata. Por supuesto se acercó al nacimiento del cine con el kinetoscopio y el vitascopio, mejoró la película cinematográfica junto a George Eastman, y emprendió una guerra de patentes con los hermanos Lumière.

Su fama se extendió no solo por su país, sino por todo el mundo, donde era recibido por multitudes. Hacia 1920, sus conciudadanos lo consideraban el hombre más importante de Estados Unidos. El mismo Congreso estadounidense calculó su aportación al producto interior bruto del país. Cuando falleció, varias ciudades del mundo apagaron sus bombillas durante un minuto. Un hermoso fundido a negro para alguien que procuró tanta luz.

Página izquierda: George Eastman y Edison, manejando una cámara de cine, hacia 1925.

En esta página, de arriba a abajo: Edison, junto a una gran bombilla, en 1929; realizando un experimento en su laboratorio, hacia 1910; junto al segundo modelo de su fonógrafo, en 1878.

Santiago Ramón y Cajal

Padre de la neurociencia moderna

Aun hoy, sabemos que el rincón más oscuro de nuestra anatomía se encuentra en el cerebro, esa caja mágica que nos distingue del resto de los animales. Es la próxima frontera de la ciencia, el reto más apasionante para el siglo xxi. Y, sin embargo, nadie como Santiago Ramón y Cajal (1852-1934) para comenzar a tirar del hilo de la madeja. El científico español fue el primero en mostrar con precisión el sistema nervioso, la existencia de las neuronas y la conexión entre ellas.

UN JOVEN CONFLICTIVO Y REBELDE

Los microscopios de hoy nos permiten ver con detalle cualquier recoveco de la más pequeña de las células que habitan en nuestro interior. A finales del siglo xix, cuando Santiago Ramón y Cajal se encorvaba sobre su microscopio y analizaba tejido cerebral, no era eso lo que veía. La multiplicación óptica de aquellos aparatos resultaba mucho más modesta; sin embargo, el aragonés fue capaz de construir una «doctrina de la neurona», que concluía que las neuronas son la formación básica y funcional del sistema nervioso. Con él nacía la neurobiología moderna.

La tumultuosa infancia y juventud de Santiago –Ramón era su apellido paterno, Cajal el materno, y él no utilizaba ese «y»– no presagiaba nada de lo anterior. El chico solo apuntaba maneras para dos profesiones de futuro incierto: artista o delincuente. Lo que mejor se le daba era dibujar y pintar; las caricaturas con las que deleitaba a sus compañeros, los brochazos con los que ensuciaba paredes… Su carácter belicoso y rebelde lo llevó con once años a pasar varias noches en la cárcel, tras la enésima tropelía. No cambió. Era un estudiante pésimo, lastrado por su falta de interés, sin más intenciones que llamar la atención. Los azotes con correa no lo minaron. Dejó un tiempo los estudios y sus padres lo metieron a trabajar en un peluquería, en una zapatería… Solo vio la luz en una academia de dibujo, en la que despuntó como alumno aventajado. Pero su padre consideraba que aquello de ser artista no era para gente seria. Acabó a regañadientes bachillerato y se matriculó, a las malas, en Medicina. Pero Santiago seguía prefiriendo la juerga, las mujeres y las pesas, con las que cincelaba un cuerpo musculoso. Hasta que en él prendió la mecha de la investigación. Probablemente, fue mérito del tesón de sus padres. Todo esto lo contaba con detalle el propio Cajal en su autobiografía *Recuerdos de mi vida. Mi infancia y juventud.*

NOBEL A LA FUERZA

No obstante, sus primeros pasos profesionales los dio bien lejos de los laboratorios. En 1873 fue enviado por el ejército como médico a Cuba, por entonces provincia española. No fue una buena experiencia; volvió enfermo a los dos años, sin asomo del joven vigoréxico que inició el viaje. Los ahorros generados en la isla le permitieron comprarse un microscopio y diversos materiales con el que montar un pequeño laboratorio para analizar tejidos. Comenzó su doctorado y pronto trabajó como profesor universitario.

Autorretrato en su laboratorio de Valencia, hacia 1885.

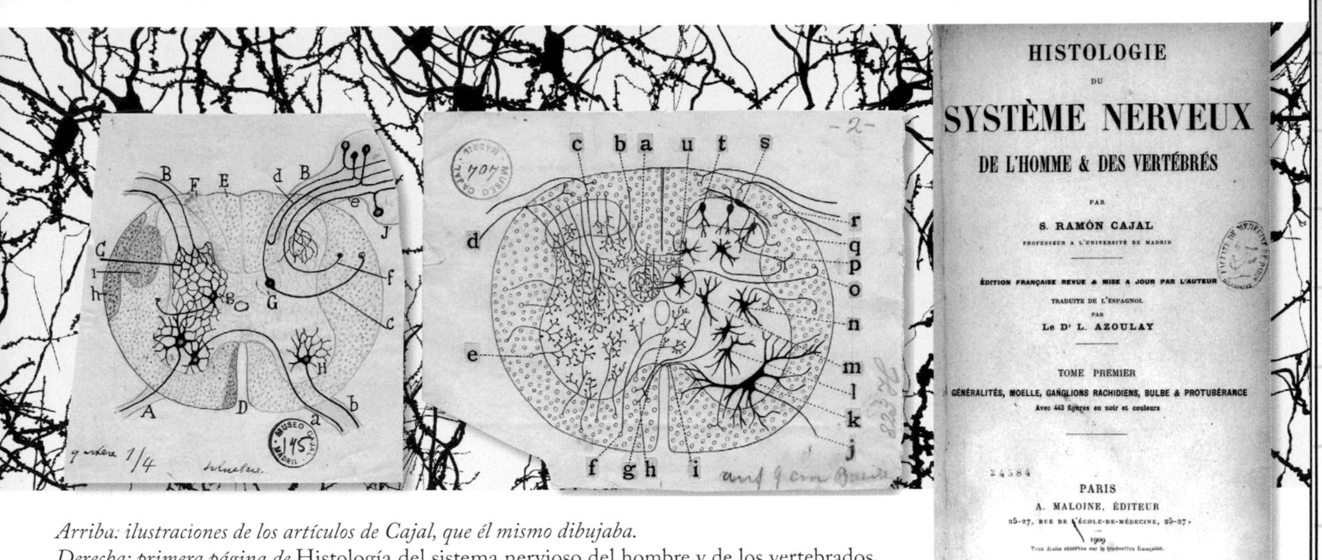
HISTOLOGIE

DU

SYSTÈME NERVEUX

DE L'HOMME & DES VERTÉBRÉS

PAR

S. RAMÓN CAJAL

PROFESSEUR A L'UNIVERSITÉ DE MADRID

ÉDITION FRANÇAISE REVUE & MISE A JOUR PAR L'AUTEUR

TRADUITE DE L'ESPAGNOL

PAR

Le Dr L. AZOULAY

TOME PREMIER

GÉNÉRALITÉS, MOELLE, GANGLIONS RACHIDIENS, BULBE & PROTUBÉRANCE

Avec 443 figures en noir et couleurs

PARIS

A. MALOINE, ÉDITEUR

25-27, RUE DE L'ÉCOLE-DE-MÉDECINE, 25-27.

1909

Tous droits réservés pour la traduction française.

Arriba: ilustraciones de los artículos de Cajal, que él mismo dibujaba.
Derecha: primera página de Histología del sistema nervioso del hombre y de los vertebrados.

A partir de 1888 se dedicó al estudio de las conexiones de las células nerviosas, para lo cual desarrolló métodos de tinción exclusivos para neuronas y nervios, tomando como punto de partida los creados por Camillo Golgi. Con los detalles obtenidos de las imágenes más nítidas, revolucionó la neurociencia. Así, pudo establecer que la neurona es el constituyente fundamental del tejido nervioso, y que estas células cerebrales individuales envían y reciben información. En 1889, Ramón y Cajal llevó sus láminas y diapositivas a un congreso científico en Alemania. Un colega alemán, amigo suyo, tradujo estos trabajos a su idioma, momento en el que las tesis de Cajal comenzaron a popularizarse y asombrar al mundo científico. Por este trabajo fundacional recibió en 1906 el Premio Nobel en Fisiología o Medicina, compartido con el italiano Golgi.

Fotografía de células piramidales con tinción de Golgi, por Cajal.

Cajal estudió también la estructura del cerebro y del cerebelo, la médula espinal, el bulbo raquídeo y distintos centros sensoriales, como la retina. Desde 1892 realizó sus investigaciones en la Universidad Complutense de Madrid, si bien logró del gobierno español en 1901 la institución de un Laboratorio de Investigaciones Biológicas que modernizaba el raquítico panorama científico del país, hoy conocido como Instituto Cajal.

Entre 1897 y 1904 publicó, en forma de fascículos, su obra magna *Histología del sistema nervioso del hombre y de los vertebrados*. Tras su juventud dispersa, Cajal se convirtió en un hombre ilustrado, miembro de la logia masónica Caballeros de la Noche. Asimismo, fue un destacado fotógrafo, disciplina en la que realizó inventos y mejoró los de otros, Edison incluido; su aportación a la fotografía científica fue monumental. Estuvo dos años como senador en las Cortes y su honestidad proverbial fue ejemplo para muchos. Como profesor consiguió generar numerosos discípulos, que alabaron su absoluto compromiso y tesón. Un hermoso currículum para aquel joven que no apuntaba buenas maneras.

Antoni Gaudí

Arquitecto de la luz y la naturaleza

Quizá sea la arquitectura la más ubicua de las artes, y por supuesto la más popular. Todos la disfrutamos, o la sufrimos. Los edificios definen el carácter de una ciudad y la presentan ante el mundo. Eso es lo que hizo Antoni Gaudí (1852-1926) con Barcelona, y por extensión, con Cataluña y España, por donde ejerció su oficio. Su estilo, que a priori podríamos encuadrar dentro del modernismo, supera los moldes de una escuela y solo representa a su fecunda imaginación. Que era inabarcable.

El Capricho, en Comillas (Cantabria).

LOS ORÍGENES

Aún hay dudas sobre si Antoni Gaudí nació en Reus o Riudoms, ambas en la provincia de Tarragona. De lo que no se duda es de que –pese a que ninguna de estas localidades linda con el mar–, el carácter del genio catalán resulta totalmente mediterráneo. La luz del mar, el sol y los colores vivos son elementos transversales en su obra. Y no solo el mar: toda la naturaleza fue una fuente de inspiración en su obra; también los bosques y montañas de Cataluña y el sur de Francia. Ferviente católico –casi ascético, en ocasiones–, la contemplación de la naturaleza creada por Dios constituía para él todo un recurso, tanto profesional como personalmente. No en vano, hasta su vejez, solía caminar unos 10 kilómetros diarios.

ETAPAS DEL GENIO

Estudió arquitectura en la Escuela de la Lonja y en la Escuela Técnica Superior de Arquitectura de Barcelona, donde se graduó en 1878. Su primer encargo importante fue la Casa Vicens, en el hoy barrio de Gracia de Barcelona. En ella se reflejan los gustos de su primera época: inspiración que llegaba del arte del Próximo y Lejano Oriente (Persia, India, Japón), así como del arte islámico mudéjar y nazarí. Dentro de esa corriente se pueden encajar otras construcciones gaudianas como el Capricho de Comillas, el Palacio Güell, o los Pabellones Güell.

Podemos entrever una segunda etapa, influida por el neogótico imperante en la segunda mitad de siglo xix, según las ideas de arquitecto francés Eugène Viollet-le-Duc. El palacio Episcopal de Astorga, la Casa Botines o la cripta y el ábside de la Sagrada Familia, corresponden a este movimiento.

EL PARQUE GÜELL

Si un nombre se repite en la biografía de Antoni Gaudi es el de Eusebi Güell. A este, industrial y político, se le considera poco menos que el mecenas del arquitecto tarraconense. Le encargó cinco proyectos: la Cripta de la Colonia Güell, el Palacio Güell, las Bodegas Güell, los Pabellones Güell y el Parque Güell. Este último es el más conocido, visitado por millones de turistas, fascinados por su color y singularidad. El lagarto que preside la entrada al parque está realizado con su famosa técnica de «trencadís», con piezas de cerámica de desecho.

Pero el lenguaje de Gaudí va cambiando hacia el modernismo, que se imponía como estilo en el arte del nuevo siglo XX. Este estilo encuentra sus fuentes en la arquitectura historicista: volver al pasado como reacción contra las formas industriales impuestas por las innovaciones tecnológicas. Y también, muy importante para Gaudí, otorga un gran valor a las artes aplicadas y los oficios artísticos, lo que produce una arquitectura muy ornamental. Esto entronca perfectamente con la formación y gustos de Gaudí; hay quien lo critica por su escasa formación matemática y física como arquitecto –por debajo, en teoría, del nuevo ingeniero que triunfa a finales de siglo XIX, como Eiffel–, pero el tarraconense había estudiado y absorbido con maestría las artes aplicadas.

Casa Batlló, en Barcelona.

GAUDÍ EN SU ESPLENDOR

Se habla de Gaudí como el gran maestro del modernismo catalán, pero va más allá de cualquier estilo o intento de clasificación. Es una obra personal e imaginativa que encuentra su principal inspiración en la naturaleza. Gaudí estudió con profundidad las formas orgánicas, pero también la anarquía geométrica de la naturaleza. Examinaba juncos, cañas o huesos; decía que no existe mejor estructura que un tronco de árbol o un esqueleto humano, formas tan funcionales como estéticas. Gaudí, sin duda, supo adaptar el lenguaje de la naturaleza a las formas estructurales de la arquitectura. Si su base teórica no resultaba desbordante, sí lo eran sus virtudes: la imaginación –tanto en el detalle como en la construcción del espacio– y la observación del entorno. De su fusión nace la fuerza de Gaudí: soluciones mecánicas y ornamentales sencillas que dan paso a un espacio arquitectónico novedoso, rompedor y totalmente identificable, lo que distingue a su obra, y a la ciudad que más se benefició de ella, Barcelona.

En 1882 comenzaron las obras de la Sagrada Familia, la construcción más célebre de Gaudí. En 1883, se hizo cargo de ellas y cambió radicalmente el proyecto. Durante 43 años estuvo al frente de las obras, y desde 1910 se centró únicamente en su desarrollo. La Sagrada Familia, como otras seis de sus obras –la Casa Vicens, el Parque Güell, el Palacio Güell, la Casa Milà, la Casa Batlló y la cripta de la Colonia Güell– fue declarada por la Unesco como Patrimonio de la Humanidad. Es la segunda iglesia más visitada de Europa, tras la de San Pedro en el Vaticano. Aún en construcción, se espera que quede concluida para 2026, al centenario de la muerte de su autor.

La Sagrada Familia, en Barcelona.

Gaudí falleció de la manera más insólita. Ya anciano, un tranvía de su ciudad lo atropelló, dejándolo sin sentido. El conductor se bajó tan solo para retirarlo; su aspecto desaliñado le confería el aspecto de un anciano vagabundo, que invitaba al olvido. Al final lo mandaron en taxi a un hospital, donde acabaron por reconocerlo. Tres días después falleció, y Barcelona se volcó en sus exequias. Descansa en la cripta de «su» Sagrada Familia.

Vincent Van Gogh

El genio incomprendido

El genio de Vincent Van Gogh (1853-1890) se concentra en apenas cinco años, suficientes para influir en el curso de la pintura moderna. Él nunca lo supo. En vida solo vendió un cuadro y mantuvo una existencia atormentada. Su hermano Theo constituyó su único sostén, moral y económico, en el mundillo del arte. Al poco de fallecer su estilo fue puesto en valor: sus pinceladas gruesas y nerviosas suponían un avance expresivo que condicionó a multitud de artistas posteriores.

ARTE Y RELIGIÓN

Vincent Van Gogh nació en los Países Bajos, en el seno de una familia muy creyente, cuyo padre era un austero pastor protestante, pero con capacidad para enviar a sus hijos a la escuela. El arte y la religión se sucedieron como sus motores vitales, hasta que el primero se impuso a partir de 1880. Su primer trabajo fue en una gran galería de arte (Goupil & Cie), con apenas 16 años. Cuando aprendió los secretos del negocio, tras cuatro años, lo enviaron a Londres. Pero un desengaño amoroso fue el detonante para dejar la capital.

En París afianzó su pasión por el arte, pero su carácter rebelde, y también apasionado –apostaba por sus gustos personales en lugar de apostar por lo que más le rentase a su empresa– lo condujo a ser despedido. Su hermano Theo se mantuvo en esa compañía hasta el final de sus días. En ese momento, Van Gogh abrazó con fuerza la fe metodista. Lo mandaron a las minas de Morinage, en Bélgica, y durante dos años compartió la pobreza y miseria de las familias mineras, lo cual tuvo una importancia reseñable cuando comenzó su vida artística. Esto no sucedió hasta 1880, cuando Theo lo convenció para dedicarse por completo al arte.

UN COMIENZO TARDÍO

Durante esos primeros años, Van Gogh utiliza una paleta oscura y terrosa y se decanta por el dibujo. Es difícil reconocer el estilo por el que el gran público lo reconoce hoy. De esa época, su cuadro más reconocido es *Los comedores de patatas* (1885), influido por la estética de Millet y con la gente humilde que había conocido como protagonistas. En 1886 se mudó a vivir con su hermano a París, un hecho que supuso un estimable impulso en su estilo.

En la capital del arte, se instalaron en el barrio de los artistas: Montmartre. Por si fuera poco, Theo conocía –él se mantenía como marchante– a lo más granado de la pintura del momento, que fue presentando a Vincent: Toulouse-Lautrec, Paul Gauguin, Georges Seurat, Paul Signac, Camille Pissarro, Paul Cézanne… Los llamados postimpresionistas. Estos admiraban el arte japonés, que también sedujo a Van Gogh con sus trazos simples y su estilo sencillo y seguro. Todo esto se plasmó en la paleta de Van Gogh, que empezó a llenarse de color. En 1887, trabaja mano a mano con Signac, de quien aprende teoría del color y a aplicar con más fuerza los rojos, amarillos y azules. En París despega como artista, pero también comienzan a apabullarle sus problemas mentales, y acude a la absenta para mitigarlos.

El viñedo rojo, *una de las pocas obras que Van Gogh vendió en vida. Óleo en el Museo Pushkin, Moscú. Rusia.*

Detalle de uno de sus autorretratos, realizado en Saint-Rémy, en 1889. Galería Nacional de Arte, Washington. EE.UU.

En 1888 viaja a Arlés, al sur de Francia. Hay que destacar que, en apenas 37 años de vida, se le conocieron cerca de 40 residencias distintas. En esta nueva etapa busca tranquilidad y una pequeña habitación donde pintar cerca de la naturaleza y el sol. Consigue esto último; es una época muy productiva, pinta varios cuadros a la semana, muchos de los cuales figuran entre los más reconocidos, como su célebre *El dormitorio en Arlés* (1888) o diversos retratos de los vecinos de la zona. Fue entonces también cuando Theo convence a Paul Gauguin para que viaje a la «casa amarilla», el taller para pintores que Vincent proyectaba en Arlés. La convivencia entre ambos fue fructífera en lo artístico pero, como es sabido, sus caracteres chocaron y terminaron entre fuertes disputas. La salud mental de Vincent iba indudablemente a peor. Fue ingresado en un sanatorio mental en Saint-Rémy-de-Provence, y posteriormente se estableció en una habitación de Auvers-sur-Oise, cerca de París, bajo la observación del doctor Gachet, médico y coleccionista de arte a partes iguales.

UN MAESTRO PARA EL FUTURO

En julio de 1890, mientras paseaba por los campos de Auvers, se disparó al pecho con una pistola. Falleció a los dos días. Investigaciones recientes ponen en duda este suicidio, y plantean que recibió un disparo accidental por parte de unos niños. En cualquier caso, Theo murió unos meses después, y fue la esposa de este quien comenzó a mover su obra, que empezó a recibir una justa valoración. El estilo colorido pero atormentado de Vincent abrió el camino para los expresionistas alemanes y los fauvistas, y sus influencias se extienden hasta hoy, cuando es uno de los artistas más valorados en las subastas.

En apenas 10 años completó más de 900 pinturas y 1 600 dibujos. De su carácter –hosco y temperamental– y su pensamiento se sabe a través de las más de 800 cartas que se conservan, la mayoría de ellas destinadas a su hermano. En ellas encontramos reflexiones que nos explican sus motivaciones: «Prefiero pintar ojos de seres humanos en vez de catedrales, ya que hay algo en los ojos que no está en las catedrales, no importa lo solemne e imponentes que estas puedan ser. El alma de un hombre, así sea la de un pobre vagabundo, es más interesante para mí».

La iglesia de Auvers-sur-Oise *(1890). Óleo en el Museo de Orsay, París, Francia.*

Sigmund Freud

Padre del psicoanálisis

DESDE UN PUNTO DE VISTA INTELECTUAL, POCOS PUEDEN MIRAR CARA A CARA A SIGMUND FREUD (1856-1939), UNA DE LAS MENTES MÁS AFILADAS E INFLUYENTES DEL SIGLO XX. EL CREADOR DEL PSICOANÁLISIS DEJÓ, CON SU PRÁCTICA, PERO SOBRE TODO CON SUS ESCRITOS, UN HUELLA INDELEBLE EN LA MANERA DE AFRONTAR LA PSICOLOGÍA HUMANA, QUE HA IMPREGNADO MULTITUD DE CAMPOS, EN ESPECIAL LOS ARTÍSTICOS. NI SUS DETRACTORES PUEDEN OBVIAR SU PESO EN NUESTRA SOCIEDAD CONTEMPORÁNEA.

DIE
TRAUMDEUTUNG
VON
D$^{R.}$ SIGM. FREUD.
»FLECTERE SI NEQUEO SUPEROS, ACHERONTA MOVEBO.«
LEIPZIG UND WIEN.
FRANZ DEUTICKE.
1900.

Primera página de la primera edición de La interpretación de los sueños.

EN LA NIÑEZ ESTÁ CASI TODO

Sigmund Freud y sus teorías tuvieron el efecto de un terremoto. Temblaron los pilares, sus efectos calaron hondo y siguen las réplicas. Pese a que la medicina, la neurología y la psicología han avanzado, dando munición en algún caso a los que afilaban los cuchillos contra el psicoanálisis, el peso cultural y filosófico de Freud se mantiene intacto, si no es que crece. Pero, como a él le gustaría, empecemos por la niñez.

Nació en la región de Moravia, hoy República Checa, entonces Imperio Austríaco. Pero con tres años su familia –judía, pero no practicante– se mudó a Viena, ciudad en la que residiría casi toda su vida. Su padre se casó en segundas nupcias con su madre, 20 años más joven que él, que por entonces ya tenía un hijo de la misma edad que su nueva esposa. Freud admitió que esta dispar situación –tener un hermano de la misma edad que su madre– le hizo pensar, e influyó mucho en sus reflexiones futuras. Aunque su familia pasó por estrecheces económicas –él fue el mayor de los seis hermanos que tuvieron sus padres–, su brillantez como estudiante condujo a que apostaran por darle una buena educación. Y así, se matriculó en la Universidad de Viena como estudiante de Medicina en el año 1873. Muy pronto se interesó por las estructuras nerviosas de los animales y la anatomía del cerebro humano.

FREUD Y LOS NAZIS

Freud era una diana fácil para el nazismo. Y no solo por judío. Sus sofisticadas teorías resultaban demasiado refinadas para un régimen que ya había etiquetado como «arte degenerado» a todo lo que no le sirviera como propaganda. Sus libros, qué menos, fueron prohibidos. Residente en Viena, no creía necesario exiliarse. Decía: «La humanidad progresa. Hoy solamente queman mis libros; siglos atrás me hubieran quemado a mí». Sin embargo, la presión creció tanto que sus amigos en el extranjero lo convencieron para irse en 1939. Los nazis le exigieron que firmara una declaración donde se aseguraba que había sido tratado con respeto. Tuvo que hacerlo, añadiendo un corolario a la altura del personaje: «Recomiendo calurosamente la Gestapo a cualquiera». Murió en Londres, tres semanas después del comienzo de la Segunda Guerra Mundial.

De izquierda a derecha: Freud con su mujer, con su hija Anna y con su madre, Amalia.

INICIOS PROFESIONALES

Hacia 1880 contactó con el que fue su «padre adoptivo» en lo profesional, el fisiólogo Josef Breuer, que por entonces desarrollaba el método catártico (término clásico griego *katharsis*, «purificación») para el tratamiento de las psicopatologías de la histeria. Freud tomó como base este procedimiento, basado en parte en la hipnosis, método que él rechazó en favor de la asociación libre. En 1886 se casa con Martha Bernays –su compañera para toda la vida– y abre su propia clínica para atender desórdenes nerviosos. Durante esa década, ofrece otro gran titular para la profesión. En 1884 publica su artículo *Sobre la coca*, en la que detalla los usos terapéuticos de la droga, por lo que fue admirado y criticado. Tras romper con Breuer –y recibir miradas de desconfianza de sus colegas–, empieza a trabajar solo; el tratamiento de sus pacientes le llevó a construir conceptos esenciales como «inconsciente», «represión» o «transferencia» Y, en 1899, ve la luz *La interpretación de los sueños*, lo que puede tomarse como el punto de partida del psicoanálisis. Freud daba la bienvenida al siglo xx, que desde luego necesitó de un diván y de quien lo escuchase.

Los reconocimientos fueron llegando poco a poco, y esta vez tuvieron más peso que las críticas. Una serie de estudiantes y profesionales se van acercando a él, formando primero la Asociación Psicoanalítica Vienesa en 1902, hasta constituir el Primer Congreso Psicoanalítico en Salzburgo, en 1908. Tres años antes, publicó *Tres contribuciones a la teoría sexual*, otra de sus grandes obras.

IMPACTO UNIVERSAL

Es imposible resumir las ideas de Freud, tan vastas son sus aportaciones. Quizá la mayor de ellas sea elevar lo inconsciente a la categoría científica. Para el autor de *El Yo y el Ello* (1923) un comportamiento tiene su origen en pensamientos, deseos y recuerdos reprimidos; las experiencias dolorosas de la infancia se expulsan de la consciencia y pasan a formar parte del inconsciente, desde donde pueden influir en la conducta. Es ahí donde el psicoanálisis, como tratamiento, quiere llevar estos recuerdos a la consciencia para liberar al sujeto de su influjo negativo. Perfiló una mente estructurada en tres órdenes: el ello, el yo y el superyó. También habló de las energías innatas, o «pulsiones»: el *eros*, o pulsión de vida, y el *tánatos*, o pulsión de muerte.

Desde su época hasta la nuestra, no solo la psicología, sino una gran mayoría de las artes han sido subyugadas en algún momento por las tesis freudianas. Sus detractores dicen que son solo literatura; si fuera eso cierto... ¿dónde encontramos mayor satisfacción y explicación de la conducta humana, que en la literatura?

Nikola Tesla

Científico e inventor visionario

Menospreciado por tantos en su momento, a ver quién se atreve hoy a criticar a Nikola Tesla (1856-1943). Este científico e inventor tuvo una auténtica capacidad visionaria y manejó los secretos de la electricidad como nadie. Creador del motor de corriente alterna –la que hoy nos sigue llevando la energía a casa–, de la radio –o de sus bases– y del control remoto, fue aun así relegado al ostracismo. Hoy podemos alabarlo no solo por su inventiva, sino por ser un científico idealista, movido más porque sus mejoras llegasen a todo el mundo que por el dinero.

UN GENIO CAMINO A ESTADOS UNIDOS

Nikola Tesla nació en Smiljan (hoy Croacia, entonces Imperio Austríaco), en una familia serbia. Desde muy joven se le vio venir ese aura de genio raro e imprevisible que lo acompañó siempre. Inició dos veces una carrera universitaria –una en Graz, la otra en Praga– y en ambas ocasiones abandonó por propia iniciativa: prefería aprender en casa con los libros que él elegía, gracias a una singular memoria fotográfica. En 1882 llegó a París donde entró a trabajar como ingeniero en una de las filiales de Edison. Suficiente para cruzar el océano en 1884 con una carta de recomendación. En Estados Unidos, tierra de las oportunidades, encontraría el ambiente ideal para desarrollar su talento.

UN INVENTOR FUTURISTA

Y, en efecto, Edison lo puso a su servicio, mostrando Tesla una gran eficacia a la hora de mejorar los generadores de corriente continua de la empresa. Pero, a la hora de la verdad, Edison no cumplió su palabra de subirle el sueldo. Indignado, dejó de inmediato su puesto y creó, en 1886, la Tesla Electric Light & Manufacturing, desde la cual pensaba apostar por la corriente alterna; pero los inversores le retiraron su

LA TORRE WARDENCLYFFE

A caballo entre dos siglos, Nikola Tesla encontró en J. P. Morgan el dinero para levantar una torre de telecomunicaciones inalámbricas (imagen de la derecha), que con el tiempo también serviría para distribuir electricidad sin cables por toda la Tierra. Se levantó en Long Island, cerca de Nueva York, pero a mitad de camino Morgan se desilusionó con los resultados y el proyecto se cerró en 1906. El sistema radiofónico de Marconi se imponía, y el proyecto de transmisión de electricidad por la atmósfera se revelaba quimérico. Fue demolida en 1917.

Izquierda: Tesla en su laboratorio de Colorado Springs, junto a su bobina.

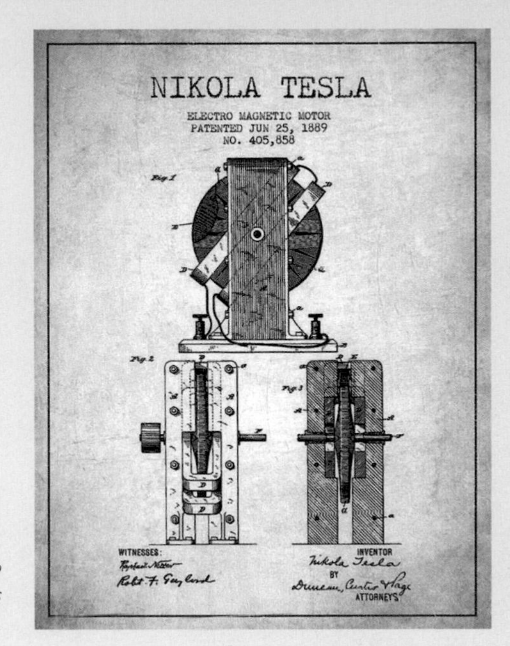

Derecha: documento de una de sus patentes en Estados Unidos.

confianza, con lo que se puso bajo el mecenazgo de George Westinghouse. Esta alianza sí fue efectiva, y la «guerra de las corrientes» fue para la alterna.

En aquel fin de siglo, Tesla también diseñó la bobina bautizada con su apellido, un tipo de transformador resonante de gran espectacularidad; en ese mismo ámbito, Tesla inventó el motor de inducción de corriente trifásica. Asimismo, diseñó, a la par que Wilhelm Röntgen, un tubo de vacío para realizar radiografías. A priori, era mucho más potente que el del alemán, pero un incendio en su laboratorio en pleno Manhattan desbarató sus planes. También realizó con éxito inventos que demostraban su dominio de la conducción de la energía sin cables, como por ejemplo un barco a control remoto –que intentó vender al ejército, sin éxito– o encender al mismo tiempo dos bombillas muy distantes con la misma energía.

En 1899 encontró financiación para levantar un gran laboratorio en Colorado Springs, donde avanzar en sus experimentos eléctricos. Por esa época inventó el teslascopio, con el que dijo, sin asomo de duda, haber encontrado señales electromagnéticas extraterrestres, posiblemente de Marte. Este tipo de afirmaciones contribuyeron a su creciente imagen de «científico loco». Sin embargo, nadie puede negarle las 17 patentes sobre las que Guglielmo Marconi se apoyó para realizar las primeras transmisiones radiofónicas. Tesla reclamó durante toda su vida que se le reconociese la patente de la radio. En 1943, tras su muerte, la Corte Suprema norteamericana le reconoció esa autoría. Hoy podemos decir que Tesla concibió la tecnología de la radio, y que Marconi supo ver su utilidad como medio de comunicación.

La estrella de Tesla se fue apagando poco a poco. Varios de sus proyectos se revelaron inviables, ya fuera por errores de cálculo o por, al adelantarse a su tiempo, no cumplir una función práctica. Su capacidad de trabajo era insólita, tan espectacular como sus ideas. Tesla fue un hombre distinguido, de porte aristocrático, espiritual, que vivía solo –no conoció a mujer alguna, afirmaba que no tenía tiempo para ello–, siempre alojado en hoteles. Envejeció en sus habitaciones y paseando por Central Park, alimentando a las palomas. Se rumoreó que estuvo a punto de ganar el Nobel, pero no se concretó.

Al igual que durante décadas, incluso durante su vida, Tesla fue injustamente llevado al olvido, existe hoy un cierto «efecto rebote», magnificado por teorías de la conspiración –una «mano negra» interesada echaba por tierra sus mejores ideas– auspiciadas desde las redes sociales. Se corre el riesgo de crear una imagen deformada y «santificada» de este científico, que en ocasiones chocó con lo que tantos otros antes: con sus limitaciones, o con las de su época. No le hace falta eso: por sus aportaciones a la ciencia y por su visión altruista de la misma, Tesla es uno de los grandes genios de todos los tiempos.

Juan Vucetich

INVENTOR DEL SISTEMA DE DACTILOSCOPIA

¿Quiénes somos? El concepto de identidad es tortuoso para la filosofía y la psicología. Pero, para asuntos más cotidianos, nadie hizo tanto por dejarnos las cosas claras como Juan Vucetich (1858-1925), inspector de policía que desarrolló el primer método de dactiloscopia válido. Al poco tiempo, este sistema llevaba a la cárcel a una mujer aparentemente libre de sospecha y exoneraba al principal sospechoso. Desde entonces, la forma de las huellas de nuestros dedos nos identifica, nos protege… y nos delata.

UN INMIGRANTE EXITOSO

Iván Vučetić nació en 1858 en la isla de Hvar, en lo que hoy es Croacia y, entonces, parte del Imperio Austrohúngaro. A los 24 años, emigró con su familia a Argentina, y antes de los 30 obtuvo la nacionalidad e hispanizó su nombre. Otro caso más del enriquecimiento cultural y profesional que este país supo aprovechar. Trabajó hasta 1888 en la Dirección de Obras Sanitarias de la Nación y, posteriormente, ingresó como meritorio al entonces Departamento Central de Policía de La Plata.

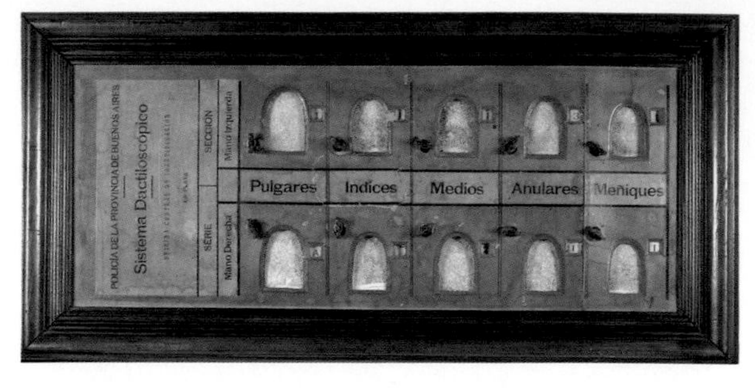

El Dactilonomo, *método de clasificación de huella dactilar, inventado por Vucetich.*

LOS TRABAJOS PREVIOS

Hasta que Vucetich inició sus investigaciones, lo más parecido a un reconocimiento científico y oficial de las personas lo ofrecía el método antropométrico, ideado por el francés Alphonse Bertillon (1853-1914). Basado en las medidas de ciertas partes del cuerpo humano y las particularidades fisonómicas, la policía de Francia lo empleaba desde 1882. Vucetich recibió el encargo de organizar una Oficina de Identificación Antropométrica, siguiendo los postulados de Bertillon. Pero, a la par, leyó los trabajos del inglés Francis Galton (1822-1911), quien proponía un sistema de clasificación de las huellas dactilares (o dermatoglifos) humanas. Avanzaba en la técnica de identificación de un patrón común en las huellas dactilares y en la elaboración de un sistema de clasificación. El método de identificación de los delincuentes por sus huellas dactilares se había introducido en la década de 1860 por Sir William James Herschel en la India, y su uso potencial en el trabajo forense fue propuesto por primera vez por el doctor Henry Faulds en 1880.

UN MÉTODO CIENTÍFICO Y SEGURO

Mientras dirigía la Oficina de Identificación Antropométrica, Vucetich inventó los instrumentos necesarios para captar los dibujos dactilares de ambas manos, perfeccionando el método hasta su

LA CIENCIA DE LA IDENTIFICACIÓN

La papiloscopía –también conocida como lofoscopia o dermatoglifia– es la ciencia que estudia la morfología papilar con fines de identificación humana de forma científica. Se fundamenta en la inmutabilidad, perennidad y variedad de las crestas papilares: todos los humanos las tenemos, y no existen dos iguales. Se divide en cuatro ramas: la dactiloscopia, el estudio de los dibujos en las yemas de los dedos; la palametoscopia o quiroscopia, que estudia los dibujos en la cara interna de las manos; la pelmatoscopia, que observa la cara interna de los pies; y la poroscopía, centrada en la densidad de los poros de la piel de los dedos.

sistematización. Así, el 1 de septiembre de 1891 Vucetich hizo las primeras fichas dactilares de una veintena de procesados, con el nuevo método al que lo denominó «Icnofalangometría» o «Método galtoneano». Estaba compuesto por 101 tipos de huellas digitales que él mismo había clasificado sobre la base de la incompleta taxonomía de Galton. Con el tiempo, simplificó la clasificación al agrupar las huellas en cuatro rasgos principales: arcos, presillas internas, presillas externas y verticilos.

SISTEMA DACTILOSCOPICO ARGENTINO

ARCO-A-1 PRESILLA INTERNA-I-2 PRESILLA EXTERNA-E-3 VERTICILO-V-4

Uno de los primeros archivos del Sistema Dactiloscópico Argentino.

En junio de 1982, la bonaerense Francisca Rojas asesinó a sus dos hijos, de 6 y 4 años. Simuló un ataque con un corte en su garganta y acusó a un vecino, quien negó los hechos. La presencia de una huella ensangrentada en un buzón determinó la culpabilidad de Francisca. Vucetich fue quien aclaró los hechos, y este caso se considera el primero en el mundo en el que las huellas dactilares jugaron un papel clave.

Instrucciones de Vucetich para tomar huellas dactilares.

Pasaron tres años de pruebas y la Policía de la provincia de Buenos Aires comenzó a aplicar oficialmente este sistema. Vucetich, después de intensas investigaciones, pudo establecer una clasificación específica que dio como resultado el Sistema Dactiloscópico Argentino y que luego sería adoptado a nivel mundial. En 1904, presentó su *Dactiloscopía Comparada*, donde formulaba los fundamentos de esta disciplina y sus relaciones con las ciencias biológicas, así como comparaba los sistemas de identificación ideados por sus antecesores. En 1907, la Academia de Ciencias de París reconoció al método de Vucetich como el más seguro y eficaz de los que se conocían.

UNA APLICACIÓN POLÉMICA

La indiscutible utilidad y eficacia en la investigación policial del sencillo método dactiloscópico de Vucetich condujo al gobierno argentino a extender el procedimiento de filiación: a principios de siglo XX se expidieron las primeras cartillas de identidad. Sin embargo, esto generó una ola de protestas públicas en Argentina en 1917; buena parte de la población se posicionaba contra la obligación de identificarse ante la administración. Esto se asoció con el nombre de Vucetich, quien, ya enfermo, se retiró a la ciudad de Dolores. Murió en 1925.

El paso de los años ha universalizado esta práctica, sin la cual las sociedades modernas no se entienden. Vucetich es considerado hoy una personalidad indiscutible en la criminología mundial, y una figura nacional en Argentina.

Hermanos Lumière

Padres del cinematógrafo

VIVIMOS MÁS QUE NUNCA EN LA SOCIEDAD DE LAS IMÁGENES. PRIMERO FUERON LOS DIBUJOS RUPESTRES, LUEGO LA PINTURA, DESPUÉS LA FOTOGRAFÍA, HOY LOS ORDENADORES Y LOS *SMARTPHONES*... PERO HEMOS PASADO POR ALTO EL CINEMATÓGRAFO, EL INVENTO QUE, CULTURALMENTE, QUIZÁ HAYA CONDICIONADO MÁS A TODAS LAS SOCIEDADES DEL MUNDO. PORQUE CUANDO AUGUSTE (1862-1954) Y LOUIS LUMIÈRE (1864-1948) LANZARON SU INVENTO, AÚN NO SABÍAN QUE LA HERRAMIENTA MÁS PODEROSA PARA DOCUMENTAR, ENTRETENER Y CONVENCER A LOS HUMANOS ES A TRAVÉS DE UNA HISTORIA... EN MOVIMIENTO.

INVENTANDO EL CINE

Pocas veces un cuándo y un dónde históricos han estado más localizados: 28 de diciembre de 1895, Boulevard des Capucines, número 14, París. El por qué tampoco resulta complicado: porque August y Louis son dos hermanos con sentido de la oportunidad y talento –el primero, más comercial, el segundo, más ingeniero– y, como empresarios de la rampante fotografía, su camino natural era internarse por los caminos poco explorados de la imagen en movimiento. La noche de aquel día exhibieron, por primera vez, una película en público. Nacía el cine.

COSTILLA DE ADÁN DE LA FOTOGRAFÍA

Desde una década antes, aproximadamente, diversos inventores iban cercando la idea. Los experimentos de Muybridge, entre otros, habían constatado que numerosas instantáneas que congelaban la imagen, si eran vistas con velocidad, recreaban la sensación de movimiento: la persistencia retiniana era la culpable. Al acecho se encontraban sagaces inventores como Thomas Alva Edison, que había desarrollado el kinetoscopio, que permitía la visión de escenas de manera individual. El padre de los hermanos, dueño de la empresa fotográfica familiar radicada en Lyon, llevó uno a la casa tras un viaje. August y Louis comprendieron sus ventajas y supieron cómo vencer sus deficiencias. El visionado individual era una limitación, y la toma de imágenes debía ser más accesible. Lo solucionaron con su cinematógrafo, un aparato que servía como cámara y como proyector; fue patentado en febrero de 1895. Su gran virtud consistía en el mecanismo que, cada vez que un fotograma pasaba

UN INVENTO PARA (CASI) TODOS

Aunque August y Louis Lumière (cuyo profético apellido se traduce por «luz») abandonaron pronto el desarrollo artístico y comercial del cinematógrafo, en un principio hicieron ciertos esfuerzos por universalizar su invento. Fabricaron un buen número de cámaras y enviaron a delegados de la empresa por las principales capitales de Europa y América. Asimismo, formaron a jóvenes operadores dispuestos a viajar por los cinco continentes para rodar escenas de los pueblos locales, con su flamante equipo técnico y las credenciales oportunas. Uno de sus empleados, por ejemplo, fue a cubrir la coronación de Nicolás II de Rusia. El cinematógrafo también llegó a Estados Unidos, pero allí chocó con el proteccionismo de la época. De hecho, el delegado de los Lumière fue arrestado por «rodar en la calle sin permiso».

De izquierda a derecha, tres de los cortometrajes presentados en la primera proyección pública: Salida de la fábrica Lumière, Llegada de un tren a la estación de la Ciotat *y* El regador regado.

ante el objetivo, lo inmovilizaba a fin de que pudiera ser proyectado. El mecanismo arrastraba la banda 16 veces por segundo y la inmovilizaba otras tantas, y, al mismo tiempo, abría o cerraba el objetivo. La película era muy similar a la de Edison, por lo que las perforaciones fueron circulares en vez de cuadradas, para sortear problemas legales.

Hubo otras proyecciones de muestra a profesionales antes de ese 28-D. Pero si se conserva en la memoria esa fecha, es por el carácter popular del invento. El valor del cine no era tanto técnico, como social y cultural. Pese a que los Lumière inventaron el cinematógrafo para hacer dinero, no explotaron esa vía. Creían que era un invento circense, sin ningún futuro, del que la gente se cansaría. No fue así, y otros –George Méliès como máximo exponente– sí confiaron en su viabilidad comercial. August y Louis no tenían necesidades económicas y les interesaba más seguir investigando en otros desarrollos. Eran más inventores que artistas.

Así, en 1903 patentaron un proceso para realizar fotografías en color, el Autochromo Lumière. Fue, prácticamente, el único sistema disponible de fotografía en color hasta 1935. Louis también llegó a inventar el photorama y la fotografía en relieve. Los hermanos fallecieron años más tarde, cuando el cine era ya el lenguaje con el que Hitler contaba sus mentiras, Hollywood nuestros sueños y el neorrealismo italiano, nuestras miserias. Y eso no es todo, amigos…

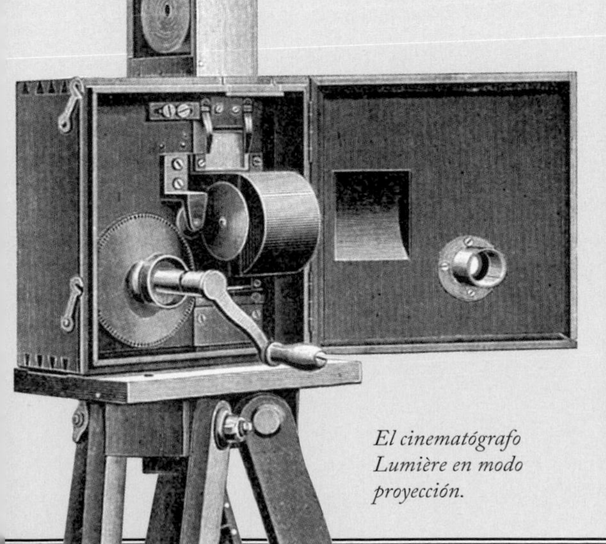

El cinematógrafo Lumière en modo proyección.

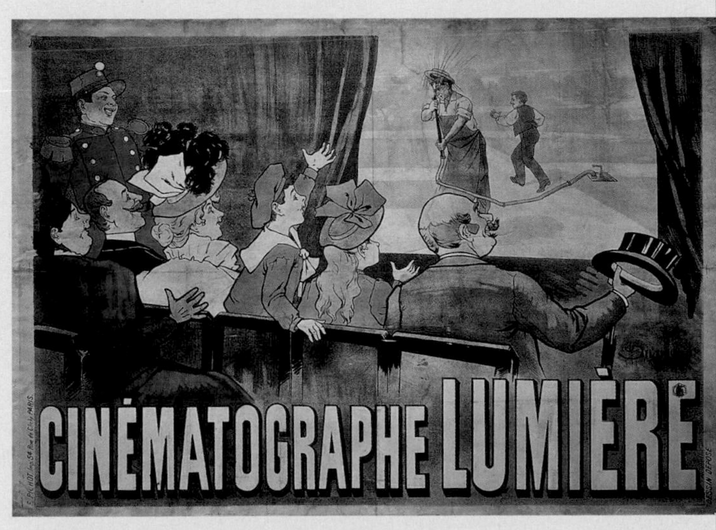

Cartel de la época que anuncia las proyecciones públicas.

Henry Ford

FABRICANTE DE AUTOMÓVILES EN SERIE

ENTRE OTRAS CUESTIONES, EL SIGLO XX SE DISTINGUE POR SER EL SIGLO DEL CONSUMO. UN PERÍODO EN EL CUAL LA POBLACIÓN EN MASA OBTIENE EL ACCESO A LO QUE ANTES SOLO ESTABA AL ALCANCE DE LOS PRIVILEGIADOS. Y, PARA QUE ESTO FUERA ASÍ, QUIZÁ NADIE TAN INFLUYENTE COMO HENRY FORD (1863-1947), UN MECÁNICO CON UNA INCREÍBLE VISIÓN DE FUTURO, Y NEGOCIO, QUE SUPO PONER AL ALCANCE DEL CIUDADANO MEDIO EL NUEVO OBJETO DE DESEO –EL AUTOMÓVIL– A UN PRECIO ASEQUIBLE, GRACIAS A LA EXTENSIÓN DE LAS CADENAS DE MONTAJE.

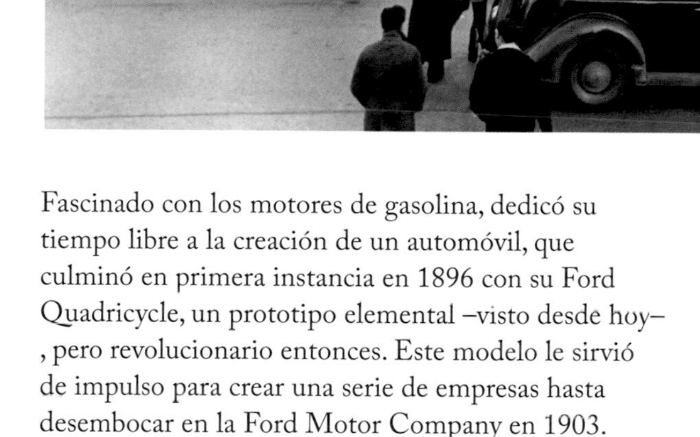

UN MECÁNICO CON INICIATIVA

Henry Ford era hijo de un inmigrante irlandés y una mujer de origen belga. Nació en un pueblo cerca de Detroit, Michigan, zona que con el tiempo se convirtió en el epicentro de la industria automovilística americana. Desde muy joven destacó como mecánico, arreglando máquinas de vapor, relojes o cualquier artefacto complejo. Fue compaginando su trabajo en la granja con el de mecánico, hasta que en 1891 entró en la Edison Illuminating Company, donde llegó a conocer a Thomas Alva Edison.

Fascinado con los motores de gasolina, dedicó su tiempo libre a la creación de un automóvil, que culminó en primera instancia en 1896 con su Ford Quadricycle, un prototipo elemental –visto desde hoy–, pero revolucionario entonces. Este modelo le sirvió de impulso para crear una serie de empresas hasta desembocar en la Ford Motor Company en 1903.

Asentado en este proyecto, fue capaz de presentar el Ford T, la piedra sobre la que construirá su iglesia. En Europa, Benz y Daimler llevaban años fabricando

FORD Y EL «BARCO DE LA PAZ»

La vida personal de Henry Ford tiene sus claroscuros, como el sistema que él mismo ayudó a impulsar. Entre los grises, querer eliminar los sindicatos en su empresa, o su antisemitismo. Pero también podemos decir que fue un pacifista, o que al menos lo intentó. Así, en 1915, cuando la Gran Guerra empezaba a mostrar su cara más cruenta, Ford, con sus propios medios –el presidente Wilson no le apoyó– fletó una nave, el *Oscar II*, en el que se embarcó junto con un centenar de personalidades pacifistas. Su destino era Oslo, desde donde sembrar la paz y convencer a las naciones no beligerantes de mantenerse al margen. Bien es sabido que sin éxito, pero su acción quijotesca le valió tanto alabanzas como críticas –más de estas–, por ingenuo. Cuando Estados Unidos entró en guerra en 1917, se puso al servicio de su país, consiguiendo grandes contratos.

Arriba: Henry Ford, subido a su Ford Quadricycle.
Izquierda: Huelguistas en la Ford Motor Company, en 1941.

coches de manera artesanal. Pero Ford buscaba algo más que fabricar un coche; quería hacerlo bueno, bonito y barato. Y fácil de conducir, y de reparar. Lo consiguió con el modelo citado en 1908, con un precio de salida asequible, que además bajaba año tras año. ¿Cuál era su secreto?

COCHES, CONSUMO Y BIENESTAR

La clave residía en la producción en serie, con la que se reducían los costes de fabricación. Este método no era nuevo; Frederic Taylor ya había propuesto su «organización científica del trabajo», y los mataderos de Detroit sirvieron como modelo. Se instaló una cadena de montaje que desplazaba automáticamente el chasis del automóvil hasta los puestos de los diferentes grupos de operarios, hasta que el coche se completase. Esto solo sería sostenible en caso de que la demanda fuese alta. Pero lo fue. Ford entendió que un nuevo tiempo se abría paso y que la familia media estadounidense –y occidental– se iba a decantar por el consumo, que las ciudades iban a ser cada vez más grandes y que los coches iban a ser sus dueños. Para 1920, más de la mitad de los coches que se fabricaban en el mundo –Ford supo ver el potencial del mercado internacional– eran Ford T. Dejó de fabricarse en 1927, cuando ya se habían vendido 15 millones de unidades.

La compañía Ford se vio envuelta en beneficios, que revirtió en parte a sus trabajadores, y empezaron a cobrar más que cualquier trabajador equivalente. Su salario de cinco dólares diarios permitió que estos operarios engrosaran la clase media… y que se convirtieran en consumidores de su propia marca. También promovió la reducción de la jornada laboral de nueve a ocho horas al día, cinco días a la semana. Comprendía que, a mayor bienestar, mayor consumo. Ford no hizo de su aplicación de la cadena de montaje un monopolio, y no puso trabas a la competencia, con lo que la producción en cadena se extendió por todo el mundo. La mayor competencia y la crisis de 1929 llevó a Ford a querer bajar aún más los precios, para lo cual solo le quedaba ya aumentar la productividad y bajar los salarios. Esto dio pie a numerosas huelgas en los años 30, violentas y hasta sangrientas; Ford era un declarado enemigo de los sindicatos. El impacto de Ford llegó también a la forma de comercializar, ya que implementó el sistema de concesionarios y franquicias.

Es cierto que el consumismo nos puede desorientar y tiene consecuencias ambientales; pero una nevera llena y querer conseguir nuevos productos rebaja la histórica belicosidad del ser humano. Esto, como nadie, lo supo comprender Henry Ford (ver recuadro).

Hermanos Wright

Pioneros de la aviación

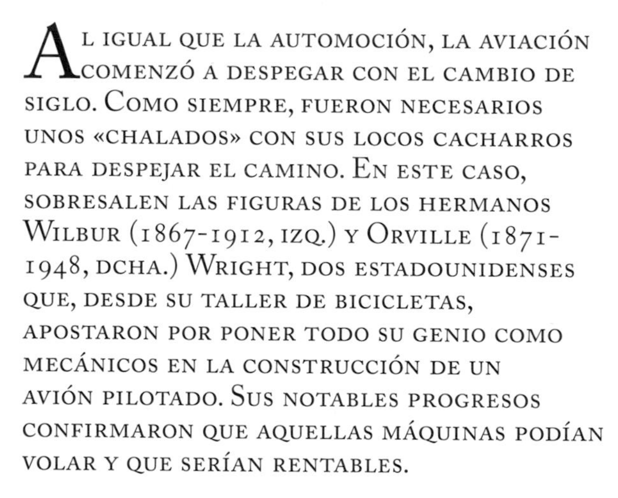

Al igual que la automoción, la aviación comenzó a despegar con el cambio de siglo. Como siempre, fueron necesarios unos «chalados» con sus locos cacharros para despejar el camino. En este caso, sobresalen las figuras de los hermanos Wilbur (1867-1912, izq.) y Orville (1871-1948, dcha.) Wright, dos estadounidenses que, desde su taller de bicicletas, apostaron por poner todo su genio como mecánicos en la construcción de un avión pilotado. Sus notables progresos confirmaron que aquellas máquinas podían volar y que serían rentables.

ANTECEDENTES MÚLTIPLES

La idea de poder volar le debe de rondar al ser humano desde que tiene uso de razón. Sabemos del mito de Ícaro desde la Antigua Grecia, y desde una perspectiva más científica, el gran Leonardo da Vinci revoloteó alrededor de diversos artefactos que *casi* volaban. Los hermanos Montgolfier volaron en globo en 1783, y en este mismo libro damos cuenta del estrafalario intento de Franz Reichelt (ver página 24). En cualquier caso, es a partir de la Revolución Industrial, con la llegada de los motores, cuando se abren las posibilidades serias de despegar de la tierra. A finales de siglo XIX, otros *iluminados* como el norteamericano Samuel Pierpont Langley o el alemán Otto Lilienthal lo intentaron con denuedo. Acabaron estrellándose en el intento –al segundo le costó la vida–, aunque de sus relativos fracasos se aprendió mucho.

Al menos así hicieron los hermanos Wright, dos jóvenes de Ohio que, tras saber de esos pioneros, decidieron poner en marcha su propio proyecto.

ALBERTO SANTOS DUMONT

La paternidad de la aviación es tan variada como discutida. Hay muchos nombres y cada uno aporta un matiz distinto, importante o definitivo (sobre todo, en el propio país). Aquí cabe destacar la figura de Alberto Santos Dumont, un brasileño que se estableció en París, donde comenzó a fabricar dirigibles. Se hizo muy popular e incluso se llegó a imitar su forma de vestir. El 23 de octubre de 1906 fue el primero en cumplir un circuito preestablecido; voló unos 60 m a una altura de 2 m a 3 m del suelo con su avión *14-Bis*. No registró sus adelantos y los dejó como dominio público, para impulsar el florecimiento de una actividad que amaba.

Izquierda: primera imagen del vuelo del Flyer I, *el 17 de diciembre de 1903. Orville pilotaba el artefacto mientras Wilbur corría en tierra. Recorrió 26 m a 11 km/h. Cinco personas actuaron como testigos.*

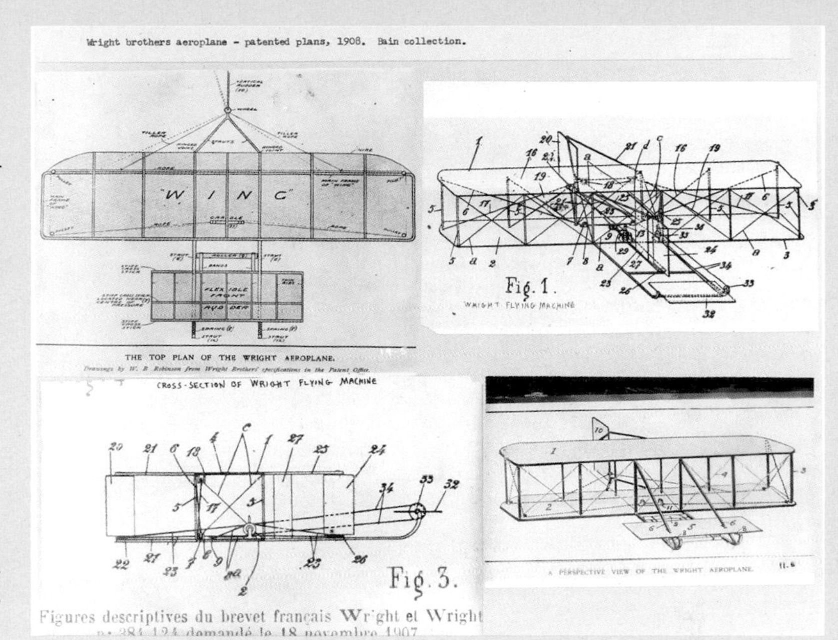

Derecha: imagen de la patente del aeroplano Flyer I, *de 1908.*

Ya desde pequeños, su padre les regaló un pequeño helicóptero de juguete capaz de volar, que una vez roto consiguieron arreglar. Ellos mismos señalaron que dicho juguete fue decisivo para espolear su futuro interés en la aviación.

Recibieron educación en un instituto, pero no acudieron a la universidad. Prefirieron abrir un taller de reparación de bicicletas, un medio de transporte que por entonces estaba en plena fiebre. Un punto de partida perfecto para elaborar todo tipo de ingenios mecánicos, algo para lo que sobresalían. Cuando supieron de los avances de Lilienthal, se volcaron en crear sus prototipos.

GANANDO METROS AL AIRE

Tras estudiar los avances de aquellos pioneros, Wilbur y Orville Wright empezaron a construir cometas y planeadores biplanos no tripulados. Los fueron perfeccionando con añadidos como el timón vertical, el elevador horizontal y los alerones. Su gran aporte al vuelo fue el control de viraje mediante la inclinación de las alas, con lo que conseguían variar de dirección mejor que cualquiera de sus precedentes –el aeroplano de Lilienthal, por ejemplo, lo hacía con el balanceo del propio cuerpo del piloto, como un ala delta. Además, construyeron el primer túnel de viento de la historia, para probar la aerodinámica de sus ingenios. Hacia 1902 comenzaron a fabricar el *Flyer I* (con 6,4 m de largo, 12,3 m de envergadura, 2,7 m de alto, 274 kg) el biplano con el que el 17 de diciembre de 1903, en unas llanuras de Carolina del Norte, realizaron el primer vuelo controlado y tripulado documentado, de apenas 26 m.

Eso fue solo la espita de lo que vendría después. Tras el *Flyer I* llegaron el *Flyer II* y el *Flyer III*, cada uno de ellos con mayor autonomía. Con este último, por ejemplo, se podían recorrer más de 30 km en apenas media hora. Su sucesor, el *Modelo A*, fue capaz de completar 116 km en dos horas, siendo ya un objeto de deseo de la alta burguesía.

Esa primera década del siglo desató una guerra de patentes, en la que los Wright se vieron envueltos. Además, los posibles compradores no se fiaban de invertir hasta no ver un vuelo, y los Wright no querían enseñar sus aviones hasta firmar contratos. El gobierno norteamericano quiso explotar el adelanto para su uso militar –se cernía la Primera Guerra Mundial– y urgió a los Wright y a su competencia por presentar la mejor opción. El elegido fue Glenn Curtiss, quien desarrolló los aviones que desafiaron a los Fokker alemanes y al Barón Rojo. Una vez probada la eficacia militar de los ingenios alados, el uso comercial vino de la mano y la aviación hizo del planeta un lugar más pequeño.

Marie Curie

CIENTÍFICA PIONERA DE LA RADIACTIVIDAD

MARIE CURIE (1867-1934) FUE UNA DE LAS CIENTÍFICAS MÁS IMPORTANTES DEL SIGLO XX. SU VALÍA SOBREPASA SU OBRA PROFESIONAL, YA QUE TUVO QUE SUPERAR LOS «INCONVENIENTES» DE SER MUJER Y EXTRANJERA, POR LOS QUE FUE PENALIZADA TANTO POR LA ADMINISTRACIÓN COMO POR LA SOCIEDAD. PERO EL PESO DE SUS LOGROS FUE TAL QUE SE IMPUSO AL RUIDO MALINTENCIONADO. LA PRIMERA PERSONA EN OBTENER DOS PREMIOS NOBEL FUE CAPAZ DE «DOMAR» LA RADIACTIVIDAD —UN TÉRMINO CREADO POR ELLA— PARA ENTREGARLA A LA HUMANIDAD CON LOS MEJORES PROPÓSITOS.

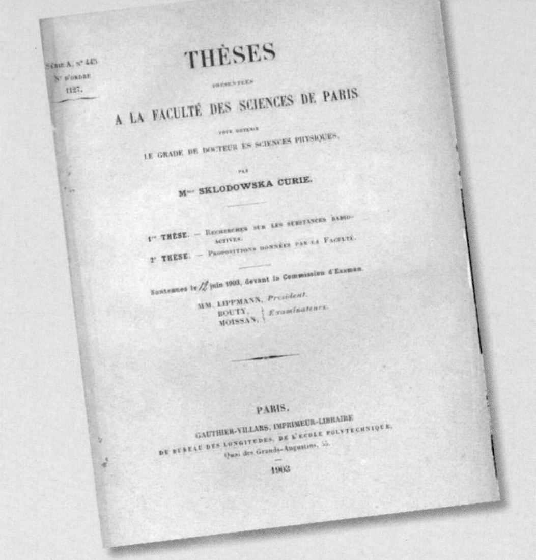

Série A, nº 445
Nº d'ordre
1127.

THÈSES

PRÉSENTÉES

A LA FACULTÉ DES SCIENCES DE PARIS

POUR OBTENIR

LE GRADE DE DOCTEUR ÈS SCIENCES PHYSIQUES,

PAR

Mme SKLODOWSKA CURIE.

1re THÈSE. — Recherches sur les substances radioactives.
2e THÈSE. — Propositions données par la Faculté.

Soutenues le 12 juin 1903, devant la Commission d'Examen.

MM. LIPPMANN, *Président.*
BOUTY, MOISSAN, *Examinateurs.*

PARIS.
GAUTHIER-VILLARS, IMPRIMEUR-LIBRAIRE
DU BUREAU DES LONGITUDES, DE L'ÉCOLE POLYTECHNIQUE,
Quai des Grands-Augustins, 55.

1903

Portada de la tesis de Maria Skłodowska Curie: Investigaciones sobre sustancias radiactivas *(1903).*

TALENTO... Y PERSISTENCIA

Albert Einstein comentó que probablemente Marie Curie fue «la única científica que no se corrompió por la fama». Esta reflexión da una idea de su valía personal, la de alguien que trabajó sin descanso, apasionada por ir más allá con la ciencia, y que recibió todo tipo de premios, los cuales no dudó en reinvertir en su trabajo y en su país de adopción, Francia. Antes, Maria Skłodowska nació en Varsovia, cuando Polonia estaba invadida por el Imperio Ruso. Su familia, de buen nivel cultural, había perdido su riqueza apoyando la causa nacionalista, por lo que le fue difícil conseguir una educación. Algo que, pese a todo, logró; aunque las universidades oficiales no admitían mujeres, ingresó en la «universidad flotante», una institución clandestina que sí permitía a las de su sexo. En ese tiempo, fue importante la mediación de un primo suyo, ayudante en su momento de Dimitri Mendeleyev (ver página 88); le ofreció entrar en un pequeño laboratorio de química, donde pudo experimentar

UNA FAMILIA GENIAL

Tanto Pierre como Marie Curie (a la derecha, caricatura de la época) hubieran sido destacados científicos por separado, pero su unión fue más que la suma de las partes. Ese talento, y capacidad de lucha, se extendió a la siguiente generación. La hija mayor, Irène, consiguió junto con su marido el Premio Nobel de Química en 1935, por sus trabajos en la síntesis de nuevos elementos radiactivos. La hija menor, Ève, fue una escritora reconocida, cuyo marido recibió el Nobel de la Paz por su trabajo como director de Unicef. Los hijos de Irène también son científicos reconocidos.

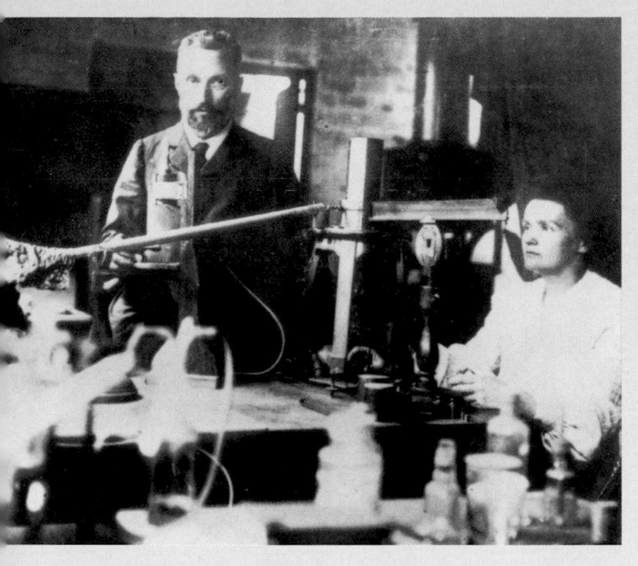

De izquierda a derecha: Pierre y Marie Curie (hacia 1900); Marie Curie, en su laboratorio (hacia 1925).

lo que iba aprendiendo, y además le presentó a otros investigadores.

Una de sus hermanas mayores marchó a París para estudiar, gracias al sostén económico de Maria, quien comenzó a trabajar como profesora particular e institutriz en Varsovia para financiarla. Con el tiempo, fue su hermana quien le devolvió el favor y la ayudó a instaurarse en la capital francesa, lo que ocurrió a finales de 1891.

PARÍS, CIENCIA Y AMOR

Marie –como la llamaron desde que llegó a la capital gala– se matriculó en Física en la Universidad de París pese a su escaso dominio del francés y sus conocimientos autodidactas. Su aspecto denotaba pobreza y había quien la llamaba «la extranjera de apellido imposible». Fueron unos inicios complicados, marcados por el aislamiento e incluso el hambre; de hecho, se desmayó alguna vez por esta razón. Se costeaba sus estudios impartiendo clases particulares clases cuando no acudía a La Sorbona. Aun así, tras conseguir su primera licenciatura, logró otra en Matemáticas. Destacaba en su pasión por la investigación, de tal manera que en 1894 la presentaron a un joven científico que necesitaba ampliar su equipo: Pierre Curie.

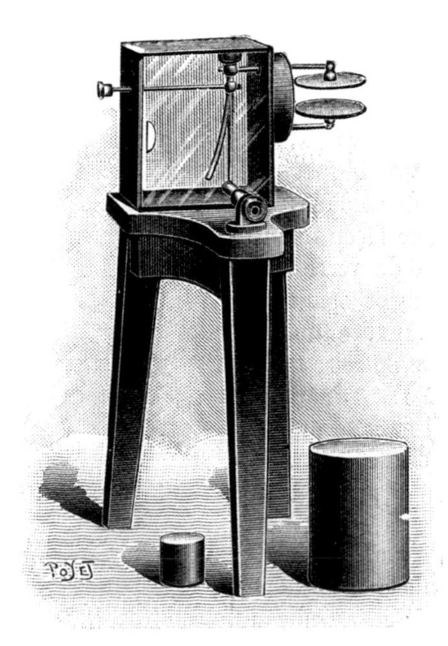

Electroscopio equipado con microscopio, empleado por Pierre y Marie Curie en sus experimientos.

Curie había nacido en 1859. Junto con su hermano Jacques, tres años mayor, había investigado cómo transformar la energía mecánica en energía eléctrica en los cristales. Ambos, en 1880 –¡con apenas 20 años!–, publicaron un artículo sobre el fenómeno de la piezoelectricidad. En 1883, se puso al frente del laboratorio de la Escuela Municipal de Física y Química, desde donde realizaría unas investigaciones que lo llevaron escribir una brillante tesis doctoral sobre las propiedades magnéticas de diversas sustancias según la temperatura. Cuando la completó, en 1895, Pierre y Marie ya compartían trabajo, y el talento mutuamente reconocido y la afinidad personal llevaron su relación a otro grado.

Sabemos que se enamoraron, que ella quería volver a Polonia –cosa que hizo–, que él quiso dejar Francia con tal de vivir con ella –pensaba en dar clases de francés para ganarse la vida en el Este. Pero en Cracovia rechazaron la contratación de Marie por –de nuevo– ser mujer, así que su talento –y su corazón– cayeron sin remedio en manos de Francia y de Curie. Ambos formaron un tándem con gran visión científica.

LA PRIMERA… EN MUCHOS FRENTES

Tras el nacimiento de su primera hija, Marie Curie se propuso realizar una tesis doctoral, hecho insólito por aquel entonces tratándose de una mujer: al cabo, se convirtió en la primera doctora en Ciencias. Su investigación se enfocó hacia el descubrimiento de Henri Becquerel, quien había señalado que las sales de uranio desprendían unos rayos de naturaleza desconocida; también tuvo en cuenta los rayos X, descritos en 1895 por Wilhelm Röntgen. Marie empleó las técnicas piezoeléctricas inventadas por su marido, con las que midió las radiaciones de uranio en la pechblenda, un mineral rico en dicho elemento. Al observar que las radiaciones de la pechblenda eran mayores que las que se podían esperar por el uranio, dedujo que debía contener otros materiales aún más radiactivos –si bien esa palabra, técnicamente, aún no existía.

Marie Curie, en una ambulancia radiológica.

Marie explicó así el motor de su razonamiento: «Llegué a la conclusión de que la emisión de rayos por los compuestos de uranio es una propiedad del metal mismo, es decir, una propiedad atómica del elemento uranio». De esta manera, la radiactividad no dependía de las propiedades físicas o químicas de los compuestos, sino que la sola presencia de los átomos –que, como tales, acababan de ser descubiertos– era suficiente para generarla.

Tras tratar toneladas de pechblenda, pudo aislar tres décimas de gramo de cloruro de radio, un compuesto del nuevo elemento. Pierre dejó incluso sus estudios sobre magnetismo para sumarse a los de Marie. Esta investigación también deparó la aparición del polonio, así como el término y la profundización del concepto «radiactividad». Por este trabajo, Becquerel

Marie Curie fue una mujer pionera en un mundo copado por los hombres. Aquí la vemos (abajo) entre los participantes del I Congreso Solvay (1911) sobre «la radiación y los cuantos». Entre otros, también podemos ver a Albert Einstein (segundo por la derecha).

Marie Curie, junto a unos estudiantes y su hija Irène.

y Pierre Curie obtuvieron el Premio Nobel de Física en 1903. También Marie, pero solo tras negarse su esposo a recibirlo, si no se premiaba también a su esposa, ignorada *a priori* por el único motivo de ser mujer. Los 15 000 dólares del premio los destinaron a contratar a un nuevo ayudante de laboratorio, además de construirse un nuevo baño en casa.

En 1906, Pierre murió arrollado por un coche de caballos. El golpe fue duro para Marie, pero quiso seguir con sus trabajos y rechazó una pensión vitalicia. Tomó el puesto de su marido en La Sorbona, convirtiéndose en la primera mujer profesora y la primera directora de un laboratorio de dicha universidad.

DISCRIMINACIÓN Y ACTIVISMO

En los años siguientes, tuvo que enfrentarse a un duro escrutinio por parte de la sociedad. Se le atribuyó un romance con el físico Paul Langevin, y los periódicos conservadores no tardaron en tildarla de «mujer extranjera judía sin moral» (ni siquiera era judía). Esta actitud sexista y xenófoba también la dejó fuera de la Academia de Ciencias de Francia. En cambio, muchas otras asociaciones científicas de otros países le habían concedido reconocimientos y membresía honorífica. Los reveses recibidos ayudaron a llevarla a problemas depresivos, y la exposición a la radiación –en ese período embrionario, se desconocían sus peligros– condicionó su salud con el paso de los años. En 1911, recibió un nuevo Premio Nobel, esta vez en la modalidad de Química, por el descubrimiento del radio y el polonio; era la primera vez que un científico lo ganaba dos veces.

Durante la Primera Guerra Mundial, Curie quiso poner todo su saber a la disposición de su país de adopción. De su propio bolsillo –con el dinero de su segundo Nobel–, diseñó unas «ambulancias radiológicas» para atender a los heridos en el frente; si los cirujanos disponían de radiografías inmediatas, podrían llegar a salvar muchas más vidas. Encabezó la radiología de la Cruz Roja e instruyó a centenares de ayudantes, junto a su hija Irène.

Tras la guerra, consiguió levantar el Instituto del Radio (ahora llamado Curie) con ayuda del Instituto Pasteur, la Universidad de París y donaciones privadas. A raíz del descubrimiento del radio, se comenzó a pensar en su posible aplicación –desde luego, acertada– como cura del cáncer. Hoy es uno de los centros líderes de investigación médica, biológica y biofísica en el mundo. Curie falleció en 1934, víctima de la anemia aplásica que le venía causando su exposición a la radiactividad. El radio, con el que se ha salvado tantas vidas, acabó con la suya, ya que como pionera, no pudo calibrar el riesgo de su uso cotidiano. Hoy, incluso sus objetos personales, como los diarios, se guardan en cajas de plomo, puesto que son radiactivos. Su talento, en cualquier caso, también fue contagioso y mejoró la vida de toda la humanidad.

Guglielmo Marconi

IMPULSOR DE LA COMUNICACIÓN SIN HILOS

El primer transmisor de Marconi, que empleaba una antena monopolo, que consistía en una plancha de cobre. A la derecha de la imagen, un telégrafo enviaba señales on/off *para generar código Morse.*

EN LA CARRERA DE HACER NUESTRO PLANETA UN MUNDO MÁS PEQUEÑO DESTACA SOBREMANERA LA APORTACIÓN DE GUGLIELMO MARCONI (1874-1937). ESTE INGENIERO ITALO-IRLANDÉS SUPO APLICAR COMO NINGÚN OTRO LOS AVANCES EN ELECTROMAGNETISMO QUE SU ÉPOCA PRODUCÍA PARA CONVERTIRLOS EN ALGO COMPLETAMENTE UNIVERSAL: EN COMUNICACIÓN RADIOFÓNICA. CUANDO EL MUNDO AÚN SE «REPONÍA» DE LOS PASOS ADELANTE QUE SUPONÍAN EL TELÉGRAFO Y EL TELÉFONO, APARECÍA LA COMUNICACIÓN SIN HILOS, LO QUE HACÍA QUE, POTENCIALMENTE, CUALQUIER PUNTO DEL PLANETA PUDIERA ESTAR COMUNICADO.

UN JOVEN CON VISIÓN DE FUTURO

Nacido en Bolonia de padre italiano y de madre irlandesa, el joven Guglielmo pasó buena parte de su infancia en Inglaterra; totalmente bilingüe, esto le sería muy útil en su futuro profesional. De vuelta a Italia, estudió en las universidades de Bolonia y Florencia, donde entró en contacto con profesores que le enseñaron «lo último de lo último»: los experimentos con la radiación electromagnética, las ondas que Heinrich Hertz había descubierto hacia 1888. Así, en 1894, la mayor afición del veinteañero Marconi, mitad ingeniero, mitad emprendedor, era indagar sobre la transmisión y recepción de ondas electromagnéticas en Bolonia.

Sus primeros éxitos se dieron en su habitación, con transmisiones separadas por apenas 30 cm; con el paso de los meses, las amplió a un radio de 2,5 km (antes de morir, superaría los 11 000 km: todo gran viaje empieza por un primer paso). Para cuando había cumplido los 21 años, Italia se le quedaba pequeña, especialmente porque su gobierno se negó a financiar sus avances. Para entonces, ya había construido un aparato comercialmente válido para transmitir señales de radio. Lo que no encontró en su país lo halló en Inglaterra; la Oficina de Correos lo

MARCONI LE ECHÓ UN CABLE AL *TITANIC*

Marconi tuvo una relación especial con todo lo que aconteció alrededor del hundimiento del *Titanic*. En primer lugar, él y su familia tuvieron asignado billete para aquel viaje inaugural, pero lo cambiaron para el del, con el tiempo, tristemente célebre, *Lusitania*, que salía tres días antes. En segundo lugar, fue la invención de Marconi la que permitió a los radiotelegrafistas del *Titanic* –empleados de Marconi, no de la naviera– enviar las señales de socorro que escuchó, en mitad del desastre, el trasatlántico *Carpathia*. Cuando los 700 supervivientes llegaron al puerto de Nueva York, Marconi los aguardaba en el muelle.

Marconi, durante una demostración del aparato que usó durante sus primeras transmisiones de larga distancia, hacia 1898. El transmisor está a su izquierda, el receptor con la cinta a su derecha. Por entonces se empleaba solo el código Morse.

apoyó en su búsqueda de más potencia y kilómetros. Cuando consiguió comunicar las Islas con la Europa continental –es decir, cruzar el Canal de la Mancha– decidió dar otro salto hasta la otra costa del Atlántico.

En 1901, consiguió establecer comunicación entre San Juan de Terranova (Canadá) y Poldhu (Inglaterra). Un logro fundamental que echaba por tierra las tesis de los pesimistas, que postulaban que la transmisión de señales de radio no podría superar los 300 km de distancia debido a la curvatura del planeta. Un planteamiento equivocado, ya que las ondas se reflejaban en las capas superiores de la atmósfera (la ley de Marconi estableció la relación entre la altura de las antenas y la distancia máxima de señalización de las transmisiones de radio). Hasta 1904, los aparatos radiofónicos utilizaban el código Morse para comunicar mensajes, puesto que solo lograban emitir señales de encendido/apagado. Pero a partir de entonces, con la aplicación de la nueva válvula termoiónica, se logró la transmisión de voz.

Marconi ganó el Premio Nobel de Física en 1909 por su contribución al desarrollo de telegrafía sin hilos. Durante la Primera Guerra Mundial, Italia, como integrante de los aliados, lo puso al frente de su servicio de comunicación militar. En 1914 fue nombrado senador y en 1923 se afilió al Partido Fascista de Mussolini, del que fue entusiasta seguidor. Católico convencido, ayudó a levantar en 1931 la Radio Vaticana para el Papa Pío XI. Cuando murió, en 1937, el gobierno italiano le dedicó un funeral de estado multitudinario. En Inglaterra, las transmisiones de la BBC y la Oficina de Correos le dedicaron dos minutos de silencio.

UN CREADOR RESPETABLE

En los últimos años, ha habido quien ha tratado de «afear» la importancia de Marconi, sobre todo en favor de Nikola Tesla (ver página 100), a quien el Congreso estadounidense acabó reconociendo la patente de la radio. ¿Es necesario elegir entre los dos? Si algo nos enseña este libro de genios, es que un descubrimiento empuja al siguiente. Parece claro que Tesla –y otros, como el ruso Aleksandr Popov o el alemán Karl Ferdinand Braun– pusieron las bases técnicas. Pero el jovencísimo Marconi fue un genio gracias a su visión de la radio como medio de comunicación global; «global» tanto por su sentido universal como por integrar una variedad de funciones. Como ejemplo, en 1920, Marconi produjo para la BBC la emisión en directo de la célebre soprano Nelly Melba, que se pudo oír a la par en Londres y Nueva York. Fue la primera persona en determinar un uso práctico para el espectro radiofónico. Las consecuencias de esa visión cambiaron la calidad de vida de todos los habitantes del planeta.

Albert Einstein

FÍSICO SUPERDOTADO Y RENOVADOR

SI SON LOS FILÓSOFOS LOS QUE QUIEREN EXPLICAR «NUESTRO» MUNDO, LOS FÍSICOS SON LOS QUE INTENTAN ORDENAR «EL» MUNDO. Y NADIE COMO ALBERT EINSTEIN (1879-1955) PARA PONER ORDEN EN LAS LEYES DEL UNIVERSO; AL MENOS, DE ESTE EN EL QUE NOS HA TOCADO VIVIR. ES SIN DUDA EL CIENTÍFICO MÁS INFLUYENTE DESDE NEWTON; SUS TEORÍAS DE LA RELATIVIDAD CAMBIARON LA MANERA DE OBSERVAR EL TIEMPO Y EL ESPACIO, DIMENSIONES A LAS QUE NADIE ES AJENO. PERO, ADEMÁS, YA FUERA POR LO REVOLUCIONARIO DE SUS ARTÍCULOS, POR SU ASPECTO ENTRAÑABLE Y BONHOMÍA, O POR EL TIEMPO QUE LE TOCÓ VIVIR, EINSTEIN SE CONVIRTIÓ EN UN ICONO, EN UNA ESTRELLA, EN EL MEJOR ESTANDARTE DE LA CIENCIA.

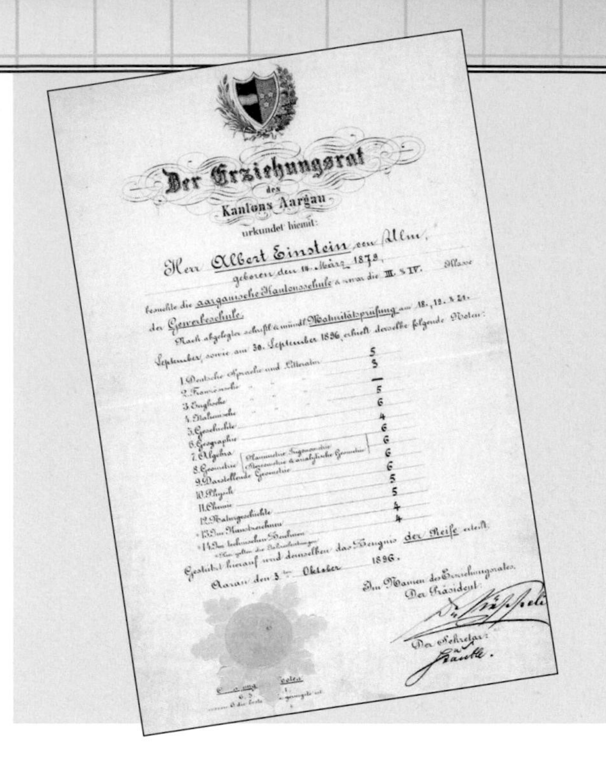

Der Erziehungsrat
des
Kantons Aargau
urkundet hiemit:

Herr Albert Einstein von Ulm,
geboren den 14. März 1879,
besuchte die aargauische Kantonsschule & zwar die III. & IV. Klasse der Gewerbeschule.

Nach abgelegter schriftl. & mündl. Maturitätsprüfung am 18., 19. & 21. September, sowie am 30. September 1896, erhielt derselbe folgende Noten:

1. Deutsche Sprache und Litteratur	5
2. Französische	3
3. Englische	—
4. Italienische	5
5. Geschichte	6
6. Geographie	4
7. Algebra	6
8. Geometrie (Planimetrie, Trigonometrie, Stereometrie & analytische Geometrie)	6
9. Darstellende Geometrie	6
10. Physik	6
11. Chemie	5
12. Naturgeschichte	5
13. Im Kunstzeichnen	4
14. Im technischen Zeichnen	4

Gestützt hierauf wird demselben das Zeugnis der Reife erteilt.

Aarau den 3ten Oktober 1896.

Im Namen des Erziehungsrates
Der Präsident:
Der Sekretär:

UN CEREBRO PRIVILEGIADO

A las pocas horas de fallecer, en 1955, se diseccionó y fotografió el cerebro de Albert Einstein. El patólogo del Hospital de Princeton lo extrajo sin pedir permiso: suponía que algo evidente habría de observarse en un cerebro tan brillante. Era la mejor oportunidad para descubrirlo. En 2013, un nuevo análisis del cerebro y de esas fotografías determinó que lo más sobresaliente del órgano capital de Einstein –y también de la mayoría de nosotros– era que sus dos hemisferios estaban más y mejor conectados de lo habitual.

De ser cierto, podríamos deducir que las conexiones entre hemisferios se van generando y fortaleciendo con los años. El pequeño Einstein parecía paciente y metódico, pero no brillante. Era introvertido y le costaba hablar. Aprendió a tocar el violín y el piano con su madre. Ya en el instituto sus notas, en general, no eran nada del otro mundo... Excepto en lo relacionado con matemáticas y física. Sin embargo, las relaciones con sus profesores a veces se torcieron, sobre todo con los que exigían mucha disciplina. Desde muy pronto, se generó en él un sentimiento escéptico y librepensante, que lo hacia reacio al autoritarismo. En su familia le fomentaron la curiosidad con los libros de divulgación científica que le solían regalar. El propio Einstein afirmó en su autobiografía que esos libros lo ayudaron a cuestionar todo tipo de ideas, en especial las concernientes a la religión.

Por tanto, estimulemos las conexiones entre hemisferios y cuestionemos nuestra realidad: ya tendremos medio genio.

ANNUS MIRABILIS

El problema es que para el otro medio no encontramos receta. A Einstein lo ayudó que sus padres tuvieran una tienda de aparatos eléctricos, en las que reparaban viejos artilugios o fabricaban nuevos. Esta iniciativa lo estimuló de igual manera que arruinó a su familia.

En 1896, decidió ampliar sus estudios en la Escuela Politécnica Federal de Zúrich, en Suiza. Allí, además de profundizar en física y matemáticas, desarrolló cierto amor por la filosofía y por Mileva Maric, una joven serbia, con la que se casó y tuvo tres hijos; se divorciarían en 1919, año en el que se casaría con su prima, Elsa Loewenthal. Tras licenciarse, en 1904 consiguió un empleo fijo en la oficina de patentes de Berna. Un trabajo demasiado limitado y rutinario para alguien que

En esta página: Einstein con la matemática Mileva Maric, su primera mujer, en 1912; a la derecha, con su prima Elsa Loewenthal, su segunda mujer, en 1921.
En la página anterior, calificaciones de Einstein en el instituto; el 6 era la mejor nota.

empezaba a preguntarse por el tiempo y por el espacio. Sin embargo, fue eso lo que obtuvo: tiempo y espacio para desarrollar sus teorías. En aquel cuarto funcionarial comenzó a redactar una serie de artículos que cambiarían la historia de la física. Fueron cuatro, publicados en la revista *Annalen der Physik*. Conviene detallarlos:

- El primero era una explicación teórica del *efecto fotoeléctrico* (un material emite electrones cuando incide sobre él una radiación electromagnética). Partiendo de las teorías de Max Planck, Einstein proponía que la luz está integrada por cuantos individuales, más tarde denominados fotones. Con el tiempo, este trabajo le proporcionó el Premio Nobel de Física en 1921.
- El segundo, una explicación teórica en términos estadísticos del *movimiento browniano*.
- En un tercer artículo se exponía la Teoría Especial (o Restringida) de la Relatividad.

POESÍA PARA LA RELATIVIDAD GENERAL

Estremece pensar que una mente aislada pudiera perfilar una teoría como la de la Relatividad General desde un triste despacho de Berna: es todo un elogio a la razón humana. Pero esa mente era la de Albert Einstein, que ya había enunciado la Relatividad Especial; idea que, convenientemente mezclada con los efectos de la gravedad, conducía a la General. Einstein planteó que la gravedad no era tanto una fuerza, sino una consecuencia de que el espacio-tiempo se deforma por la masa. Así, esta es capaz de curvar, no solo el espacio, sino también la luz. Esto quedó confirmado en 1919, aprovechando un eclipse total de Sol. Una estrella fue fotografiada dos veces, una en ausencia y otra en presencia del eclipse. La desviación de su luz al pasar cerca del Sol, una de las predicciones de la Relatividad General, se confirmó. Cuando este hecho se publicó, la popularidad de Einstein se disparó, ya que los periódicos lo ensalzaron como el nuevo Newton.

Pero, además de la luz, al ser esta constante, una gran masa también desviaría el tiempo, que debía transcurrir más lentamente cuanto más fuerte sea el campo gravitatorio en el que se mida. Esta predicción también fue confirmada, en 1962. Así se suele explicar que sin Einstein careceríamos de GPS, ya que los sistemas de navegación por satélite deben calcular este efecto, puesto que de lo contrario ofrecerían errores en el cálculo de la posición de varios kilómetros. No pretendemos explicar aquí lo que necesita de mucho tiempo (o no, sería relativo) para su comprensión. Pero a menudo se cita una poética frase del físico John Wheeler como la mejor manera de hacerlo: «La materia le dice al espacio cómo curvarse, el espacio le dice a la materia cómo moverse». Una frase que convalida un año entero de Física y Literatura.

En la página izquierda, ilustración que pretende mostrar cómo la masa curva el espacio. El Sol o la Tierra son como dos pesadas bolas sobre un colchón; el espacio es el colchón, que se curva ante su presencia.

A la derecha, la carta Einstein-Szilárd, dirigida por el padre de la relatividad al presidente estadounidense Franklin Delano Roosevelt en 1939, recomendando investigar las posibilidades atómicas antes de que los nazis llegaran a crear la bomba.

- En un cuarto artículo desarrollaba la equivalencia de la masa y la energía, sistetizándola en la icónica ecuación $E = mc^2$, donde c es la velocidad de la luz, una constante.

Al poco, Einstein se ganó un puesto como profesor en la Universidad de Berna. Estos artículos le pusieron en primera línea de la física; años después, ese 1905 se conoció como el *annus mirabilis* de Einstein, por la cantidad y calidad de conceptos presentados. Sorprende pensar que todos ellos –y aun otros que estaban por llegar, como los agujeros de gusano– llegaron no tanto por la experimentación como por la reflexión y el cuestionamiento. Por supuesto, Einstein se había empapado del mayor número de teorías y postulados de la época, desde las teorías de Newton y Galileo a la física cuántica de Max Planck. Pero con sus dudas y dentro de un cuarto gris, Einstein renovó los pilares del conocimiento. De ahí, quizá, una de sus frases célebres (y se recuerdan muchas): «La imaginación es más importante que el conocimiento».

Algo parecido se puede decir de su Teoría General de la Relatividad. Einstein la definió como «La idea más feliz

EINSTEIN, EL PACIFISTA Y SUS PARADOJAS

Como «ciudadano del mundo», Einstein pretendió emplear su fama para aplacar el violento inicio de siglo XX que le tocó vivir. En 1914, al inicio de la Gran Guerra, no se sumó a la ola de patriotismo inflamado del Imperio Alemán, que afectó incluso a la mayoría de intelectuales de la época. Al contrario, dejó patente lo ridícula que le parecía la contienda y afirmó sentir vergüenza por la raza humana. Al término de la guerra, se afilió al Partido Democrático Alemán, uno de los que intentó mantener el orden constitucional de Weimar y poner freno al nazismo.

Durante la Segunda Guerra Mundial, Einstein se asoció con otros científicos para convencer al gobierno estadounidense de que desarrollase la bomba atómica antes que los nazis, ya que creían que estos estaban cerca de conseguirlo. Así, redactó la conocida carta Einstein-Szilárd (por el científico húngaro) al presidente Roosevelt, sin la cual posiblemente no se hubiese llevado a cabo el Proyecto Manhattan (el grupo liderado por Walter Oppenheimer para fabricar la bomba). Los altos mandos del ejército no le permitieron participar en él, ya que consideraban que sus ideales pacifistas eran un riesgo. Con el tiempo, tras ver los efectos de las bombas y el mundo bipolar de la Guerra Fría, Einstein dijo que, de haber sabido que los nazis fracasaron en su intento de construir un arsenal atómico, jamás habría firmado esa carta.

Albert Einstein
Old Grove Rd.
Nassau Point
Peconic, Long Island

August 2nd, 1939

F.D. Roosevelt,
President of the United States,
White House
Washington, D.C.

Sir:

Some recent work by E.Fermi and L. Szilard, which has been communicated to me in manuscript, leads me to expect that the element uranium may be turned into a new and important source of energy in the immediate future. Certain aspects of the situation which has arisen seem to call for watchfulness and, if necessary, quick action on the part of the Administration. I believe therefore that it is my duty to bring to your attention the following facts and recommendations:

In the course of the last four months it has been made probable - through the work of Joliot in France as well as Fermi and Szilard in America - that it may become possible to set up a nuclear chain reaction in a large mass of uranium,by which vast amounts of power and large quantities of new radium-like elements would be generated. Now it appears almost certain that this could be achieved in the immediate future.

This new phenomenon would also lead to the construction of bombs, and it is conceivable - though much less certain - that extremely powerful bombs of a new type may thus be constructed. A single bomb of this type, carried by boat and exploded in a port, might very well destroy the whole port together with some of the surrounding territory. However, such bombs might very well prove to be too heavy for transportation by air.

-2-

The United States has only very poor ores of uranium in moderate quantities. There is some good ore in Canada and the former Czechoslovakia, while the most important source of uranium is Belgian Congo.

In view of this situation you may think it desirable to have some permanent contact maintained between the Administration and the group of physicists working on chain reactions in America. One possible way of achieving this might be for you to entrust with this task a person who has your confidence and who could perhaps serve in an inofficial capacity. His task might comprise the following:

a) to approach Government Departments, keep them informed of the further development, and put forward recommendations for Government action, giving particular attention to the problem of securing a supply of uranium ore for the United States;

b) to speed up the experimental work,which is at present being carried on within the limits of the budgets of University laboratories, by providing funds, if such funds be required, through his contacts with private persons who are willing to make contributions for this cause, and perhaps also by obtaining the co-operation of industrial laboratories which have the necessary equipment.

I understand that Germany has actually stopped the sale of uranium from the Czechoslovakian mines which she has taken over. That she should have taken such early action might perhaps be understood on the ground that the son of the German Under-Secretary of State, von Weizsäcker, is attached to the Kaiser-Wilhelm-Institut in Berlin where some of the American work on uranium is now being repeated.

Yours very truly,
A. Einstein
(Albert Einstein)

de mi vida. Estaba sentado en la oficina de patentes de Berna, en 1907, cuando, de repente, me vino una idea: una persona en caída libre no sentirá su propio peso. Quedé sorprendido. Esa sencilla idea me causó una profunda impresión y me impulsó hacia una teoría de la gravitación». Esta teoría fue expuesta oficialmente en 1915 en la Academia Prusiana de las Ciencias. Los cimientos de la física volvieron a temblar, esta vez «atacando» directamente los postulados canónicos de Newton. La gravedad dejaba de entenderse como una fuerza a distancia, para considerarse una consecuencia de que el espacio-tiempo se encuentra deformado por la presencia de masa (o su equivalente, la energía).

Una de las mayores consecuencias de este cambio de paradigma es que antes espacio y tiempo se concebían como independientes entre sí; sin embargo, desde entonces sabemos que la materia afecta a ambos. Quizá para nuestra vida habitual de «hormigas terrestres» respecto al cosmos no parezca afectarnos mucho (o sí, recordemos los GPS); pero, según abrimos la escala, las leyes que se derivan de los trabajos de Einstein describen el universo en que vivimos.

HOMBRE DE CONVICCIONES

La confirmación de la Teoría de la Relatividad General, junto con el Premio Nobel de 1921, convirtieron a Einstein en una celebridad planetaria, acaso la primera de carácter científico de la historia. Ahí, a su pesar –la fama llegó a abrumarlo– también triunfó. Como estrella mediática, sus opiniones fueron muy extendidas. Recordando sus tiempos de estudiante, llegó a decir con su característica ironía: «Para castigarme por mi falta de respeto a la autoridad, el destino me ha convertido en una».

En 1933, debido al auge del nazismo, tuvo que dejar Alemania y se refugió en Estados Unidos, país del que obtuvo la ciudadanía. Él era judío, y estando orgulloso de ello, no era practicante ni sionista. Sobre la creación del Estado de Israel, dejó unas palabras proféticas: «La idea de un Estado (judío) no coincide con lo que siento, no puedo entender para qué es necesario. Está vinculada a un montón de dificultades y es propia de mentes cerradas». Asimismo, calificó el racismo como «la peor de las enfermedades de América, que pasa de una generación a otra» y defendió la incorporación de los negros a la universidad. Conoció a Gandhi, con quien mantuvo correspondencia y al que admiró. También se le preguntó mucho a quien explicó de otra manera el universo si creía en Dios; él se declaraba agnóstico, pero no ateo; creía en un Dios panteísta, impersonal, como el del filósofo Spinoza. No creía en un más allá, y apuntaba con sorna: «Con una vida he tenido suficiente».

Por supuesto, durante toda su vida, no olvidó viajar sin su violín. «Si no hubiera sido físico, habría sido músico», decía. Tuvimos suerte.

Alexander Fleming

DESCUBRIDOR DE LA PENICILINA

«LA SUERTE SOLO FAVORECE A LA MENTE PREPARADA», DIJO LOUIS PASTEUR EN UNA CONFERENCIA EN 1854. ALGO QUE SE PODRÍA APLICAR CON JUSTICIA PARA EL CASO DE ALEXANDER FLEMING (1881-1955), DISCÍPULO –INDIRECTO– DEL FRANCÉS. A ESTAS ALTURAS, TODOS SABEMOS QUE EL DESCUBRIMIENTO DE LA PENICILINA SE DEBIÓ, EN PRINCIPIO, A UNA CADENA DE CASUALIDADES. PERO LA PERSPICACIA DE FLEMING, SU INTUICIÓN Y, POR ENCIMA DE TODO, LA LIBERALIDAD CON LA QUE SE DEDICÓ A LA INVESTIGACIÓN DEL ANTIBIÓTICO –SE NEGÓ A PATENTARLO– LO CONVIERTEN EN UN GENIO DEL SIGLO XX.

UN GENIO HUMILDE

Existe una historia –falsa– que afirma que el padre de Fleming salvó al joven Winston Churchill de morir ahogado. Sería el año 1886, en la Escocia natal del pequeño Alexander. El tiempo ha dejado las cosas en su sitio. Resultó una historia más propia de hagiógrafos que de historiadores. Y, si algo no necesita Alexander Fleming, son aduladores. Mucha gente le debe mucho –tanto como la vida– y él fue el primero en darse la importancia justa. Su descubrimiento, en 1928, fue casual y otros tuvieron que intervenir para que la penicilina fuera efectiva en realidad, más de una década después. Lo sabía y nunca intentó aparentar otra cosa.

UN CIENTÍFICO DE PURA CEPA

La carrera científica de Fleming comenzó en el Hospital St Mary de Londres. Allí llegó recomendado por sus capacidades como tirador, que había demostrado en la Fuerza de Voluntarios Escocesa. El capitán del club de tiro lo quería retener en Londres, así que le propuso comenzar sus estudios universitarios en ese centro: todos ganaban, ya que Fleming era un apasionado deportista (ver recuadro). Entró como asistente de Sir Almroth Wright, uno de los impulsores de la vacunación. Allí progresó en sus conocimientos, hasta que en 1914 la Primera Guerra Mundial lo llevó al frente en las trincheras de Francia, donde asistió a numerosas muertes por septicemia. No lo olvidaría, y a la vuelta encauzó sus investigaciones por ese camino.

Su primer «golpe de efecto» en el terreno bacteriológico llegó en 1922. Cuando trabajaba en el laboratorio, mientras estaba acatarrado, estornudó; una gota de

Una de las primeras placas de Petri en las que Fleming desarrolló el hongo Penicillium notatum.

LA IMPORTANCIA DE UNA MENTE ABIERTA

Como otros tantos genios, Fleming destacó por ser un humanista y un hombre completo, apasionado por otros campos. En su caso, el deporte constituía una de sus grandes aficiones. En varias ocasiones hizo hincapié sobre todo lo que le enseñó. Merece la pena transcribir unas palabras dichas ante estudiantes, realmente aleccionadoras: «Hay quien piensa que los estudiantes deberían pasar todo el tiempo estudiando medicina y renunciar a los deportes. No estoy de acuerdo. (...) El estudio de la medicina requiere mucho más que conocimientos adquiridos en los libros. (...) No existe mejor manera de aprender la naturaleza humana que entregarse a los deportes, en especial los de equipo. Cuando se pertenece a un equipo, uno juega no para uno mismo, sino para su bando. (...) El doctor debe jugar el juego de la vida no para sí, sino para el bien de sus enfermos... Haced deporte y aprovecharéis mejor lo que leeréis en los libros. Comprenderéis mejor a vuestros pacientes y seréis mejores médicos... ».

su propia secreción nasal acabó en una de sus placas de Petri. Al cabo de unas horas, comprobó que esa mucosidad había destruido a su alrededor casi todas las bacterias. Repitió el experimento en días posteriores con saliva y lágrimas obteniendo iguales resultados. Fleming había identificado la lisozima, una sustancia presente en todas las secreciones orgánicas que evita muchas infecciones, puesto que elimina los microbios que contactan con las mucosas del organismo. La lisozima combatía con efectividad a la bacteria de la gangrena, aunque era insuficiente para infecciones como la neumonía, la sífilis o la tuberculosis.

Fleming, trabajando en su laboratorio.

con su descubrimiento, pero no se ganó la atención debida.

Fleming siguió ahondando en esa vía, pero al cabo de los años la dejó en vía muerta. El cultivo de *Penicillium* resultaba complicado y aislar la penicilina aún más; también albergaba dudas respecto a su efectividad, así que tras sucesivos intentos «aparcó» su descubrimiento. Por fortuna, este no había pasado inadvertido para un par de científicos en Oxford: Howard Florey y Ernst Boris Chain. La Segunda Guerra Mundial obligaba –por suerte o por desgracia, las guerras fomentan la investigación, para todo tipo de fines– a buscar mejores medicinas para curar a los soldados. Los aliados encontraron en ellos –australiano el primero, alemán de origen judío el segundo– el saber necesario para aislar y producir en masa la penicilina. En 1941 se probó por primera vez en un paciente –que respondió favorablemente, pero murió por falta del antibiótico– y en 1944, cuando el desembarco de Normandía, se contaba con las existencias suficientes para tratar a todos los heridos.

Cuando la penicilina se hizo de uso común, el peso de la fama recayó sobre todo en Fleming, quizá porque era el tipo de personaje –un genio despistado–que engancha a la prensa. Pero este, sabedor de que solo le pertenecía una parte, subrayó el trabajo de Florey y Chain –y hubo otros, como en cualquier trabajo científico, menos favorecidos por la Historia–, de tal manera que los tres compartieron el premio Nobel de Fisiología o Medicina de 1945. Jamás quiso patentar nada, pues consideraba que sus descubrimientos eran para el beneficio de la humanidad. Recorrió varios países que lo invitaban en señal de agradecimiento. «Yo no hice más que no ignorar aquella capa de moho», solía decir. La fortuna y la ciencia sonríen a los perspicaces.

PENICILINA: SERENDIPIA Y PERSPICACIA

Seis años más tarde, Fleming seguía trabajando en el Hospital St Mary. Se había ganado una fama de científico algo desastrado: de esos con más talento que orden. Cuando llegaron las vacaciones de agosto, se marchó del laboratorio dejando –por olvido– las ventanas abiertas. Lo suficiente para que algunas de sus placas con cultivos de estafilococos –arrinconadas de mala manera– quedasen contaminadas por gérmenes externos. A su vuelta, 11 días después, comprobó que una colonia de moho se había establecido en una de las placas, eliminando por completo los estafilococos a su alrededor. Más allá, volvían a crecer. «¡Qué curioso!», se dijo Fleming, cuando lo observó.

Y esa es la espita que lo desencadenó todo, el auténtico golpe de genio. Porque eso mismo podría haber sucedido –muy probablemente– en centenares de ocasiones en centenares de laboratorios. Pero fue la «mente prepararada» de Fleming la que captó el detalle –uno de los que cambian la faz de la Tierra. Fleming observó que el moho en cuestión era del género *Penicillium* –llamado así por la forma de pincel que desarrollan estos hongos–, y llamó penicilina a la sustancia que producía de manera natural y que mataba a las bacterias. En 1929, publicó un artículo

Pablo Picasso

Genio y figura del arte moderno

No existió en el siglo XX –ni en ningún otro–, un artista más genial, prolífico e inclasificable que Pablo Ruiz Picasso (1881-1973). Con su obra, el malagueño recopiló todo lo anterior y fue punto de partida para lo posterior. Atravesó numerosas etapas a lo largo de 91 años de vida en los que nunca dejó de crear. Quizá la fase más conocida fue la cubista, un movimiento que creó junto a Georges Braque. Pero, excesivo e incontenible, no se quedó ahí. Picasso no se conformaba con nada, ni con nadie.

Paul vestido de arlequín *(1924). Óleo conservado en el Museo Picasso de París, Francia.*

PRECOZ, CURIOSO, INQUIETO

«Yo pinto lo que pienso, no lo que veo», afirmó Picasso. Pues debía pensar mucho, y muy diferente. Se calcula que fue autor de unas 13 500 pinturas y diseños, 100 000 impresiones o grabados, 34 000 ilustraciones para libros y 300 esculturas o cerámicas. Su libertad vital propició que pasara de un estilo a otro sin transición. Se hace imposible resumir su figura artística. Se necesita mucho tiempo para descubrir a Picasso; mucho menos para disfrutarlo.

Nació en Málaga, y a los ocho años su familia fue a vivir a La Coruña, donde realiza su primera exposición. En 1895, el Picasso adolescente entra en la Escuela de Bellas Artes de Barcelona, donde su padre impartía clases. Allí se impregna del modernismo catalán y reside durante nueve años. Durante esos años se encuadra su *período azul*, por el color predominante en sus obras. El *rosa* comienza cuando se muda a París, en 1904. A partir de esa fecha, Francia fue su lugar de residencia habitual. En el mítico barrio de Montmartre conoce a Guillaume Apollinaire, Max Jacob y André Derain o a la mecenas Gertrude Stein.

Un momento clave en la biografía de Picasso –y de la historia del arte– es 1907, cuando pinta su obra *Las señoritas de Aviñón*, que abre el camino a los movimientos de vanguardia. De primeras, es la espoleta del cubismo, que perfila junto a su amigo Braque. Las influencias más claras serán el arte de Cézanne y las esculturas ibéricas y africanas. Se convertirá en un estilo revolucionario que acaba con el sistema tradicional de representación ilusionista del espacio, para dar paso a composiciones de formas abstraídas; sus consecuencias se alargan hasta la actualidad.

EVOLUCIÓN CONTINUA

Tras la Primera Guerra Mundial parece retornar a una pintura más clásica, que se correspondía con una tendencia generalizada de vuelta al «orden». Como siempre, avanza y se renueva, y se acerca al surrealismo –o el surrealismo se acerca a él–; aunque André Breton le considera uno de los suyos, él nunca se adscribe al movimiento. En esa década conoce los Ballets Rusos de Diagilev, para los que confecciona trajes y decorados. Allí conoce a la bailarina Olga Khokhlova, su primera mujer. La vida sentimental de Picasso, por cierto, fue tan variada como la artística. Las mujeres fueron su segunda debilidad. En total tuvo cuatro hijos, con diferentes amantes o esposas.

En 1936, al comienzo de la Guerra Civil Española, lo nombran director de Museo del Prado de Madrid. A lo largo de su vida, Picasso perteneció tanto al Partido Comunista español como al francés. Para el cartel de un acto asociado a este último – el Congreso Mundial de Partisanos por la Paz–, en 1949, dibuja una paloma a lápiz azul sobre papel: para el futuro, la *paloma de la paz*. Y así bautiza a su hija recién nacida. En los años cincuenta, comienza a hacer recreaciones de cuadros de grandes maestros, como Gustave Courbet, Eugène Delacroix o Diego Velázquez; de este último, realiza varios estudios de *Las meninas*. La mayor parte de su vejez la pasa cerca de la Costa Azul, dando lugar al *período de Vallauris* –por la localidad– donde da rienda suelta a una creatividad inusual en un anciano, creando miles de cuadros, grabados, esculturas y cerámicas.

Picasso fue figura central de todo el arte del siglo xx, un artista experimental pero ligado al pasado y con una obra que admite nuevas lecturas. Ejerció una gran influencia en otros artistas de su tiempo, y sin duda en los de hoy. Su arte inabarcable se conserva en diversos museos de todo el mundo y en varios «Museos Picasso» consagrados por entero al malagueño.

Pablo Picasso con su perro dálmata en Villa La California, en 1961.

EL GUERNICA, OBRA MAYOR

España se tomaba la Exposición Universal de París de 1937 como una oportunidad para reivindicarse en el extranjero. El gobierno legal republicano solicitó a Picasso, por entonces director (honorífico) del Museo del Prado una obra de gran formato. Al principio, el pintor no se mostró muy convencido ni inspirado; sería su primera obra propagandística y de un tamaño tan grande. Sin embargo, el bombardeo de Guernica, una localidad vasca, a cargo de aviones alemanes e italianos, inspiró a Picasso. Creó un cuadro de 8 m x 3,5 m, de gran crudeza. Cuando concluyó la Exposición, el cuadro se exhibió por diversos museos de todo el mundo hasta que en 1958 «reposó» en el MOMA. En 1981, regresó a España.

Virginia Woolf

RENOVADORA DE LA TÉCNICA LITERARIA

ESCRITORA DE DIMENSIONES COLOSALES, PESE A QUE ESTE ADJETIVO NO CASA CON SU ESTILO POÉTICO E INTIMISTA, VIRGINIA WOOLF (1882-1941) ES UNA DE LAS ARTISTAS MÁS IMPORTANTES DEL SIGLO XX. SÍMBOLO, TAMBIÉN, DE UN FEMINISMO QUE ELLA MISMA CIMENTÓ CON SU VIDA Y CON SU OBRA, SIEMPRE EN BUSCA DE EXPERIMENTACIÓN Y DE AUTOAFIRMACIÓN. GOZÓ EN VIDA DE GRAN PRESTIGIO, Y JUNTO A SU MARIDO LEVANTÓ UNA MÍTICA EDITORIAL. SIN EMBARGO, SUS TENDENCIAS DEPRESIVAS LA LLEVARON A UN RÍO, CARGADA DE PIEDRAS EN LOS BOLSILLOS. NO VOLVIÓ A EMERGER HASTA SEMANAS DESPUÉS.

UNA FAMILIA DE ALTOS VUELOS

Para perfilar la infancia y juventud de Adeline Virginia Stephen (su nombre original), hay que imaginarla en Londres en una familia culta y liberal, muy bien relacionada. Su padre era sir Leslie Stephen, un destacado crítico literario, historiador y también alpinista famoso. Su madre, Julia Duckworth, era parte de una familia de importantes editores y hermosa modelo para pintores y fotógrafos. Virginia conoció a lo más granado de la sociedad artística de su tiempo sin moverse de casa. Quizá por eso no fue a la escuela, sino que se educó en casa, con diferentes tutores. Como muestra su conexión con las letras, a los nueve años creó un periódico familiar que tituló *The Hyde Park Gate News*, aludiendo a la dirección de la casa, y que distribuía entre la familia. Desde joven, tuvo problemas psicológicos –hoy se cree que sufría trastorno bipolar–, que fueron agudizados por los abusos sexuales que padeció por parte de dos hermanastros, así como por la muerte de su madre, de su hermana mayor y de su padre.

EL CÍRCULO DE BLOOMSBURY

A principios de siglo se mudó con tres de sus hermanos al barrio de Bloomsbury. En ese distrito londinense crearon un hogar que fue un punto neurálgico intelectual, hasta el punto de ser conocido como el Círculo –o Grupo– de Bloomsbury. Por allí pasaron intelectuales de la talla del escritor E. M. Forster, el economista J. M. Keynes o los filósofos Bertrand Russell y Ludwig Wittgenstein, de entre los más conocidos. Y alguno que otro no tan universal, pero con un peso mucho mayor en la vida de Virginia, como el escritor Leonard Woolf, quien acabó prestándole su apellido en 1912; «un judío sin un céntimo», como se refirió a él durante su ceremonia

Tres semanas después de su muerte, encontraron el cuerpo de Woolf a escasos metros del puente Southease (imagen), en Asheham, Inglaterra.

de matrimonio. Su historia de amor duró casi tres décadas, en lo que fue una maravillosa afinidad afectiva, intelectual y física. El círculo de Bloomsbury estaba en contra de la exclusividad sexual, y ambos se mantuvieron fieles a su unión, y también a sus ideas. Virginia tuvo otros romances, en especial uno con una amiga de la pareja Vita Sackville-West. De aquella relación nació la novela *Orlando* (1938), quizá la más popular de Woolf. Virginia y su marido fundaron Hogarth Press, editorial que publicaría las obras de ella y de otros artistas.

Virginia y Leonard Woolf, el día de su enlace.

Woolf quiso ampliar su estilo más allá de la narración al uso, con hilos conductores guiados por el proceso mental del ser humano: monólogo interior, visiones, deseos e incluso olores. Una narración inusual, en la que se incluía estados de sueño y prosa de asociación libre. Esta contribución a la técnica contemporánea se reconoce hoy como una de las aportaciones más importantes a la literatura del siglo XX. Quizá fuera en dos novelas como *La señora Dalloway* (1925) y *Las horas* (1931) donde mejor se entrevé esa radiografía del pensamiento, de la autoconsciencia.

Ese estilo, no carente de lirismo, surgía desde una personalidad poco estable, dada a vaivenes. Durante su vida, se intentó suicidar dos veces. Mientras revisaba *Entre actos*, la última de sus ocho novelas, consiguió escapar de la vigilancia de su marido, que la veía cerca de una nueva depresión. Se dirigió al río Ouse, donde acabó con su amargo monólogo interior. La carta que dejó a su marido, en la que se despide y lo exonera de toda culpa, es conmovedora. Se creía sin fuerzas para luchar contra una nueva depresión. Al leer sus libros, aunque nos esforcemos por no entenderla, lo hacemos.

Franz Kafka

LA ANGUSTIA CONTEMPORÁNEA

No debió resultar fácil ser Franz Kafka (1883-1924). ¿O sí? Quizá todos lo categorizan como un genio torturado porque piensan que para escribir sus historias sofocantes, angustiosas e inefables debería subyacer una doble personalidad. Humilde y apocado por fuera, afligido por dentro. Pero, ¡hay tantos como él ahí afuera! Y solo Franz escribía como Kafka. Quizá solo fuera que tenía más talento que nadie a la hora de captar una sensación, un momento, aunque –o justamente por eso– él sintiera lo contrario. Los que saben dicen que el siglo xx literario empezó con él.

INFLUENCIA FAMILIAR

Un siglo, el xx, que dejó aturdidos a todos los que quisieron comprenderlo, quizá porque no tenía explicación. Algo parecido le sucede a la obra de Kafka: ahí radica su éxito y la conexión vital con su tiempo.

Todo empezó en Praga, entonces parte del Imperio Austrohúngaro, donde Franz Kafka nació. Las raíces paternas eran checas, mientras que las de su madre se entremezclaban con orígenes germanos. Ambos eran judíos, si bien bastante laicos. En casa, Franz aprendió checo y alemán, como tantos chicos de su época. Era el mayor de seis hermanos, aunque dos murieron pronto. Quedó como referente para sus tres hermanas pequeñas, algo que en el futuro lo condicionó.

Su expediente académico fue siempre brillante y desde pequeño asomó en él un humor fino y elegante. Escribía ya en el colegio y como bachiller, aunque destruyó aquellos textos escolares, en los que él mismo era consciente de su singularidad. En 1901, comenzó a estudiar Química, pero el entusiasmo le duró dos semanas. Se matriculó luego en Historia del Arte y Filología, con similares resultados. Su padre Hermann decidió que se dejara de probaturas; para labrarse un futuro, nada mejor que estudiar Derecho, a lo que Franz accedió. Cinco años después, se doctoró con éxito.

SU PADRE Y SU TRABAJO, FUENTES DE INSPIRACIÓN

Este padre autoritario, materialista y que menospreciaba a su hijo tuvo un peso decisivo en su obra. Quién sabe: si lo hubiera animado a escribir, si no lo hubiese tratado como una fuente de ingresos, si lo hubiera respetado más, quizá Kafka no habría tenido

MAX BROD, NUESTRO FIEL AMIGO TRAIDOR

Que tantos escritores –Albert Camus, Jean-Paul Sartre, Jorge Luis Borges, Gabriel García Márquez o John Coetzee, entre otros– y lectores se sientan fascinados por la literatura de Kafka se debe a una de las más afortunadas «traiciones» que se recuerdan. Max Brod fue, desde la época universitaria, uno de los mejores amigos que tuvo. Escritor como él, siempre lo animó en su carrera literaria. Antes de morir, Kafka lo nombró albacea de su obra, conminándolo a destruir todo aquello que no hubiera sido ya publicado. Pero ignoró los deseos de su amigo, y convenció a su amante Dora Diamant para que no eliminase más manuscritos. Una traición así no necesita excusas, pero él se justificaba así: «Franz debía de saber que, si quería que sus obras desapareciesen, tenía que elegir a otra persona para ello. Sencillamente, yo no podía hacer eso».

Max Brod y Franz Kafka, durante un día de playa.

esa inseguridad crónica, quizá no se habría avergonzado de sus escritos, quizás... Pero la tesis de que un escritor eximio debe estar atormentado es solo eso: una tesis. Lo que sí resulta probable es que en tal caso hubiera sido más feliz y no habría trabajado en el mundo de las aseguradoras. Y ambos, padre y trabajo, son temas imprescindibles, de una manera u otra, en sus escritos.

Baste, por ejemplo, la lectura de *Carta al padre* (escrita en 1919) –la producción de diarios y cartas de Kafka fue abrumadora, y se conserva buena parte–, una misiva en la que se explicaba ante su padre, a la par que le pedía explicaciones por su maltrato psicológico. Nunca la llegó a leer, y no tanto por constar de 103 páginas; su madre, quizá pudorosa ante esa abertura en canal, no se la entregó a Hermann. Esa figura paterna, y el total de su familia, aparecen veladamente en su novela corta *La metamorfosis* (1916), una de sus pocas obras publicadas en vida. Gregor Samsa y su fulminante transformación en insecto –un escarabajo, según la doblemente autorizada opinión de Vladimir Nabokov, como literato y entomólogo– forma parte ya del patrimonio de la humanidad: no podremos encontrar imágenes literarias más potentes.

Primera hoja de la Carta al padre.

El proceloso sector de los seguros, su transitar de papeles sin que se atisbe un fin, subyace también a lo largo de las obras de Kafka. Sus personajes asisten sin inmutarse –o quizá perplejos– a una sucesión de hechos concatenados que no parecen explicarse unos a otros, de los que no se desprende un fin claro. ¿Es una crítica a la burocracia, derivada de su breve paso por una asociación anarquista? ¿O deberíamos olvidarnos de simbolismos velados –como decía, de nuevo, Nabokov– y apostar por una simple función narrativa, como ejemplo de la incapacidad del humano para dirigir su vida? Los protagonistas de *En la colonia penitenciaria* (1919), *El proceso* (1925) y *El castillo* (1926) son, en cualquier caso, un fiel reflejo de ese atónito sometimiento a la burocracia.

KAFKA, SEGÚN KAFKA

Tan interpretado como es, en busca de su sentido –o sinsentido– la vida personal de Kafka resulta bastante transparente. Hablábamos de su ingente «literatura del yo» –cartas y diarios, especialmente–, en las que podemos conocer a Kafka como a nuestro hermano pequeño. Gracias a las centenares de cartas de Kafka a su primera prometida Felice Bauer (recopiladas en *Cartas a Felice*) o a su hermana (*Cartas a Ottla*) sabemos de sus opiniones en campos como el amor, los miedos o la literatura. Por ellas, por sus respuestas, sabemos que Franz era una persona agradable, inteligente y llena de humor, pero empequeñecido en la oficina rutinaria, y agotado por la doble vida a la que su trabajo lo obligaba. La escritura consumía sus noches, y su sentimiento de que no llegaba a lo que pretendía transmitir lo frustraba: «Porque solo soy literatura y no puedo ni quiero ser otra cosa (...) y todo lo que no es literatura me hastía». Nunca creyó en su talento: «En tu lucha contra el resto del mundo te aconsejo que te pongas del lado del resto del mundo», dejó escrito, y parece que así se comportó.

Sabemos que Kafka no llegó a casarse. La estabilidad amorosa lo rozó en varias ocasiones, pero o bien la esquivó, o bien la perdió. Quizá fuera Dora Diamant, a quien conoció en 1923, la mujer que le reservaba el destino. Pero tuvo que contentarse con compartir con ella sus últimos meses. Kafka fue un hombre de salud frágil –en 1917 le diagnosticaron una tuberculosis– y falleció en 1924. Tenía 40 años, y nunca habría podido ser consciente de que lo mejor estaba por llegar (ver recuadro).

Le Corbusier

El arquitecto más influyente del s. XX

El siglo XX fue un período en el que todo comenzó a ir muy rápido. En especial, sobre todo, en cuanto a arquitectura, ya que en esta disciplina se combinan, como en pocas, los avances técnicos, económicos, sociales e incluso políticos. Todo esto lo supo ver e interpretar Le Corbusier (1887-1965), arquitecto que encarna como pocos el llamado «movimiento moderno», un conjunto de tendencias que revolucionan la concepción de los espacios, las formas y la estética de las nuevas construcciones.

UN VISIONARIO UNIVERSAL

En 2016, la UNESCO integró 17 edificios de Le Corbusier en la lista de Patrimonio Universal de la Humanidad, repartidos en siete países de Europa, Asia y América. Un reconocimiento que da la medida de su obra, en cuanto a vigencia e influencia. Algo que, evidentemente, no se podía intuir 129 años antes, cuando nació en el cantón suizo de Neuchâtel bajo su verdadero nombre: Charles-Édouard Jeanneret-Gris.

En pleno salto de siglo XIX al XX, Jeanneret aprendió el oficio de grabador y cincelador en la Escuela de Arte de La Chaux-de-Fonds. Allí se encaminó hacia la pintura –que nunca dejó de practicar– y después hacia la arquitectura. Pronto, en 1905, firmó su primera construcción (la Villa Fallet); sin embargo, sus obras durante la década siguiente constituyen un proceso de aprendizaje, lejos de su posterior e identificable estilo. Quizá ayuda a asentarlo sus constantes viajes –Austria, Hungría, Checoslovaquia, Rumanía, Turquía, Grecia o Italia–, y una estancia en Alemania en la oficina de Peter Behrens, donde coincidió con otros grandes de la arquitectura y el diseño del siglo XX, Ludwig Mies van der Rohe y Walter Gropius, pilares de la futura Bauhaus.

En 1920, edita junto a su amigo pintor Amédée Ozenfant la revista *L'Esprit Nouveau*, donde sientan las bases del purismo, una corriente artística que intenta superar al cubismo, con ciertas conexiones con el futurismo, veneración por las máquinas y conceptos matemáticos como la sección áurea. Conceptos sobre los que pronto se apoyará, ahora sí, Le Corbusier: es como autor de artículos para la revista cuando toma ese sobrenombre, que viene del apellido de su abuelo materno. Una costumbre común en la época, y apelativo que le acompañará ya para siempre. En 1930, se nacionaliza francés.

CHANDIGARH, VÍA LIBRE PARA LE CORBUSIER

Casi al final de su carrera, Le Corbusier recibió un encargo del gobierno de Nehru para proyectar Chandigarh, la nueva capital de dos provincias de la India. Una ciudad que constituiría la imagen del país tras la independencia de 1947, moderna y alejada de las abigarradas urbes indias: la oportunidad soñada para aplicar sus tesis como urbanista racionalista. Concibió una ciudad orgánica dividida en sectores cuadrangulares autónomos, que constituyen una unidad funcional. La ciudad, como el cuerpo humano, se compone de una cabeza pensante –sede de las instituciones–, con una zona comercial céntrica a modo de corazón, y extremidades, la periferia, donde se instalan los complejos industriales. Hoy, la ciudad es toda una atracción para curiosos y profesionales de la arquitectura, pero varias de sus estructuras adolecen de falta de cuidado.

El edificio del Secretariado, en Chandigarh.

A la derecha, Villa Saboya (Francia), ejemplo de su estilo arquitectónico.

LA NUEVA ARQUITECTURA

A mediados de los años 20 comienza a fundamentar su estilo arquitectónico. ¿Cómo definirlo? Como decíamos antes, el Movimiento Moderno entronca con el Estilo Internacional, el Racionalismo o el Brutalismo, conceptos que justifican un año de carrera. Podemos apuntar, como hito consensuado, la construcción de la Villa Saboya (1929), a las afueras de París, como paradigma de sus ideas, que recogió en sus *Cinco Puntos para una nueva Arquitectura*, a saber:

- Elevación sobre pilares, para dejar espacio al automóvil.
- Terraza jardín, para esparcimiento y devolver espacio a la naturaleza.
- Espacio interior libre, debido a la estructura basada en pilares y tabiques.
- Fachada libre de elementos estructurales, que ofrece mayor libertad de composición.
- Ventanas corridas en horizontal, para captar más luz.

Asimismo, Le Corbusier aplicó pronto otro de sus conceptos teóricos: el de la «máquina de habitar». Deslumbrado, como los futuristas, por los aviones y automóviles, pretendía repercutir el carácter práctico y funcional de estos en los nuevos hogares. Las casas debían ser asequibles, replicables en cualquier lugar del mundo (viviendas «en serie»)y diseñadas para aunar comodidad y generación de belleza, tanto exterior como interior. Las casas Citrohän –siendo la más perfecta la de Stuttgart, de 1927– son el mejor ejemplo de este racionalismo.

Técnicamente, Le Corbusier era un entusiasta de las posibilidades del hormigón, utilizado desde el cambio de siglo. Barato y abundante, es hoy el segundo material más consumido del mundo después del agua. La primera ola de brutalistas lo consideraba perfecto para reconstruir un mundo, el de los años 50, arrasado después de la Segunda Guerra Mundial.

Influido por las ideas de Leonardo o Vitruvio, otro de sus conceptos más célebres fue el Modulor, sistema de medidas antropométricas, en que cada magnitud se relaciona con la anterior por el famoso número áureo, para que sirviese de medida de las partes de arquitectura. Le Corbusier retomaba el ideal de establecer una relación directa entre las proporciones de los edificios y las del hombre.

Sus ideas, como las de todo genio, han causado no solo admiración, sino también controversia, algo a lo que pudo también contribuir su atribulada vida personal, salpicada de romances y disputas, y su carácter hosco y temperamental. Murió ahogado en 1965, en la Costa Azul Francesa. Su legado se encuentra en sus incontables discípulos y en el Patrimonio de la Humanidad.

Unidad de Viviendas de Marsella (Francia).

Alfred Hitchcock

El maestro del suspense

Hitchcock, posando junto a sus «pájaros».

Es hora de presentar a Alfred Hitchcock (1899-1980), el inglés que más entretenimiento ha procurado al mundo, amén de algún que otro susto y, seguramente, varias pesadillas. Nacido cuatro años después del advenimiento del cine, el «mago del suspense» supo entender como nadie las posibilidades del lenguaje del Séptimo Arte para crear tensión, intriga y misterio. Cualidades que elevó, según muchos entendidos, a niveles poéticos. Quien no haya visto sus películas comete un crimen y no sabe lo que se pierde.

INTRIGAS DESDE LA INFANCIA

Desde pequeño, Alfred Hitchcock era un gran observador. Todos los artistas lo son. Él recordaba, por ejemplo, cómo su padre lo envió con unos cinco años a la comisaría de policía con una carta. El comisario la leyó y lo encerró en una celda durante unos pocos minutos. «Esto es lo que se hace con los niños malos», le dijo, como toda explicación. Con experiencias así, solo puede uno convertirse en un genio o un sádico. Él fue probablemente ambas cosas.

Una recia educación católica, destinada a avergonzarlo de la culpa y encontrar salvación en el castigo, también lo influyó. Recorrer un largo pasillo y dirigirse al cuarto donde debían administrar los azotes se alzaba como toda una prueba psicológica. En su cine, los falsos culpables y la asunción de la culpa ocupan buena parte del metraje. Uno de los primeros trabajos de aquel joven londinense fue diseñar los intertítulos de varias películas mudas. Suficiente para que el gusanillo del cine le entrase para no salir nunca. Fue asumiendo diferentes papeles en la industria cinematográfica, hasta que en 1925 completa *El jardín de la alegría*, coproducción con Alemania rodada en Múnich. En 1929 dirige la primera película de cine sonoro de Inglaterra: *Chantaje*. Su fama comienza a crecer y sus películas gozan del favor del público. Títulos como *Los 39 escalones* (1935) o *Alarma en el expreso* (1938) son éxitos rotundos. Y en el cine, cuando la cosa funciona –antes y ahora– al poco suena un teléfono desde Hollywood.

EL ÉXITO EN HOLLYWOOD

A finales de los años 30, David O. Selznick, el productor de *Lo que el viento se llevó*, contrata a Hitchcock. Y la primera producción que rueda allí es *Rebeca* (1940), Oscar a la mejor película (él nunca lo ganaría como director). En la década de los 40 logra otros grandes éxitos, como *Sospecha* (1941) o *Encadenados* (1946), y traba amistad con algunos de sus actores fetiche, como Cary Grant o Ingrid Bergman. A Hitchcock se le posó la fama de que trataba con desdén a sus intérpretes, pero lo cierto es que muchos lograron junto a él algunos de sus mejores papeles. Muy conocido es también su gusto por contar con actrices rubias como protagonistas: la citada Bergman, Grace Kelly, Tippi Hedren, Kim Novak, Marlene Dietrich o Eve Marie Saint, entre otras. Hedren se refería a él como un sádico. Como todo en el cine de Hitchcock, esto ha sido analizado una y otra vez en busca de motivaciones psicológicas. El componente psicológico es clave en toda su obra, y se deja notar especialmente en *Recuerda* (1945), película que incluye en su trama el psicoanálisis de Freud y cuenta con los decorados de Dalí, dos vecinos en este recuento de genios.

La década de los 50 resultó gloriosa para Hitchcock, sumando grandes títulos, no solo a su filmografía, sino a la historia del cine. Títulos como *Vértigo* o *Psicosis* se

Uno de sus célebres cameos, junto a Cary Grant, en una secuencia de Atrapa un ladrón *(1955).*

encuentran repetidamente en los listados de los mejores de todos los tiempos. En 1955 se le otorga la ciudadanía estadounidense, y también comienza a dirigir episodios para la serie *Alfred Hitchcock presenta*, que durante una década –a partir de 1962 se llamaría *La hora de Alfred Hitchcock*– se emitiría en televisión con capítulos de historias de terror y suspense, presentadas por el propio Hitchcock con un humor a medio camino entre lo elegante y sádico (tercera ocasión en que aparece el adjetivo: ¿tendría razón Hedren?).

UN ESTILO PARA EL FUTURO

Durante los años 60 sigue rodando películas icónicas –como *Los pájaros* (1963)–, pero comenzados los 70 su salud empieza a decaer, vuelve al Reino Unido y en 1976 firma su última obra, *La trama*. En total, realizó 54 películas. En otoño de 1979 le otorgaron el título de *Sir*. Apenas pudo disfrutarlo medio año.

Su forma de concebir el cine creó escuela. Muchos jóvenes realizadores –de entonces, y por supuesto de hoy– lo tomaron como referencia, pese a que en su momento parte de la crítica lo señalase como un «efectista». Sin embargo, pronto su estilo sentó cátedra en el lenguaje cinematográfico. Sabía manejar el suspense mejor que nadie. «Supóngase usted», le dijo a un entrevistador, «que los espectadores han visto, antes de que nos sentásemos, que un terrorista ha colocado una bomba debajo de esta mesa. Mientras hablamos tranquilamente de fútbol, ellos solo estarán pensando cuándo explotará la bomba. El suspense es la sensación que tiene el espectador de que está en posesión de una información que el actor desconoce, de que algo va a pasar y está esperando que pase». Se dice con frecuencia que, más que dirigir películas, Hitchcock dirigía a los propios espectadores. Hoy y siempre, es un placer caer en sus manos.

ALMA REVILLE, ALMA DE HITCHCOCK

En la vida adulta de Hitchcock hubo dos constantes: el cine y su mujer, Alma Reville (en la imagen). Se conocieron en 1919, se casaron en 1926 y compartieron un matrimonio bastante feliz, para los estándares de Hollywood. Solo la muerte los separó. Ella era montadora, pero con su marido efectuaba varias tareas, desde retocar los guiones, dar el visto bueno en el casting o revisar la continuidad. Era brillante en lo que hacía y se complementaba muy bien a su marido, muy narcisista, mientras que ella no tenía complejos en ocupar un segundo plano.

Walt Disney

Fabricante de sueños para los niños

Admirado y controvertido, los niños de medio mundo –o del mundo entero– no nos perdonarían obviar en esta selección la figura de Walt Disney (1901-1966). Como dibujante y empresario, su empuje llevó a la industria animada a nuevas cotas técnicas y artísticas. Su talento, incuestionable, hizo posible que la fantasía de los dibujos animados entrase de lleno en el día a día de las familias. Si dicen que el siglo xx comenzó en realidad con la Primera Guerra Mundial, para los pequeños lo hizo cuando se estrenó *Blancanieves* en 1937.

UN DIBUJANTE HUMILDE

Pese a que tanto el nacimiento de Walter Elias Disney, como su muerte, están rodeados de teorías y especulaciones bastante, cómo no, fantasiosas –desde que nació en el almeriense pueblo de Mojácar, o que su cuerpo se conserva congelado para revivirlo en el futuro– aquí solo damos pábulo a aquello contrastado: que nació en Chicago en 1901 y murió 65 años después, en Burbank, California, donde fue incinerado. La imaginación la dejamos para su obra.

A un hombre tan ligado a los valores del «sueño americano» se le conocen unos inicios humildes. Su padre era granjero, y en terrenos de Illinois y Misuri pasó buena parte de su feliz infancia, hasta que una enfermedad del padre lo llevó a empezar a trabajar: como mandan los cánones, vendiendo periódicos. Pudo compatibilizar trabajo y estudios y se matriculó en el Instituto de Arte de Chicago; su pasión por el dibujo ya se manifestaba, junto con otra que también lo acompañaría siempre: los trenes.

En aquella adolescencia, que hoy imaginamos en blanco y negro, pero que para el joven dibujante Walt tuvo que ser muy colorida, conoció el cine, del que pronto se enamoró. Pero el siglo xx comenzaba su sinuoso curso y la Primera Guerra Mundial explotó cuando Disney contaba con 13 años. De carácter muy patriótico –como se deslizaría en su obra posterior–, cuando el conflicto terminaba falseó su partida de nacimiento para, al menos, poder servir como conductor de ambulancias. Y lo enviaron a Europa, aunque el armisticio llegó antes. Regresó en 1919, con una idea clara: triunfar como dibujante.

ARTISTA Y EMPRENDEDOR

Su carácter inquieto e innovador se plasmó en diferentes empresas, más o menos afortunadas,

DISNEY Y DALÍ, DOS GENIOS Y UN DESTINO

Compañeros de generación –y aún más importante, vecinos en este mismo libro–, Walt Disney y Salvador Dalí entablaron una amistad que duró decenios. Dos personalidades radicalmente distintas, pero complementarias a su manera. Ambos eran unos entusiastas de ese tipo de arte que daba dinero, sin complejos. Hacia 1945, unieron sus vívidas imaginaciones para trabajar en una producción animada llamada *Destino*, con indudable toque surrealista. Quedó inconclusa, pero se completó cuando ambos habían muerto, en 2003.

Salvador Dalí y Walt Disney en España, 1957.

Izquierda: Mickey Mouse en Steamboat Willie. *Derecha: Fotograma de* Blancanieves y los siete enanitos.

hasta que en octubre de 1923 (¡con solo 21 años!) funda junto con su hermano Roy la Disney Brothers Cartoon Studio, ya en el corazón de la industria, Hollywood. Recibieron una serie de encargos de distribuidoras, pero el proyecto realmente se animó –sirva el requiebro– a partir de 1928, cuando Walt Disney y su amigo y socio en empresas precedentes, Ub Iwerks, crean al ratón Mickey Mouse. Su primera aparición, totalmente muda, fue en el corto *Plane Crazy* (mayo de 1928), pero no obtuvo distribuidor. Sí lo hizo *Steamboat Willie* (noviembre de 1928), ya con sonido sincronizado, y ahí el éxito fue rotundo e inmediato. Su voz, por cierto, la puso –y durante mucho tiempo–, el propio Disney. Con Iwerks al mando de la ilustración, Walt pudo dejar de trabajar como animador para dedicarse a lo que más lo divertía: la creación de personajes y argumentos y la dirección.

Como podemos intuir, su talento como empresario igualaba o incluso superaba el artístico. En 1929, autorizó que varias compañías reprodujeran en sus productos la imagen de Mickey Mouse, al que incorporaron guantes y zapatos blancos para que sus manos y pies se mantuvieran visibles sobre fondos oscuros: hoy, cualquier niño tiene ropa u objetos con licencias de Disney. El éxito del ratón Mickey, lejos de contentar a la empresa, fue el brillantes punto de partida para seguir creando. Las *Silly Symphonies* (1932) fueron uno de los emblemas de la marca. Realizados en su mayoría en technicolor, supusieron una innovación en el uso expresivo del color. En noviembre de aquel año, el estudio Disney se convirtió en el primero que tuvo su propia escuela de dibujantes y animadores.

UNA RENOVACIÓN CONTINUA

Nada de lo anterior era suficiente para la voracidad de Disney. Así, en 1934, comenzó a perfilar la idea de un nuevo buque insignia: una película para cine, totalmente animada. Lo que hoy nos parece elemental, entonces se consideró –literalmente– la «locura de Disney». Y, en efecto, fue una bendita locura. A finales de 1937 se estrenó *Blancanieves y los siete enanitos*, cuyo éxito fue inigualable. Su coste sextuplicó lo presupuestado, pero la recaudación posterior fue una de las mayores de toda la historia del cine, y aportó novedades técnicas como la cámara multiplano, para simular profundidad. Desde entonces, las películas animadas de Disney se han sucedido, con el éxito casi siempre asegurado.

Durante la Segunda Guerra Mundial, Disney prestó sus estudios para películas de propaganda, lo cual le ganó el favor del Gobierno. Disney llegó a colaborar estrechamente con el FBI, comprometiéndose a denunciar todo tipo de actividades «antinorteamericanas». Sus enfrentamientos con los sindicatos fueron sonados. En 1955 se materializó otro de los sueños del Disney empresario: la apertura del parque de atracciones Disneyland, cerca de Los Ángeles. Supuso toda una renovación en los parques temáticos; más grande, mejor, más espectacular. Otro proyecto faraónico que ha subsistido, y que se ha multiplicado, gracias a su capacidad de conexión con los niños.

Hasta su muerte, Walt Disney ganó 26 premios Oscar, cuatro de ellos honoríficos, más de los que haya conseguido nadie. Sus estudios se han convertido en la compañía de medios de comunicación y entretenimiento más grande del mundo.

Salvador Dalí

Surrealismo hecho materia

Pocos artistas más cuerdos que Salvador Dalí (1904-1989), que vivió de sacar a la luz, conscientemente, lo que habitaba en su mundo onírico. Fue estandarte del surrealismo, a pesar de André Bréton, su ideólogo, que en un principió lo adoró para luego hartarse de sus ideas políticas, católicas y su amor por el dinero. Dalí, en cualquier caso, se convirtió en un pintor único, con una personalidad –dentro y fuera de los lienzos– absolutamente reconocible. Su dominio técnico era absoluto y dio pie a movimientos como el hiperrealismo o el pop-art.

LAS AMISTADES DE DALÍ

La infancia de Dalí se explica por un acto más surrealista que el surrealismo. Poco antes de nacer había muerto un hermano también llamado Salvador, de apenas dos años. Cuando contaba cinco años, sus padres lo llevaron a ver su tumba, donde le dijeron que él era su reencarnación. Hay cosas que te marcan para siempre.

De manera autodidacta, se interesó por los impresionistas y por el cubismo de Picasso. Comenzó su formación artística en Figueras, y en 1922 entró en la Academia de Bellas Artes de San Fernando de Madrid, donde estudió hasta su –estrambótica, pero injusta– expulsión. En cualquier caso, en la efervescente Residencia de Estudiantes, hizo amistades como las de Luis Buñuel y Federico García Lorca. Con el primero llevó a cabo el cortometraje *Un perro andaluz* (1929), aunque se distanciaron pronto; para Lorca preparó el diseño del escenario de *Mariana Pineda*, primera representación teatral de Lorca. El granadino le dedicó unos versos titulados *Oda a Salvador Dalí* como muestra de su amistad y de sus veranos juntos en Cadaqués, en la residencia veraniega de la familia Dalí.

UN SURREALISTA POLÉMICO

Dalí viaja a París, epicentro del arte, en 1927. Allí contacta con Picasso y Miró, y gracias a este último entra en el grupo de los surrealistas, comandado por André

VISITANDO AL GENIO

En su testamento, Salvador Dalí dejó todo su patrimonio artístico al Estado español, «heredero universal y libre de todos sus bienes, derechos y creaciones artísticas». La Fundación Gala-Salvador Dalí es la encargada de la promoción de su obra, que se repartió básicamente entre el Museo Reina Sofía de Madrid y el Teatro-Museo Dalí de Figueras, donde nació. Este se inauguró en 1974, y en la actualidad es el tercer museo más visitado en España, con más de un millón de visitantes anuales. Era un teatro neoclásico de 1849, destruido por el fuego durante la Guerra Civil Española, reconstruido a instancias de Dalí y del gobierno español de la época. La tumba del genio catalán se encuentra en su cripta.

Página izquierda: Sueño causado por el vuelo de una abeja alrededor de una granada un segundo antes del despertar *(1944). Óleo, Museo Nacional Thyssen-Bornemisza, Madrid, España.*

Derecha: El sueño *(1937). Óleo sobre tela, 50 x 77 cm, colección particular.*

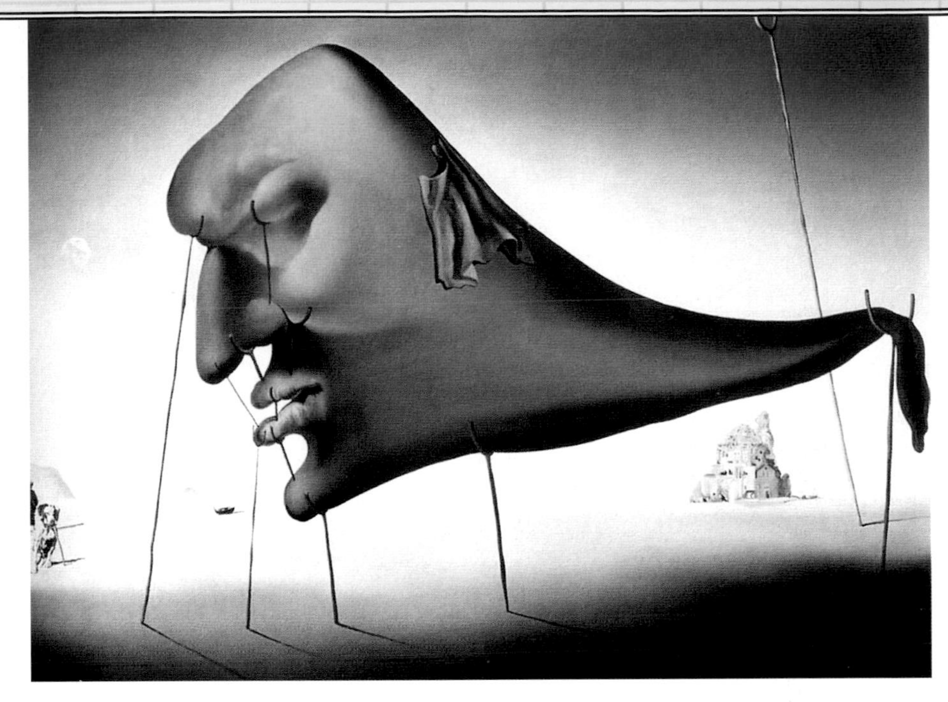

Breton. Años después, en 1934, lo expulsará por varias razones. Entre ellas, su desmesurado gusto por el dinero, razón por lo que con su nombre compone un anagrama dedicado a su persona: *Avida dolars*. Lejos de enfadarse, Dalí lo encuentra gracioso. Lo quisieran o no, el genio español contribuyó a relanzar el movimiento.

Como surrealista, Dalí desarrolló su personal «método paranoico-crítico», un medio para que sus cuadros fuesen, finalmente, «sueños pintados». Influido por Freud –al que llegó a conocer– y su interpretación de los sueños, toda imagen podía ser sometida a dobles lecturas. El catalán sostenía que su método se basaba en «la asociación interpretativo-crítica de los fenómenos delirantes». Dalí crearía todo un universo de símbolos y de obsesiones fantasiosas y eróticas, que sin embargo ejecutaba con suma perfección bajo un estilo realista.

Así, pintó telas como *El gran masturbador* (1929), *La persistencia de la memoria* (1931) o *Sueño causado por el vuelo de una abeja alrededor de una granada un segundo antes del despertar* (1944), y tantas otras que inundan los mejores museos del mundo. También en 1929, Dalí se enamoró de la artista rusa Elena Ivánovna Diákonova, más conocida como Gala. Por entonces, era la esposa del poeta Paul Éluard, pero lo dejó por el hombre que la convertiría en su musa, y con quien compartiría una relación apasionada y libre de más de medio siglo; fue, además, su agente artístico. La figura de Gala aparece en diversos cuadros de Dalí como *Leda atómica* (1949) o *La Madonna de Port Lligat* (1950).

Fotografía de recuerdo que Dalí y Lorca se tomaron en el Turó Park de la Guineueta, Barcelona, 1925.

Muy notable es también la aportación de Dalí como productor de objetos sorprendentes. Quizá los más conocidos sean el «teléfono-langosta» y el sofá que replica los labios de la famosa actriz Mae West. Asimismo, hizo campañas publicitarias, fue creador de imágenes y de escaparates y se contó con su figura como simple reclamo publicitario. También se acercó de nuevo al cine, diseñando los decorados de la película *Recuerda* (1945) de Alfred Hitchcock o preparando un proyecto junto con su amigo Walt Disney (ver página 132).

De 1940 a 1948, Dalí y Gala vivieron en Estados Unidos. Ya en 1949 volvieron a España, donde casi siempre permanecieron en Cadaqués, en una pequeña casa de pescadores en Port Lligat, hoy Casa-Museo Salvador Dalí.

Virginia Apgar

Salvó la vida de millones de bebés

En ocasiones, las cosas más sencillas pueden generar el mayor de los bienes. Y, sin embargo, para llegar esa sencillez, hace falta el mayor de los trabajos. Es lo que hay detrás del esfuerzo de Virginia Apgar (1909-1974), anestesista y pediatra estadounidense, creadora del test que lleva su nombre. Una prueba fácil de realizar que ha salvado, o mejorado, la vida de millones de recién nacidos en todo el mundo. Pero, además, su influencia en campos como la anestesiología, la teratología o las vacunas ha resultado determinante.

UN TALENTO DESDE LA CUNA

Sabemos de Virginia Apgar que le gustaba, y mucho, la jardinería. Con su aspecto de abuela adorable, no cuesta imaginarla cuidando de sus plantas tras alcanzar una merecida jubilación. Pero nunca se llegó a retirar: desde la juventud y hasta sus últimos días, sus mayores esfuerzos los dedicó a los recién nacidos de todo el mundo. Su mayor jardín fue el de la infancia. Apgar nació en 1909 en Westfield, Nueva Jersey. Desde sus primeros años en la escuela, Virginia demostró ser una buena estudiante y pronto descubrió su pasión por la ciencia y la medicina. Pero, como mujer curiosa, también encontraba tiempo para practicar distintos deportes, y colaboraba en el periódico de la escuela, actuaba en obras de teatro y tocaba el violín. En 1929 empezó a estudiar Medicina en la Universidad de Columbia. Virginia compartía aula con otras ocho mujeres, de un total de 99 alumnos.

UNA MUJER EN UN MUNDO DE HOMBRES

Pese a su brillantez, Apgar no dejaba de ser una extraña en un sector muy dominado por los hombres. Se licenció en Medicina y, en 1937, acabó su especialización en cirugía en el Hospital Presbiteriano de Nueva York. Entonces su mentor le aconsejó que se dedicara a una rama menos jerarquizada por los hombres. Virginia siguió el consejo y amplió sus estudios hacia la anestesiología. Tras un curso de especialización, volvía al Hospital Presbiteriano como directora de una nueva división de anestesia. Se convertía así en la primera mujer en dirigir un equipo de tal importancia. Esta situación, la de ser «la primera mujer», o la «única mujer», fue una constante en su carrera. Sin embargo, procuró alejarse de todo movimiento feminista que la intentase ganar para su causa; en una ocasión, declaró: que «las mujeres están liberadas desde el momento en que salen del útero».

EL TEST DE APGAR

Comenzó a estudiar la anestesia obstétrica, los efectos que tenía la anestesia en la madre durante el parto de su primer bebé. Como profesora e investigadora, Apgar se percató de que la tasa de mortalidad infantil en Estados Unidos descendió entre 1930 y 1950, pero el número de

UNA CURIOSA SIN FIN

La medicina fue lo más importante para Virgina Apgar, pero como muchos otros genios, su curiosidad iba más allá de su campo. La doctora cultivaba otras aficiones y el hecho de aprender era un placer y una necesidad para ella. Cuando viajaba no se solía olvidar de su violín; lo tocaba a menudo en conciertos de aficionados, y hasta llegó a fabricar un par de violines, una viola y un violonchelo. Disfrutaba de la pesca, de la jardinería, de jugar golf, tomó lecciones de vuelo, y desde el aire quizá vio su cuidado jardín. Todo esto la mantuvo muy activa hasta poco antes de morir. También era un entusiasta coleccionista de sellos. A los 20 años de su muerte, el servicio postal estadounidense le dedicó uno.

bebés que morían durante sus primeras 24 horas se mantenía igual. Y decidió que algo se podía y debía hacer al respecto.

Virginia Apgar (izquierda), hacia 1968, en una de sus actividades de concienciación a mujeres embarazadas. El título del folleto dice «Pórtate bien con tu bebé antes de que nazca».

Hacia 1952, Apgar desarrolló un sistema de puntuación que evaluaba el estado de salud de los recién nacidos. Toma en cuenta su pulso cardíaco, respiración, reflejos, tono muscular y color; nada más nacer se anotan los valores, y se vuelve a evaluar a los cinco minutos; si los valores son bajos, se repetirá la prueba en unos minutos –los detalles de la aplicación del test pueden variar según cada centro hospitalario. Cada uno de los cinco apartados se puntúa del 0 al 10. Si el bebé obtiene una suma de 3 o menos puntos se considera que su estado de salud es «crítico»; si los puntos se sitúan entre 4 y 6 se clasifica como «bastante bajo»; y si la suma es entre 7 y 10 se considera que el estado de salud del bebé es «normal». Durante casi 10 años analizó y clasificó miles de partos a los que asistió para perfeccionar su prueba.

Existe una explicación para todos los padres que lean esto y se sorprendan al descubrir que el test de *Apgar* no viene de un acrónimo, como les habían enseñado. Y es que en 1963, un pediatra norteamericano apellidado Butterfield generó un acrónimo válido en muchos idiomas con las cinco letras del apellido de la doctora: *a*pariencia, *p*ulso, *g*esticulación, *a*ctividad y *r*espiración.

EN FAVOR DE LA SALUD

Además de con su test, Virginia Apgar dejó huella en la salud infantil en otros frentes. Investigó los efectos de la anestesia administrada a las madres durante el parto. Descubrió que la anestesia llamada ciclopropano afectaba para mal la condición general del bebé. Tras publicar su estudio, dejó de usarse esta anestesia en los partos. Posteriormente se asoció con la organización March of Dimes –fundada en 1938 por el presidente Roosevelt para combatir la polio y otras enfermedades infantiles–, y su empuje sirvió para doblar la recaudación y poner el foco sobre los nacimientos prematuros. Viajó por todo Estados Unidos para concienciar sobre los problemas previos al parto y sobre cómo prevenirlos. Se especializó en teratología –la disciplina que estudia las malformaciones congénitas– e impartió clases sobre la materia.

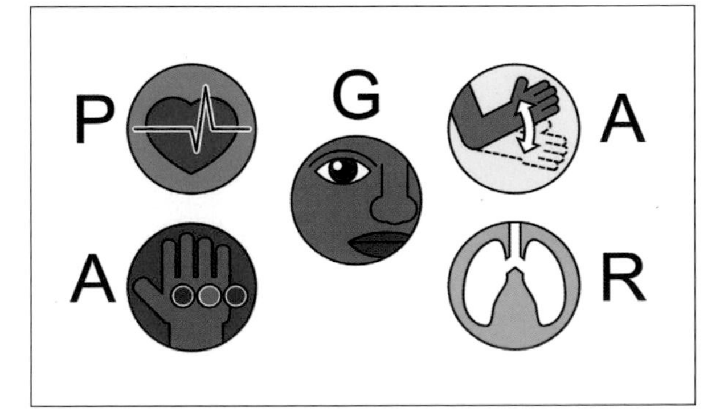

Apariencia, Pulso, Gesticulación, Actividad y Respiración: las cinco pruebas del test de Apgar.

Además, durante la epidemia de rubeola en Estados Unidos. de 1964-1965, promovió la vacunación universal para prevenir la infección de madre a hijo. Durante dicha epidemia se dieron más de 12 millones de casos que provocaron unos 11 000 fallecimientos y cerca de 20 000 casos de síndrome congénito con miles de niños afectados.

En 1974, Virgina Apgar falleció en el mismo Hospital Presbiteriano donde tanto tiempo trabajó. Su legado a la ciencia es amplio, tanto desde el laboratorio como desde las aulas. Instruyó a miles de médicos y dejó una huella perenne en el campo de la atención neonatal: aunque quizá no lo sepan, millones de personas, gracias a ella, no se han quedado por el camino.

Alan Turing

Pionero de la computación

Al principio de la Segunda Guerra Mundial, Winston Churchill dijo aquello de «Nunca tantos debieron tanto a tan pocos», a propósito de la actuación de la RAF. Bien podría haberlo repetido, cambiando el «tan pocos» por «uno», a la hora de alabar el mérito de su compatriota Alan Turing (1912-1954). Pero ese momento nunca llegó. Fundamental para descodificar los mensajes cifrados de los alemanes, este genio de la matemática y de la computación vio silenciada su obra por el secreto de Estado. El mismo Estado que lo condenó por homosexual. La de Turing es una de las historias más fascinantes, y tristes, del convulso siglo XX.

EL CAMINO HACIA LA EXCELENCIA

Alan Turing nació en un barrio acomodado de aquel Londres de 1912, que apenas se daba cuenta de que el siglo xx había comenzado. El *Titanic* se había hundido tres meses antes, el *lampedusiano* Imperio Británico seguía igual para negar que todo estaba a punto de cambiar, y su gran capital aún se creía al margen del mundo, cuando quedaban dos años para que sufriera los primeros bombardeos de su historia durante la Gran Guerra. Con el tiempo, el talento del joven Turing quedaría marcado por ese comienzo. Su talento se utilizaría para hundir grandes barcos, pasaría buena parte de su infancia en la India, en cuya administración colonial trabajaba su padre, y fue uno de los grandes responsables de que muchos de sus compatriotas –o, simplemente, congéneres– dejasen de morir en los campos de batalla de la Segunda Guerra Mundial.

Bien pronto, Alan se descubrió como un pequeño genio de la lectura, de los números y de los rompecabezas. De la misma manera, sus profesores se percataron de su excepcionalidad, pero no siempre le animaron a mostrarla. Se encontró con un sistema educativo rígido, en el que no encajaba su brillantez, lo que lo llevó a sucesivos desencuentros. A los 15 años conoció el trabajo de Albert Einstein, cuyos postulados comprendió y analizó sin poseer aún la formación física y matemática necesaria.

La máquina alemana de cifrado Enigma.

En esa época colegial tuvo lugar uno de los hechos que sus biógrafos consideran más dolorosos, y que lo marcó para siempre: la muerte de su primer amor, un compañero de clase que fomentó –aún más– su pasión por el saber. En una carta a la madre del chico, indicaba que, tras su desaparición, solo le quedaba aplicarse más para honrar su memoria. Quizá fuera este gran golpe uno de los detonantes para su convencido ateísmo.

En el King's College de la Universidad de Cambridge, Turing siguió ofreciendo muestras de su talento. De 1931 a 1934 se llevó varios reconocimientos oficiales por sus trabajos y su pensamiento preclaro, si bien en ocasiones suspendía algunos exámenes de los fundamentos clásicos, que no llamaban su atención. Como tantos superdotados, se aburría en todo aquello que le parecía evidente. Cuando se licenció, viajó a Estados Unidos, a la Universidad de Princeton, para doctorarse en matemáticas y criptología. El célebre matemático húngaro John von Neumann, uno de los más reputados del siglo XX, se percató del talento de aquel joven y quiso que formase parte de su equipo de investigación, pero Turing decidió volver a Cambridge.

SUS MEJORES APORTACIONES

En la década de los años 30, Turing propuso teorías y soluciones a problemas complejos de la matemática y la computación. Baste con notar una de sus creaciones más importantes, la «máquina de Turing». Su importancia en la historia de la computación es doble: primero, la máquina de Turing fue uno de los primeros, o el primer, modelo teórico para las computadoras (1936). Segundo, la máquina de Turing ha servido de base para mucho desarrollo teórico en las ciencias de la computación y en la teoría de la complejidad. Las máquinas de Turing siguen

EL SECRETO DE LA ENIGMA

Bletchley Park (imagen de la página izquierda) es el nombre de la mansión donde se intentaba descifrar los códigos alemanes durante la Segunda Guerra Mundial. Allí recalaban los mejores cerebros matemáticos, en una operación cuyo nombre en clave era «Ultra». Reclutaron a Alan Turing, quien dirigió uno de los grupos de investigación. Su talento único contribuyó a desarrollar el *Bombe* –llamada así en honor del servicio de inteligencia polaco–, la máquina criptográfica que llegó a desentrañar los mensajes en clave de los mandos alemanes. El trabajo de Turing sirvió para descifrar los códigos de las máquinas Enigma y Lorenz. Se estima que esta labor acortó la duración de la Segunda Guerra Mundial de dos a cuatro años. Como sucedió con todos los que trabajaron allí, sus éxitos fueron secretos hasta 1970; no podían hablar de ello con nadie.

Engranajes de la máquina Bombe, *con la que los británicos podían descifrar algunos mensajes codificados alemanes, en Bletchley Park.*

Izquierda: estatua dedicada a Alan Turing en Bletchley Park.

Página derecha: Alan Turing, en una carrera de fondo. Turing llegó a ser un destacado fondista. Confesaba que entrenar era su mejor válvula de escape. Su obstinación y sus condiciones físicas –era enjuto y fibroso– lo llevaron a convertirse en uno de los mejores maratonianos británicos de su época. Intentó ser olímpico en la edición de Londres 1948. En las pruebas de calificación logró el quinto puesto, pero solo había tres plazas.

siendo objeto central de estudio en la teoría de la computación.

En realidad, las máquinas programables ya existían, pero servían solo para una tarea en concreto. Turing pensó en mejorar su rendimiento y diseñó una capaz de realizar varios objetivos. Funcionaba con una cinta de entrada, otra de salida y un procesador, que podía hacer operaciones precisas al seguir un conjunto de instrucciones preestablecidas. Esto es lo que en informática se llama algortimo, una serie de instrucciones lógicas interpretadas por la máquina para obtener un resultado final.

Turing trabajó, pasada la Segunda Guerra Mundial, en diversas ramas de la computación. Por ejemplo, en la cibernética, junto a Norbert Wiener, conocido como fundador de esta disciplina. También diseñó un lenguaje de programación para la primera computadora práctica conocida, la histórica Manchester Mark I. Precisamente, para la sucesora de esta, la Ferranti Mark I, trató de implementar un programa de ajedrez; algo que no pudo llevarse a cabo por la falta de potencia de aquella máquina pionera, pero que levantó gran expectación.

La inteligencia artificial asomaba gracias a experimentos como el ajedrecístico. El genio londinense propuso un experimento que hoy se conoce como «test de Turing», con la intención de definir una prueba estándar por la que una máquina podría catalogarse con «sensibilidad humana». Precisamente, la prueba más utilizada en la actualidad en Internet para diferenciar a un humano de un robot es el CAPTCHA (*Completely Automated Public Turing test to tell Computers and Humans Apart*, en castellano, «Test de Turing completamente automático y público para diferenciar ordenadores de humanos»), una especie de test de Turing a la inversa.

Los últimos trabajos de Turing, a partir de los años 50, se centraron en la biología matemática.

Una máquina de Turing, considerada un autómata con capacidad de reconocer lenguajes formales y de resolver cualquier problema matemático expresado a través de un algoritmo.

Estudió la secuencia de Fibonacci en las estructuras vegetales, e investigó cómo la matemática podía predecir la formación de patrones en la naturaleza, introduciendo la computación en el campo de la morfogénesis.

APARTADO POR SU HOMOSEXUALIDAD

A principios de los años 50, la vida de Turing comenzó a torcerse. Un intento de robo en su casa lo llevó a reconocer sin ambages su homosexualidad, por entonces penada en el Reino Unido. Un amigo de su amante fue el autor, y tuvo que contar todo para que realizasen el informe. Para evitar la cárcel por su orientación sexual, no le quedó más remedio que recibir un tratamiento hormonal para su castración química y reducción de libido. Tal aberración le provocó daños físicos graves, además de psicológicos. Lo relevaron de su trabajo en los servicios de inteligencia británicos: un clavo más en su ataúd. Una de las razones que se esgrimían es que los homosexuales serían una pieza fácil de cobrar para el espionaje soviético.

Una mañana de junio de 1954, la limpiadora lo encontró muerto; según los análisis, envenenado por cianuro. A su lado se encontró una manzana mordida, aunque no la analizaron. Se determinó un suicidio, pero quizá fuera la tesis más cómoda.

PARDONED

Queen acts on 1952 homosexuality conviction which destroyed life of wartime codebreaking hero Turing

Royal Prerogative that's rarely used

'A great blight on our history'

Alan Turing: His work helped saved countless lives

Página del diario británico Daily Mail, del 24 de diciembre de 2013, en la que se da noticia del «perdón» de la reina Isabel II a la figura de Alan Turing.

En 2009, el Gobierno británico pidió disculpas oficialmente por el trato dispensado a Alan Turing. En 2013, la reina Isabel II le otorgó el indulto. Desde 2017, el Parlamento británico estudia la Ley Alan Turing, una amnistía retrospectiva a todos los que fueron condenados como él. Sería la enésima vez que tantos le debieran tanto a uno solo.

Frida Kahlo

Retratista del dolor

Es difícil, si no imposible, separar la vida de Frida Kahlo (1907-1954) de su pintura. Pero si la mexicana aparece en estas páginas es por la fuerza y el desgarro que coronan sus obras, así como por ser símbolo de rebeldía e insumisión: contra un destino cruel –condicionado por grandes penurias físicas– y contra la supremacía de lo masculino. Su estilo autodidacta se nutrió de las múltiples experiencias de una vida que no se lo puso fácil, pero que exprimió al máximo.

MARCADA A FUEGO

Magdalena Carmen Frida Kahlo Calderón nació y murió en Coyoacán, en la Casa Azul que construyeron sus padres y que, en la actualidad, sirve como museo dedicado a su persona. Su padre, Guillermo, nació como Carl Wilhelm Kahlo en pleno Imperio Alemán, de ahí su apellido y raíces germanas. Pero si a algo o a alguien representa Frida Kahlo es, además de a ella misma, a México, convertida hoy en icono nacional. Si cualquier infancia marca, la de Kahlo –como tantos otros aspectos de su biografía– lo hizo llevado a los límites. Porque es inevitable que lo haga una poliomielitis como la que contrajo en 1913, con apenas seis años de edad. La enfermedad la dejó nueve meses en cama y una secuela para toda la vida: una pierna derecha mucho más delgada que la izquierda. Las consecuencias fueron más allá de la convalecencia, ya que retrasó su incorporación al colegio, que derivó en acoso escolar e incluso en abuso sexual por parte de una profesora. Durante este tiempo, su padre fue su gran apoyo; un hombre creativo y cultivado, fotógrafo de profesión, que la instruyó en las artes, algo que Frida utilizó como trampolín para equilibrar su introspección. Ya con 18 años, la desgracia le ofreció otra de sus caras en forma de accidente de tráfico. El autobús que la llevaba a casa chocó contra un tranvía; varias personas murieron y ella quedó, literalmente, destrozada, entre un amasijo de hierros. Las consecuencias las arrastró durante toda su vida.

UNA VIDA ARTÍSTICA E INTELECTUAL

El accidente la dejó tendida en la cama, sin apenas poder levantarse. Fueron dos años en los que inició su carrera como pintora, si bien nunca la consideró, por entonces, más que un entretenimiento. Colocaron un espejo en el baldaquino de su cama y diseñaron un caballete para que pudiese pintar acostada. Así comenzaron sus autorretratos, su tema más recurrente, con un acusado matiz autobiográfico. Estaba lejos de ser una narcisista: «Me retrato a mí misma porque paso mucho tiempo sola y porque soy el motivo que mejor conozco», afirmó. Cuando se recuperó, al menos para poder valerse por sí misma, recuperó su vida social, en la que empezaba a relacionarse en círculos artísticos, políticos e intelectuales. Fue así como conoció a Diego Rivera, ya por entonces célebre muralista mexicano, miembro del Partido Comunista. Fascinados el uno con el otro, se casaron en 1929, constituyendo uno de los

DIEGO Y FRIDA, KAHLO Y TROTSKY

Uno de los amantes de Frida Kahlo fue León Trotsky. Este estaba sentenciado a muerte por Stalin y buscaba acomodo en algur lugar del mundo. Diego Rivera intermedió para que México le ofreciera asilo, y lo acogió en la Casa Azul, en 1937. Allí, quién sabe si guiada por los celos de Frida –ya sabía de la relación de Rivera con su hermana– o por su encanto intelectual, ambos mantuvieron un romance de dos años. Cuando Rivera se enteró, Trotsky dejó la casa. Meses después, cuando asesinaron a Trotsky, detuvieron a Frida. Pronto se demostró que nada tenía que ver.

Kahlo, fotografiada en 1937 para la revista Vogue.

Frida y Diego Rivera *(1931). Museo de Arte Moderno de San Francisco, Estados Unidos.*

matrimonios más populares del siglo XX, tanto por su valía artística como por su tormentosa relación. Ambos se influenciaron, y Rivera se convirtió en su primer admirador. Kahlo retrató buena parte de su convivencia a través de sus cuadros, plenos de simbolismo. Así, algunos de sus cuadros más importantes reflejan su desgarro por la imposibilidad de tener un hijo –sufrió varios abortos, dado que aquel accidente rompió su cuerpo de tal manera que no podía albergar un feto–; otros, el sufrimiento por las infidelidades de su marido, que llegó a tener un romance con su hermana pequeña.

En la década de 1930, Kahlo fue tomando consciencia de la fuerza de sus obras, y ganó repercusión tanto dentro como fuera de México. Un cambio político en el país los obligó a pasar tres años en Estados Unidos. Los surrealistas se interesaron por sus pinturas y el mismo André Breton promovió que expusiera en Nueva York y París, considerando que ella misma era una surrealista; sin embargo, Kahlo despreció esa etiqueta («Yo nunca he pintado sueños, lo que he representado era mi realidad»), y la experiencia con el grupo le disgustó, calificándolos como «degenerados».

En 1939, Kahlo y Rivera se divorciaron. A las aventuras amorosas de Rivera respondió Kahlo con las suyas, ya fuera con hombres o con mujeres, hasta que decidieron romper su vínculo matrimonial. Pero el real, el de la necesidad y el cariño del uno al otro, no desapareció. Siguieron viviendo juntos y, al poco, en 1940, se casaron por segunda vez. En esta ocasión, con las cosas muy claras, aferrándose a su afinidad intelectual y artística, y dejando fuera su vida sexual.

UN LEGADO ÚNICO

Todo en Kahlo fue absolutamente personal, genuino. Su estética fue más allá de sus pinturas: también será recordada por su icónico entrecejo, que exhibía con orgullo, o por sus largas faldas mexicanas, moños trenzados con cintas de colores y collares y pendientes precolombinos, fruto de la defensa de la identidad que propagaba el nacionalismo revolucionario. Su pintura de aire naíf es metafórica y muestra su sensibilidad exaltada, permeable a los acontecimientos que fueron marcando su existencia. Indagaba en su interior y plasmaba lo que encontraba; muchas veces encontraba sufrimiento, pero en ocasiones, también esperanza. Supo vencer, aunque fuera en batallas pírricas, a la enfermedad, pero nunca ocultó la huella del dolor en su identidad maltrecha.

La gran guerra la perdió –todos lo hacemos– tras varios años sometida a dolores insoportables, restos de aquel naufragio urbano de su adolescencia. Ya en silla de ruedas, amputada, intentó suicidarse en varias ocasiones, pero su relación con Rivera la sostuvo. Hasta que falleció en julio de 1954; sin autopsia, nadie sabe bien cómo. En su diario anotó estas últimas palabras: «Espero alegre la salida y espero no volver jamás».

Henry Ford Hospital *(1932), en el que reconstruye uno de sus abortos en Estados Unidos. 1932. Museo Dolores Olmedo, México.*

Gabriel García Márquez

ESCRITOR REAL Y MÁGICO

Portada de la primera edición de Cien años de soledad.

SI ALGUIEN HA HECHO ALGO POR LATINOAMÉRICA EN EL ÚLTIMO SIGLO, ESE HA SIDO GABRIEL GARCÍA MÁRQUEZ (1927-2014). EL ESCRITOR COLOMBIANO FUE EL TRAMPOLÍN DE LAS LETRAS SUDAMERICANAS HACIA EL MUNDO, LO QUE LE VALIÓ AL CONTINENTE UN RESPETO Y UN ALTAVOZ INIGUALABLE. SUS LIBROS REFLEJAN UN MUNDO PROPIO CON UN LENGUAJE PERSONAL Y CLARIVIDENTE, QUE SURGE DE UNA INFANCIA BAJO LOS INFLUJOS MÁGICOS Y MISTERIOSOS DE SUS ABUELOS. DE ELLO SE HAN BENEFICIADO CIENTOS DE MILLONES DE LECTORES, QUE HAN CAÍDO BAJO EL EMBRUJO DE SUS NARRACIONES.

UNOS ABUELOS IMPRESCINDIBLES

Se dice que un buen escritor ha de ser un gran observador. Si es así, ¿qué observaba Gabriel García Márquez? Quizá, cada vez que se ponía delante de un máquina de escribir –la Smith Corona, por ejemplo, con la que escribió *Cien años de soledad* (1967)–, observaba sus recuerdos de niñez en Aracataca. Allí creció, al cargo de sus abuelos maternos; sus padres se fueron a trabajar a Sucre. La abuela Mina era una mujer imaginativa y supersticiosa, que mezclaba realidad y fantasía en sus relatos cotidianos. Su abuelo Nicolás era un coronel liberal, un hombre cultivado, que le transmitió la pasión por las letras y la narración. También el hombre que mató a otro en un duelo y le enseñó «lo que pesaba un muerto», en la conciencia. Ambos, admitió, fueron sus mayores influencias literarias.

En su juventud, ya en Sucre, Gabriel estudió en un colegio jesuita, donde publicó sus primeros poemas. En 1947, ingresó en la Universidad Nacional de Colombia, en Bogotá, para estudiar Derecho, a fin de complacer a sus padres. Nunca terminó la carrera, ya que pronto el periodismo le sedujo; y viceversa.

TAN PERIODISTA COMO ESCRITOR

Muchos años después, en su discurso frente al pelotón de académicos suecos, el escritor Gabriel García Márquez había de reconocer que hallaba en algunos creadores estadounidenses nuevas fórmulas expresivas, sobre todo en William Faulkner. A la par que

MACONDO, TIERRA DE NADIE, O DE TODOS

El universal pueblo de Macondo aparece en novelas como *La hojarasca*, *El general no tiene quien le escriba*, *La mala hora* o *Cien años de soledad*. En su autobiografía, García Márquez señala que ese era el nombre de una finca bananera cercana a Aracataca. Simplemente, le llamó la atención cómo sonaba. Cercana al mar Caribe, la Aracataca real tiene problemas de liquidez. En 2005, se convocó un referéndum para cambiar el nombre de la ciudad para cambiarlo por el de Macondo, y animar el turismo. Como en la buena literatura, el final no es complaciente (o sí). Votaron que no.

Izquierda: junto a Fidel Castro, en La Habana. Derecha: junto a su mujer, Mercedes Barcha, seleccionando la portada de Crónica de una muerte anunciada.

trabajaba como periodista para el diario *El Heraldo*, de Barranquilla –donde contrajo matrimonio con su primer amor adolescente, Mercedes Barcha, compañera para siempre– publicó su primera novela, *La hojarasca* (1955), en la que se vislumbraba el nacimiento de su estilo. Posteriormente trabajó para *El Espectador*, donde comenzó como columnista de cine, afición que siempre lo acompañó.

Hasta 1965 iba malviviendo del periodismo, con continuos cambios de residencia y viajes. Ese año algo le incita a parar, encerrarse en su casa de Ciudad de México y escribir, durante año y medio, la citada *Cien años de soledad*. En ese «algo» estaba el legado de sus abuelos en Aracataca: historias míticas, pestes de insomnio, diluvios, fertilidad sobrehumana, levitaciones... Todo en Macondo, aquel pueblo que amagaba con ser Aracataca, pero que ya era otra cosa: el hogar del llamado «realismo mágico». El éxito de la novela fue rotundo –la segunda más importante en castellano tras el *Quijote*, en boca de Pablo Neruda y otros–, y alzó a García Márquez a la primera línea del *boom* de la literatura hispanoamericana, un barco en el que también navegaban otros como Cortázar, Borges, Vargas Llosa, Benedetti, Carpentier, Fuentes o Rulfo, entre otros.

En su constante peregrinar por el mundo –la dictadura colombiana lo perseguía por sus ideas izquierdistas– vivió en Nueva York, París, Barcelona, La Habana o la mencionada Ciudad de México, donde le notificaron, una madrugada de 1982, que había ganado el Nobel. Frente a los sabios nórdicos, y con atención del mundo, leyó el discurso «La soledad de América Latina», en el que trató de romper los clichés paternalistas y condescendientes de Europa hacia Latinoamérica, para que la trataran como adulta, y en la que responsabilizaba a sus escritores de comprometerse con la realidad social.

Siguió escribiendo obras maestras, como *El amor en los tiempos del cólera* (1985), impecable literatura de no ficción como *Noticia de un secuestro* (1996), con el narcotráfico de fondo, o sus impagables memorias, *Vivir para contarla* (2002). Murió en 2014 y su influencia no ha hecho más que comenzar. El mejor homenaje que podemos hacer a Gabo –como se le conocía– no es explicarlo, sino ir enseguida a (re)leerlo.

Andy Warhol

El artista mediático moderno

Si alguien avanzó los tiempos en que vivimos, ese fue Andy Warhol (1928-1987). El adalid del pop art supo ver como ningún otro el poder creciente de los medios y los manejó a su antojo para conseguir una de sus metas: ser famoso. Pero, sobre todo, fue un genio por su capacidad para elevar a arte no ya lo cotidiano, sino los productos de consumo, ya fueran objetos o personas. Lo consideran el artista norteamericano más influyente de la segunda mitad del siglo XX.

WARHOL Y LA FAMA

Todos conocemos aquella frase de Warhol: «En el futuro todo el mundo será famoso durante 15 minutos». Él no era «todo el mundo», por lo que se sigue y seguirá hablando de él, posiblemente durante siglos. Sin embargo, el futuro ya llegó, o algo que se le parece: la televisión basura y las redes sociales posibilitan que cualquiera consiga cierto foco mediático con tan solo proponérselo. Warhol bien podría reírse de la pléyade de *influencers* y *tuiteros* que nos asolan. Podría mirarlos por encima del hombro. Él quería ser famoso y lo fue, pero, además, su talento era genuino.

Nació en Pittsburgh en 1928, tercer hijo de un matrimonio eslovaco de emigrantes en Estados Unidos. Al igual que Frida Kahlo (ver página 142) tuvo que pasar buena parte de su infancia postrado en una cama al sufrir una enfermedad infecciosa del sistema nervioso (el *baile de San Vito*), lo que le alejó de la escuela, señalado cruelmente por sus compañeros, refugiándose en su madre y en los medios de comunicación, que lo entretenían en el refugio en que se convirtió el hogar. Como en el caso de la mexicana –también hija de un inmigrante europeo– esto condicionó sobremanera su carácter.

Decidió estudiar Arte comercial en 1945, y pronto llegó a ser un ilustrador de éxito con un sitio en la publicidad. Por supuesto, ese hueco se lo ganó en la ciudad de Nueva York, a la que quedaría unido durante el resto de su vida. Solo Los Angeles, tan pop y comercial como Manhattan, podría rivalizar en su aprecio. Así, durante la década de 1950 realiza dibujos para todo tipo de compañías, en especial de zapatos y para la industria musical, entonces en pleno auge de venta de discos. Para 1960 ya tenía un pie puesto en la publicidad y otro en el arte, algo que *de facto* hacían otros colegas, pero que intentaban ocultar; un artista «puro» no debería mancharse con asuntos comerciales o, al menos, no debería pregonarlo. Y ahí es donde Warhol rompió los moldes.

A principios de esa década, el pop art ya se hacía un hueco en el mundillo del arte. Las primeras exposiciones de la corriente tuvieron lugar en 1962, y Warhol realiza la suya ese mismo año, en Nueva York, donde presenta sus ya célebres *Latas de sopa Campbell* o el *Díptico de Marilyn*. Son imágenes potentes que encierran todo lo que quiere ser el pop art: la celebración de la cultura popular, elevada a arte, la celebración del consumismo sin complejos. O todo lo contrario, según se interprete. Por eso es arte. Desde entonces, utilizó todo tipo de imágenes habituales, de consumo, o propias de la cultura estadounidense para

UNA VIDA SALVADA *IN EXTREMIS*

En junio de 1968, Andy Warhol sufrió un atentado, del que salió vivo, pero no indemne. Una activista feminista, Valerie Solanas, visiblemente perturbada, lo quiso asesinar «dedicándole» tres disparos con pistola, de los cuales acertó dos. Aducía que Warhol le había robado el guion de un obra teatral, que le había entregado tiempo atrás. Solanas fue encerrada en un psiquiátrico. Para alguien tan amante de los medios, Warhol tuvo la «mala suerte» de que aquel incidente fuera «enterrado» por el asesinato, dos días después, de Robert F. Kennedy. Al poco tiempo, no dudó en hacerse una serie de retratos con el fotógrafo Richard Avedon, mostrando sus cicatrices. Las más duras fueron por dentro, ya que siempre arrastró secuelas.

Latas de sopa Campbell *(1962). Museo de Arte Moderno de Nueva York, Estados Unidos.*

serigrafiarlas: desde imágenes de los periódicos, del cine, de la televisión, a un silla eléctrica. El consumo y los medios igualaban a todos como en ninguna época de la historia, y Warhol lo celebraba: «Lo que es genial de este país es que ha iniciado una tradición en la que los consumidores más ricos compran esencialmente las mismas cosas que los más pobres».

ANDY WARHOL, UN ARTISTA TOTAL

Pronto la pintura se le quedó pequeña y se pasó al cine, con algunas producciones muy novedosas en lo técnico, al igual que realmente inclasificables, como (no es una errata) *Batman Drácula*. Sus contactos en el sector discográfico lo llevaron a producir el primer disco de The Velvet Underground, liderada por Lou Reed y, por supuesto, a diseñar su portada. Algo que repetiría –el diseño– con artistas tan ilustres como los Rolling Stones, John Cale, Diana Ross o John Lennon. El mundo editorial tampoco le resultó ajeno, y fundó la revista *Interview*, dedicada al mundo de la moda, en la que lanzó a varios artistas a los que patrocinaba y que se ha publicado hasta 2018. A Warhol, como «creyente» del consumismo, le encantaba hacer dinero: «Hacer dinero es arte, y el trabajo es arte, y un buen negocio es el mejor arte», afirmó.

Retrato de Muhammad Ali (1978). Colección particular.

Tan extremo y tan contradictorio: Warhol era un creyente practicante del rito bizantino de la Iglesia católica bizantina rutena, de los de misa los domingos, cuando no a diario. Murió una madrugada del 22 de febrero de 1987 y fue enterrado en el cementerio de esa creencia religiosa, en Pittsburgh. Alguno de sus seguidores dejó caer en la tumba un ejemplar de su revista *Interview* y un perfume de marca, a medida de alguien que se definía como «muy superficial» pero que dejó huella. No lejos de allí queda su museo, el más grande de Estados Unidos dedicado a una sola persona.

Norman Foster

El arquitecto de la elegancia

La influencia que Norman Foster (1935) ha ejercido en la arquitectura se extiende ya durante dos siglos. A caballo entre el XX y el XXI, este arquitecto británico ha dejado su firma en el perfil de las más importantes ciudades del mundo. Su carrera está repleta de edificios sorprendentes, espectaculares y elegantes, que utilizan lo mejor de las nuevas tecnologías. Nuestros ojos modernos viven mejor gracias a su talento, conocimiento y atrevimiento.

EL PESO DE SER FOSTER

Dice Norman Foster que el primer dibujo que recuerda haber hecho, muy de niño, es el de un avión. Un avión propulsado por el impulso de unas kilométricas tiras de goma, y desde el cual hoy podría ver desde el cielo la magnitud de sus obras. Foster ama la aviación –de hecho, es piloto– y pudo haber sido su profesión. Eso lo dice en el documental *¿Cuánto pesa su edificio, señor Foster?*, fundamental para conocer al hombre, más que al nombre. Una pequeña película en la que se ofrecen pistas biográficas, entrelazadas con los porqués de su trabajo y su pensamiento, con su intimidad y vida familiar. Su mismo título refleja una pregunta que le formuló el arquitecto Buckminster Fuller; ignoraba la respuesta, pero al día siguiente ya la conocía: pesaba demasiado. Aquella pregunta y su respuesta cambiaron la carrera de Foster, y con ella la de nuestro paisaje arquitectónico.

Sobre sus primeros pasos en la vida, nos conformaremos con apuntar que nació en las afueras de Mánchester, vivió en una casa barata del siglo XIX, en una familia humilde, tanto que sus padres tenían que pedir ayuda para cuidarlo, ya que sus obligaciones laborales los sobrepasaban. Su capacidad como estudiante siempre fue alta, pero era retraído y amaba los libros, lo cual le suponía verse apartado por los niños de su edad. Con el tiempo, logró matricularse en Arquitectura en la Universidad de Mánchester, pero, sin recursos ni becas, tuvo que compatibilizarlo con trabajos como heladero, portero de discoteca o panadero. Esa ascensión a la cumbre desde lo más bajo ha inspirado a muchos jóvenes arquitectos. En 1961 se graduó y, esta vez sí, consiguió una beca, que lo condujo hasta la Escuela de Arquitectura de Yale, en Estados Unidos.

ALTA TECNOLOGÍA ARQUITECTÓNICA

Lo mejor de esos lugares tan selectos es que reúnen a talentos singulares que, asociados, pueden multiplicar su impacto. Es lo que le sucedió a Foster, quien una vez allí se encontró con su compatriota Richard Rogers –a la postre, otro genio arquitectónico– con quien abrió el estudio Team 4, junto con sus compañeras Wendy Cheesman y Su Brumwell. Aunque solo duró cuatro años (1963-1967), sus diseños atrevidos y con un uso muy funcional de las nuevas tecnologías les proporcionaron suficiente

UN ARQUITECTO EN PLENA FORMA

Norman Foster ya es octogenario, pero sigue trabajando como nunca. En medio mundo se disputan sus servicios. Su estudio y su fundación –desligados entre sí, el primero tiene ánimo de lucro, la segunda no– se traen entre manos proyectos tan importantes como la ampliación del Museo del Prado de Madrid, el Nuevo Aeropuerto Internacional de Ciudad de México, el South Quay Plaza en Londres, o una serie de escuelas por toda Nigeria. Excepcionalmente en forma, practica el ciclismo y el esquí de fondo.

Torre Cepsa, en Madrid.

Cúpula del Reichstag, en Berlín. Reconstrucción de un símbolo para la Alemania reunificada, destruido durante la Segunda Guerra Mundial.

fama internacional. Tras la ruptura profesional, llegó la unión personal; Foster se casó con Cheesman, y Rogers con Brumwell.

En los años sucesivos, los grandes proyectos para Foster Associates fueron cayendo por su peso. El primero de grandes proporciones fue el edificio Willis Faber, de 1970, en Ipswich. Foster y Cheesman se especializaron, por entonces, en levantar edificios de oficinas de empresas atraídas por su estilo *high-tech*, lugares de trabajo amplios, flexibles y obviando en lo posible las divisiones jerárquicas. Muy importantes fueron las oficinas para HSBC en Hong Kong, sin las cuales, según ha afirmado el propios Foster, hubiera tenido que cerrar su estudio.

Los posteriores trabajos que Foster ha afrontado –su mujer falleció en 1989–, han sido de lo más variado. Destacan la cúpula del Reichstag en Berlín, el Aeropuerto Internacional de Hong Kong, la Torre Commerzbank en Fráncfort, el Ayuntamiento de Londres, el viaducto de Millau –el puente más alto del mundo–, la torre de comunicaciones de Collserola o las oficinas de Apple en Cupertino, California.

UN CREADOR CONSCIENTE

Foster siempre se ha comprometido con el medio ambiente, la sostenibilidad y la eficiencia, a través de la tecnología y la economía de medios. Curioso como ninguno, admite vivir «escaneando lo que ve a su alrededor», para preguntarse cómo funciona y cómo está fabricado. Y cómo repercutirlo para construir de una forma más limpia y barata.

Su prestigio actual es inmenso, y son muchos los que lo consideran el más grande arquitecto vivo. Ha obtenido los mayores premios y reconocimientos, desde el premio Mies van der Rohe al Pritzker, y recibió un título nobiliario de manos de la reina Isabel II. Casado en segundas nupcias con la editora española Elena Ochoa, tiene en Madrid su Fundación Norman Foster, en la que prepara nuevos proyectos en países desfavorecidos con jóvenes arquitectos a los que forma, otra de sus pasiones. «Para mí la arquitectura es una misión más que un trabajo», afirma. Y es fácil creerlo.

Panorama del Ayuntamiento de Londres.

Stephen Hawking

La luz sobre los agujeros negros

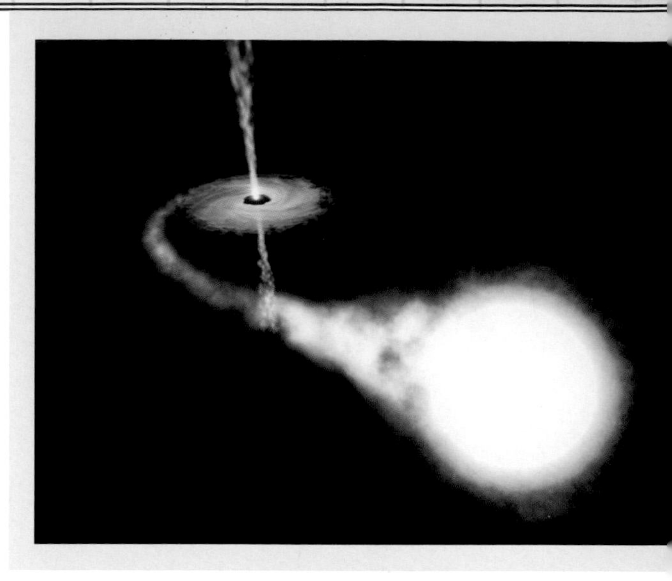

A menudo, la física se adentra en caminos necesariamente complicados, que nos dejan orillados al común de los mortales. Pero, muy de cuando en cuando, aparecen científicos como Stephen Hawking (1942-2018), capaces de reengancharnos y suplir con su capacidad nuestras limitaciones. La divulgación fue uno de los grandes fuertes de este británico que aportó teorías muy sólidas sobre el origen del universo y se asomó –virtualmente– más que nadie al interior de los agujeros negros. Si Einstein fue el rostro de la ciencia durante la primera mitad del siglo xx, Hawking se convirtió en su heredero más universal.

UNA VIDA ASOCIADA AL RIESGO

La biografía de Stephen Hawking no se explica sin su firme resistencia a la esclerosis lateral amiotrófica (ELA). Pero antes, tanto él como su familia sortearon otro posible desastre; Stephen nació en Oxford en 1942, durante la Segunda Guerra Mundial. Allí se había mudado su familia desde Londres, de donde eran originarios, después de que, meses antes, uno de aquellos cohetes V2 alemanes explotase a pocos metros de la residencia familiar. El rey de los agujeros negros se salvó por poco de morir –o no llegar a nacer– debido a otro tipo de agujero, causado por el talento de otro físico como Wernher von Braun, diseñador de esas bombas.

El joven Hawking estudió Física en el University College de Oxford; si bien en varias ocasiones demostró allí su brillantez (y quizá precisamente por eso), la vida universitaria se le hizo aburrida. Se doctoró en Cambridge, con trabajos sobre cosmología y la teoría general de la relatividad.

LOS AGUJEROS NEGROS Y LA RADIACIÓN

Desde entonces, enfocó la mayoría de sus investigaciones hacia el qué y el porqué de los agujeros negros –si

UNA BREVE (O LARGA) HISTORIA DE SUPERACIÓN

En 1963, mientras patinaba, Stephen Hawking cayó y no pudo levantarse: su cuerpo no respondía bien a los mandatos de su mente. Al poco, le diagnosticaron una enfermedad degenerativa neuromuscular; los médicos le anunciaron que su esperanza de vida no iba más allá de dos años. Falleció 55 años después, siendo el enfermo de ELA que más tiempo ha sobrevivido. Consiguió llevar una vida «casi» normal, tanto como para casarse dos veces –y divorciarse otras tantas– y tener tres hijos. La enfermedad le fue afectando cada vez más, y solo podía mover algunas partes de su rostro. Con la lectura de sus mejillas, un ordenador interpretaba frases que ejecutaba un sintetizador de voz; Hawking le tomó tanto cariño a ese tono algo robótico que nunca lo quiso cambiar, pese a los avances. El impulso de su mente privilegiada fue sin duda mayor que la gravedad de su dolencia; su sentido del humor, su mejor colchón. Él nos enseñó que se podía escapar de un agujero negro; y, también, de un destino oscuro.

Página izquierda: simulación por ordenador de la apariencia de un agujero negro.

Derecha: Stephen Hawking supuso un ejemplo de superación de una enfermedad degenerativa. Pudo utilizar su fama para llegar a lugares insospechados en alguien con su condición. Un ejemplo es este vuelo en el que experimentó la ingravidez, en 2007, en un avión Boeing 727 de la NASA.

bien el término se acuñó en 1969, hasta entonces se denominaban «estrellas en colapso gravitatorio completo». Como todos hemos escuchado alguna vez, estos «cuerpos» contienen tanta masa que ni la luz –que se «traga», de ahí lo de «negro»– puede escapar, abriendo la puerta a especulaciones sobre lo que pasaría con el tiempo. Estos ya se deducían de la teoría de la relatividad general de Einstein, y diversos científicos –entre ellos, Robert Oppenheimer, uno de los «padres» de la bomba atómica– se habían acercado a su funcionamiento. Junto a su colega Roger Penrose, Hawking arrojó luz sobre la naturaleza de los agujeros negros, armonizando la relatividad general y la mecánica cuántica. Esto último sigue siendo hoy uno de los grandes retos de la física: encajar las teorías de la creación del universo con los fenómenos subatómicos, lo descomunal con lo imperceptible. Es la llamada astrofísica de partículas.

Así, el británico aportó su teoría más importante, la de la «radiación de Hawking». Según la misma, de los agujeros negros *sí* puede escapar algo; unas pequeñas partículas –por definirlas aquí de algún modo– que, además, viajan por el cosmos. Emitidas desde dichos cuerpos, podrían ser detectadas desde cualquier otro rincón del universo, planeta Tierra incluido. Esta radiación implicaría pérdida de energía: es decir, que no son eternos, sino que a la larga desaparecerían. La comunidad científica cree que es una propuesta muy sólida, pero esa radiación aún no ha sido detectada. Como le sucedió a Einstein con las ondas gravitacionales, recién descubiertas, el tiempo corre a su favor.

Portada de una de las ediciones de Breve historia del tiempo.

UN DIVULGADOR EXCEPCIONAL

El trabajo como físico teórico de Hawking excede un intento de explicación en estos párrafos. Pero él sí sabía explicarse muy bien con más tiempo, y espacio, a su disposición. Hawking fue un excelente divulgador, pese a –o gracias a, o independientemente de– sus dificultades motoras. En 1988 publicó *Breve historia del tiempo: del Big Bang a los agujeros negros*, uno de los libros científicos más vendidos de todos los tiempos. A este le han acompañado otros títulos, en los que siempre trata de presentar al lector lego en la materia los conceptos de la manera más asequible sin renunciar a la excelencia científica. Fue un conferenciante infatigable, que se recorrió el mundo sobre su silla de ruedas. Era un firme partidario de que el ciudadano medio obtuviese los conocimientos mínimos para que los grandes temas de la física –que no han hecho más que empezar, y que nos afectarán a todos– no le fueran ajenos, de tal manera que no todo quedase en manos de los expertos. Son muchos los que han recogido sus esfuerzos.

Steve Jobs

EL GURÚ DE LOS NUEVOS TIEMPOS

El Apple II (1977), una máquina con monitor a color y disqueteras y teclado integrados. Podía satisfacer tanto a profesionales informáticos como al nuevo usuario doméstico.

LLEGADOS A ESTE PUNTO, ES HORA DE HABLAR DE STEVE JOBS (1955-2011), QUIZÁ LA PERSONA MÁS INFLUYENTE Y/O ADMIRADA DEL ESTALLIDO INFORMÁTICO Y TECNOLÓGICO QUE HA ACOMPAÑADO AL CAMBIO DE MILENIO. CON UNA BIOGRAFÍA QUE NOS REMITE AL MITO DEL AVE FÉNIX, JOBS SEDUJO AL PLANETA CON SUS AVANCES VISIONARIOS, NO SOLO PROGRESISTAS EN LO FUNCIONAL, SINO POSEEDORES DE UN DISEÑO QUE LOS HACE OBJETO DE DESEO. SU APUESTA POR LOS ORDENADORES PERSONALES, PRIMERO, Y POR LA TECNOLOGÍA MÓVIL, DESPUÉS, HA CONDICIONADO LA VIDA DE MILES DE MILLONES DE PERSONAS.

UN TALENTO DE IDEAS CLARAS

Hoy, la misma figura de Jobs está mitificada. A ello contribuyó su muerte prematura por enfermedad en 2011, que dejó a sus seguidores con la sensación de que esa vida truncada los dejó sin nuevas ideas que nadie se hubiera atrevido a imaginar y a plasmar.

Jobs nació en San Francisco, fruto de la relación entre dos jóvenes estudiantes, una norteamericana de origen centroeuropeo y un estudiante sirio. Como no podían mantenerlo, lo dieron en adopción a la familia Jobs, quienes pronto se mudaron a la zona de Palo Alto, epicentro tecnológico mundial. Algo que pudo ser clave para forjar las preferencias del joven Steve, quien desde joven quedó fascinado por los nuevos computadores. Se matriculó en la Universidad de Portland, aunque debido a la escasez de dinero se retiró a los seis meses. Siguió como oyente dos años más, hasta que decidió seguir otro camino. En 1974, Jobs viajó por la India durante siete meses en busca de inspiración. Jobs siguió la religión budista durante la mayor parte de su vida. A la vuelta, empezó a trabajar en la empresa de videojuegos Atari. Eso duró hasta que, viendo los progresos de su amigo Steve

ALREDEDOR DE STEVE JOBS

Sobre la figura de Steve Jobs se ha ido generando mucho misticismo, que quizá él mismo supo alimentar –de la misma manera que sus productos no eran solo productos, sino objetos de deseo. Su indumentaria resultaba muy característica. Durante una década, Jobs solía acudir a los actos públicos en vaqueros oscuros, con jersey negro de cuello vuelto y con zapatillas: una imagen de marca «Jobs». Se dice que había encargado decenas de prendas iguales a un diseñador, para despreocuparse de su vestimenta durante años. Así acudía a las presentaciones de sus productos, que él mismo realizaba y en las que dominaba la escena como pocos. Millones de personas conectaban para enterarse en directo de las últimas novedades. Teatral y efectivo. Jobs siempre dejaba lo más sorprendente para el final, cuando soltaba una frase que todo el mundo esperaba: «Ah, sí, y una cosa más…».

Jobs, durante la presentación del primer iPad en 2010.

Izquierda: el Macintosh (1984), pensado para el mercado doméstico y mundo de la edición gráfica.
Derecha: un iPhone sobre un iPad, dos de los objetos con los que Apple marcaría la pauta en la segunda década del siglo XXI.

Wozniak, que pretendía construir un nuevo ordenador, comprendió las posibilidades de ponerse por su cuenta. Ambos crearon una empresa, Apple, fundada en 1976 en el garaje de los padres de Jobs. Wozniak llevaría la voz cantante en cuanto a lo técnico; Jobs se centraría más en la visión, en lo que enganchase al consumidor.

UNA CARRERA IMPARABLE

Se enfrascaron en la creación del Apple I, una máquina primitiva, sin monitor, pero de la que se vendieron sus 200 unidades –construidas a mano y al llamativo precio de 666,66 dólares, por petición de Wozniak. Con este pequeño gran éxito, y ya con ciertos fondos, diseñaron el Apple II. En esta ocasión, el producto se acercaba más al usuario medio y el éxito fue tal que Apple salió a Bolsa para convertir en ricos a todos sus accionistas. El ascético Jobs se hacía con más dinero del que podría gastar en su vida.

El siguiente paso fue el diseño del Macintosh, otro ordenador revolucionario por su concepto y sistema operativo de ventanas, y con un ratón para desenvolverse por una pantalla. Se comercializó en 1984 y ya el anuncio televisivo fue un antes y un después, dirigido por el realizador Ridley Scott. Se convirtió en un fenómeno de masas, con especial predicamento en el mundo del diseño y de la edición.

Sin embargo, en 1985 una lucha de poder en las altas esferas de Apple llevó al entonces director de la compañía, contratado dos años antes por el propio Jobs, a relegarlo de sus funciones. Al poco, Jobs decidió salir de su empresa.

Enseguida creó una nueva compañía informática, NEXT, que pese a no lograr un gran éxito comercial, sí fabricó ordenadores muy avanzados, con un sistema operativo nuevo y potente, que sirvieron de base para nuevos proyectos. De eso se aprovechó, por ejemplo, Tim Berners-Lee para producir los servidores que darían paso a la World Wide Web (ver página 154). Ya en 1996, en plena crisis de Apple, esta decidió comprar NEXT para que el hijo pródigo volviese a la compañía, que necesitaba de su visión como nunca.

Entre medias, no hay que olvidar otro movimiento decisivo de Jobs, que fue comprar una división de animación al director de cine George Lucas, con la que crearía la empresa Pixar. Asociada en parte con Disney, la nueva productora dio un impulso trascendental, en lo técnico y en lo cualitativo, a la animación por ordenador, con joyas como *Toy Story* (1995).

Tras su regreso, Jobs demostró que su capacidad como visionario se multiplicaba con la aparición de Internet, un medio con el que supo asociarse. Intuyó que el futuro estaba en los dispositivos móviles. Y bajo su dirección se crearon el iMac (el primer ordenador integrado en una pantalla y pensado para conectarse a la red), el iPod (toda la música del usuario en un bolsillo), el iPad (un portátil del tamaño de un libro fino) y el iPhone (un teléfono móvil de pantalla táctil, que determinó el camino del mercado).

Dijo Steven Spielberg al enterarse de su muerte: «Jobs fue el mayor inventor desde Edison. E hizo lo que nadie desde entonces. Puso el mundo en nuestras manos».

Tim Berners-Lee

Padre de la World Wide Web

Agradecemos al lector su apuesta por este libro. Estamos seguros de que no hay como una lectura reposada en el sofá o en la cama para indagar sobre los mejores genios de la humanidad. Pero no somos ignorantes ni retrógrados. Hoy en día, lo mejor para informarse –y para muchas más cosas– suele ser acudir «a la web», la biblioteca más grande y universal que se recuerde. Y eso es posible gracias al proyecto que inició Tim Berners-Lee (1955), un londinense que le cambió la cara al mundo a finales de siglo xx. Quería conectar máquinas para conectarnos a todos.

INTERNET Y LA WEB

Vamos primero con un poco de Historia del siglo xx. Los orígenes de Internet son militares. A mediados de los años 70, el gobierno estadounidense decide crear una «red de redes» que uniese las del Departamento de Defensa de los Estados Unidos, cada una de ellas levantada con diferentes sistemas operativos: el proyecto se llamaría Arpanet. De ello se ocuparon, principalmente, Vinton Cerf y Robert Kahn, de escribir un protocolo –a la postre, el TCP/IP– que pudiese unir distintos ordenadores. Con el tiempo, Cerf también concebiría el primer correo electrónico. Donde queremos incidir es que Internet es algo así como la autopista asfaltada, donde pueden circular vehículos –o servicios– a alta velocidad. El más popular e imprescindible, a día de hoy, es el de la Web (o World Wide Web, o WWW). Es en esto último donde resulta imprescindible la figura de Tim Berners-Lee.

TODO SURGIÓ EN EL CERN

Berners-Lee cuenta que sus padres se conocieron mientras trabajaban en el diseño del Ferranti Mark I, el primer ordenador electrónico comercializado para el público en el mundo. Por lo tanto, creció entre cintas perforadas, el *no-va-más* de la tecnología digital en la década de 1950. Estudió Física en el Queen's College de la Universidad de Oxford, quizá como la mejor manera de mantenerse entre las matemáticas –lo que mejor se le daba– y la electrónica –su afición favorita. Con el tiempo, esta carrera lo llevaría hasta el CERN, el Consejo Europeo para la Investigación Nuclear, el mayor laboratorio de investigación en física de partículas del mundo, en Ginebra (Suiza). Primero, en una breve etapa en 1980; después, en una más larga, a partir de 1984.

Durante esa etapa crea un equipo en el que destaca su colaboración con el belga Robert Caillau. Este fue quien respaldó la primera propuesta «revolucionaria» del joven Tim, que fue ignorada por la jerarquía del CERN. Un buen –o mal– ejemplo de que hasta las mejores ideas, susceptibles de cambiar la vida del planeta, no resultan evidentes ni tienen por qué salir a la primera. Berners-Lee concibió la idea de un proyecto de hipertexto –un texto que contiene enlaces a otros textos– global. Se le ocurrió que podía adaptar un programa que había creado, el Enquire, a

HTTP://INFO.CERN.CH/HYPERTEXT/WWW/THEPROJECT.HTML

La de arriba es la primera página web de la historia, accesible desde el 6 de agosto de 1991. En ella se daban instrucciones sobre cómo crear una web propia, qué era el hipertexto o cómo buscar información. Aún la podemos visitar. Todo se realizaba bajo el sistema operativo NeXTSTEP, de la empresa informática NeXT Software. Curiosamente, esta fue la empresa que creó otro de nuestros genios, Steve Jobs, cuando Apple lo forzó a marcharse. Con el tiempo, se volvió a fusionar con Apple, siendo fundamental para el desarrollo de los sistemas operativos macOS e iOS, con los que se desenvuelven cientos de millones de internautas en la actualidad. La historia, sin duda, es circular.

las necesidades del CERN como sistema de acceso a la gran cantidad de información que había en sus sistemas informáticos. Se trataba de un sistema para compartir información basado en Internet, que permitía incluir multimedia e hipertextos, y almacenar piezas de información enlazándolas entre ellas. Para ello, fue imprescindible el desarrollo del lenguaje HTML (*HyperText Markup Language*) o lenguaje de etiquetas de hipertexto, el protocolo HTTP (*HyperText Transfer Protocol*) para conectar servidores entre sí y el sistema de localización de objetos en la Web URL (*Uniform Resource Locator*), o, en otras palabras, la dirección –lo que tecleamos– de la Web.

Cuando lo anterior se probó y estabilizó, nació la World Wide Web, para lo cual Berners-Lee diseñó y construyó el primer navegador, llamado simplemente WorldWideWeb. Esto ocurrió el 6 de agosto de 1991, a través de un servidor web instalado en el CERN (ver recuadro).

INVENTOR Y DEFENSOR

De ese servidor inicial en 1991, se pasaron a 22 en 1992 y a 200 en 1995. A partir de entonces, el crecimiento de la información disponible fue exponencial. Desde un primer momento, Berners-Lee creó la Web –recordemos, uno de los múltiples servicios que ofrece Internet, como el correo electrónico, la transferencia de archivos, la telefonía, la televisión, los videojuegos en línea, etc.– sin ningún tipo de trabas legales; liberó gratuitamente cualquier software necesario y todo el código era abierto, accesible para quien lo desease modificar. De ahí que la relevancia de su figura se engrandezca no solo por su invención, sino por su carácter universal y transversal. En numerosas ocasiones, Berners-Lee ha señalado que la concentración de poder en unas pocas grandes empresas podría alterar el sentido de la Web, y defiende con ahínco que no haya un «Internet de los pobres» y un «Internet de los ricos», como resultado de los intereses de las macroempresas, que piensan en «maximizar los beneficios en lugar de maximizar el bien social», que es el objetivo con el que lanzó la Web.

En un conferencia, declaraba: «Tengo un sueño para la Web... y tiene dos partes. En la primera parte, la Web se convierte en un medio mucho más poderoso para la colaboración entre las personas (...). Además, el sueño de la comunicación a través del conocimiento compartido debe ser posible para grupos de todos los tamaños, interactuando electrónicamente con tanta facilidad como lo hacen ahora en persona (...). En la segunda parte del sueño, las colaboraciones se extienden a los ordenadores. Las máquinas se vuelven capaces de analizar todos los datos en la Web: el contenido, enlaces y transacciones entre personas y computadoras (...). Los mecanismos cotidianos del comercio, la burocracia y nuestra vida cotidiana serán manejados por máquinas que hablan con máquinas, dejando al ser humano la inspiración y la enseñanza».

En 1994, Berners-Lee funda el World Wide Web Consortium (W3C), que él mismo preside y dirige. Su objetivo es desarrollar protocolos y directrices que garantizan el crecimiento a largo plazo de la Web, y está integrada en el Instituto Tecnológico de Massachusetts (MIT). Su proyecto de futuro es la creación de la Web Semántica –también conocida como Web 3.0– en la que la búsqueda de información sea más sencilla e intuitiva.

Sello lanzado por las Islas Marshall para conmemorar el nacimiento de la Web.

El primer servidor utilizado por Berners-Lee.

Bill Gates

EMPRESARIO, LÍDER Y FILÁNTROPO

Es difícil ver una fotografía de Bill Gates (1955) en la que no aparezca con su característica media sonrisa, satisfecha y despojada de ironía. Es posible que nos sucediera a la mayoría: cumplir tus sueños profesionales, convertirte en multimillonario –o, para ser exactos, en el hombre más rico del mundo– y luego dedicarte a hacer posible los sueños de los otros, debe dejar un gusto agradable antes de echarte a dormir. Pero todo le vino por su notable talento como programador en el momento en el que la informática despegaba, y su extraordinario olfato como empresario. Los programas de su empresa, Microsoft, inundan los ordenadores de todo el planeta.

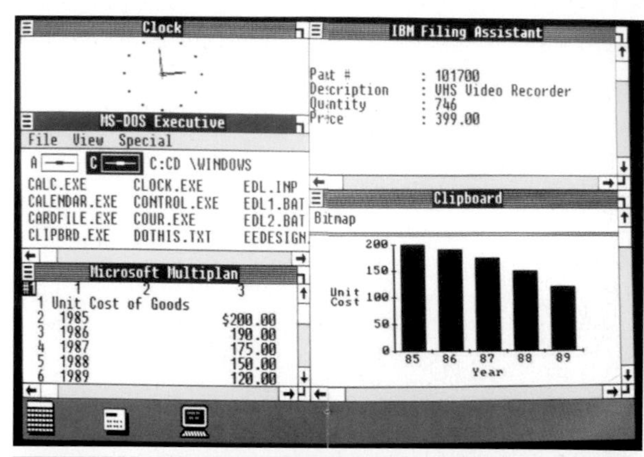

Capturas de pantalla del Windows 1.0 (1985) y de Windows 10 (2015)

TALENTO Y OPORTUNIDAD

La figura de Bill Gates ha tenido detractores y admiradores, y posiblemente ambos conserven su cuota de razón sin que por ello se reduzca la de los contrarios. Es cierto que Gates, como director y cabeza visible de su empresa Microsoft no destacó tanto por su creatividad como por saber aprovechar el momento; pero también es verdad que ese oportunismo fue clave para impulsar el crecimiento exponencial de la informática en todo el mundo, ofreciendo un software eficaz y accesible, con lo que contribuyó al progreso en la vida cotidiana y profesional de miles de millones de personas.

Gates era un talentoso programador, cuya familia acomodada le dio todas las posibilidades para entrar en un sector, el de los ordenadores domésticos, casi inexistente, en plena creación. En su época en la escuela privada de élite de Lakeside, en Seattle, conoció a Paul Allen, fundamental en su biografía y con el que fundó Microsoft. Lo hicieron en 1975, cuando Gates estudiaba en la Universidad de Harvard,

ADMIRADOR DE LEONARDO

Además de (muy) multimillonario, Bill Gates es un curioso, que gusta de compartir sus lecturas y publicitar nuevos libros a través de sus redes sociales, en especial con su blog Gates Notes. En su hogar cuenta con una enorme biblioteca; de entre sus estantes –si es que lo guarda allí– destaca el original del *Códice Leicester*, que reúne textos y dibujos realizados por Leonardo da Vinci, sobre cuestiones científicas, personales, así como diarios de viaje. Lo adquirió en una subasta en 1994 por 30 millones de dólares (actualizados a 2019, unos 50 millones de dólares). Gates emprendió su digitalización y ha distribuido libremente alguna de sus páginas. Cada año se expone en una ciudad del mundo diferente.

Izquierda: Paul Allen y Bill Gates en las oficinas de Microsoft, en 1981. Allen fue la mitad de Microsoft hasta que se le diagnosticó un linfoma en 1983. Regresó en 1990 y también fue conocido por su inmensa fortuna y filantropía. Murió en 2018.
Derecha: Gates posa junto a Steve Jobs, creador de Apple, en ocasiones su máximo rival empresarial, en 1991.

que dejó para atender a sus negocios, y no regresó (en 2007, dicha universidad le entregó un doctorado honorífico). Su empresa ideó un software (el Altair BASIC) para el ordenador Altair, uno de los primeros con cierto éxito popular. Esto fue la mejor tarjeta de visita para presentarle un nuevo sistema operativo a IBM, la empresa que habría de lanzar, definitivamente, el ordenador como producto de consumo masivo durante los años 80.

UN SISTEMA PARA DOMINAR EL MUNDO

El MS-DOS era un sistema operativo basado en la inclusión de comandos tecleados por el usuario, y se convirtió en un estándar. Eso, pese a que en 1984 Apple lanzó un sistema operativo basado en ventanas y un ratón. Pero la inercia de Microsoft ya era imparable. La gran mayoría de ordenadores personales del mundo funcionaba con su sistema, y esto hacía que todos los fabricante de *software* debieran plegarse a sus condiciones, o simplemente Microsoft fabricaba los mejores productos al conocer mejor que nadie su sistema.

A principios de los años 90, Microsoft ya había perfeccionado su Windows 3.1, copiando el sistema de ventanas y ratón, y la gama de programas de Microsoft Office se impuso, otra vez, como estándar. Más del 90 % de ordenadores personales del planeta funcionaba con *software* de Microsoft. Para entonces, la empresa ya cotizaba en Bolsa. Y de qué manera: con poco más de 30 años, Bill Gates se había convertido en el hombre más rico del planeta.

La única sombra sobre el futuro de Gates fueron las sanciones por ejercer una posición de monopolio en el mercado, tanto en Estados Unidos como en Europa. Y si esto supuso cierto freno a Microsoft, y también el hecho de no haber sabido adaptarse tan bien a Internet como otras nuevas empresas, su posición de liderazgo en el *software* sigue intacta. Los sistemas Windows 95, Windows XP, Windows Vista, Windows 7 o Windows 10, entre otros, se han sucedido como los más utilizados, y sus consolas de videojuegos se venden a millones. Las innovaciones de Gates propiciaron la expansión de la informática, y han generado una indudable evolución en las formas de producir, transmitir y consumir la información.

UN FILÁNTROPO COLOSAL

En algún momento del cambio de siglo, Gates decidió que ya lo había hecho todo en el mundo de los negocios, y que seguir amasando dinero de todos los rincones del mundo no era suficiente. En el año 2000 creó, junto con su esposa, la Fundación Bill y Melinda Gates, a la que desde entonces han donado unos 40 000 millones de dólares. Para 2008, Gates salió definitivamente de Microsoft para centrarse en sus actividades filantrópicas. Ha declarado que pretende donar el 95 % de su fortuna, y que solo quiere dejar el 5 % como herencia. Sigue apareciendo invariablemente como una de las tres personas más ricas del mundo, pero resulta innegable que su fundación es, de lejos, la que más fondos dispone y que se implica donde más se necesita. Quizá por ello, la media sonrisa de Gates es cada vez más *completa*.

Índice onomástico

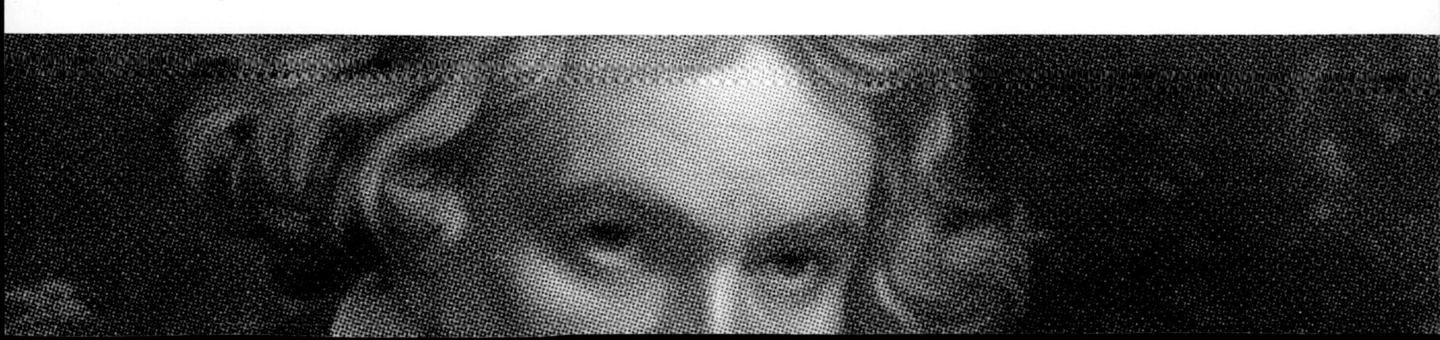

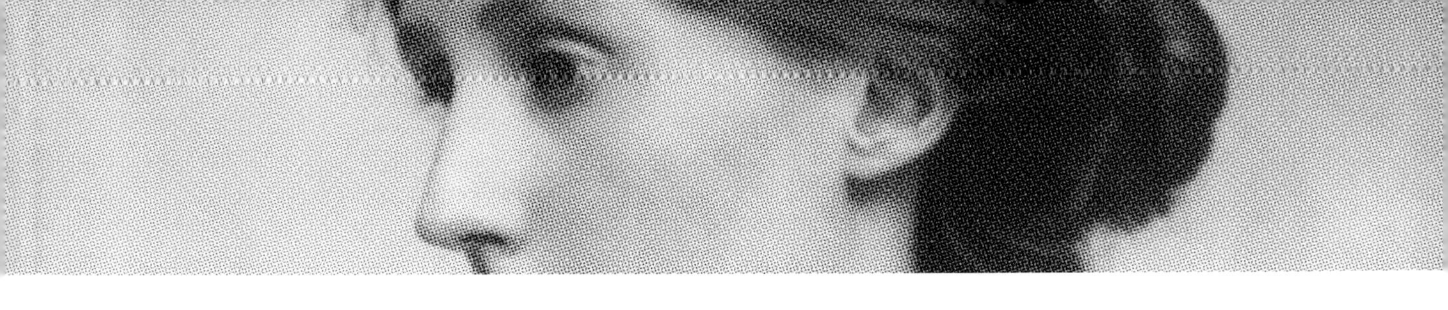

Créditos fotográficos

Los editores agradecen a las siguientes instituciones y particulares el permiso para reproducir imágenes. Si bien se han hecho todos los esfuerzos para ponerse en contacto con los titulares de los derechos, en caso de que los créditos hayan sido omitidos por error, no duden en ponerse en contacto con nosotros.

Academia, Venecia, Italia: página 27 (abajo)
Beethoven-Haus, Bonn, Alemania: páginas 64 (derecha), 65 (medio)
Benjamin Couprie: página 112 (abajo)
Biblioteca del Congreso, Washington, Estados Unidos: páginas 52 (arriba), 106 (izquierda), 108 (izquierda), 108 (derecha), 108 (abajo), 109 (abajo), 143 (abajo)
Biblioteca Nacional de Austria: página 29 (abajo)
Capitolio de Washington, Estados Unidos: página 53 (arriba)
Colección Brady-Handy Photograph: página 92 (abajo)
Coolcaesar / Wikipedia: página 155 (abajo)
David Fowler / Shutterstock.com: página 150 (izquieda)
Dirección Museo Policial–Ministerio de Seguridad de la Provincia de Buenos Aires, Argentina: páginas 102 (derecha), 103 (izquierda)
Everett Historical / Shutterstock.com: páginas 106 (medio)
Featureflash Photo Agency / Shutterstock.com: página 152 (izquierda)
Fondazione BEIC, Italia: página 69
Galería Nacional de Arte, Washington, Estados Unidos: página 97 (arriba)
Galería Narodni, Praga, República Checa: página 122
Galería Putnam, Boston, Estados Unidos: página 37 (arriba izquierda)
Galería Tretyakov, Moscú, Rusia: página 13 (derecha)
Harvard Theater Collection: página 124 (izquierda)
Instituto Cajal, Madrid, España: página 93 (dibujos)
Lenscap Photography / Shutterstock.com: página 140 (arriba)
LIFE Photo Archive: página 116
Luciano Mortula - LGM / Shutterstock.com: página 149 (abajo)
Marianne Greenwood: página 122 (arriba)
Matt Buchanan / Wikipedia: página 152 (abajo)
Matt Buchanan / Wikipedia: página 152 (abajo)
Mount Holyoke College: página 136 (arriba)
Museo Condé, Chantilly, Francia: página 60 (derecha)
Museo de Arte Moderno de Nueva York, Nueva York, Estados Unidos; página 147 (arriba), 153 (izquierda)
Museo de Arte Moderno de San Francisco, California, Estados Unidos: página 143 (arriba)
Museo de Historia del Arte de Viena, Austria: páginas 64 (izquierda), 65 (izquierda y derecha)
Museo de Orsay, París, Francia: página 97 (abajo)
Museo del Louvre, París, Francia: páginas 23, 44 (abajo)
Museo del Prado, Madrid, España: páginas 20, 21, 33
Museo Dolores Olmedo, México D.F., México: página 143 (arriba)
Museo Fotográfico Westlicht, Viena, Austria: página 67 (izquierda)
Museo Imperial de la Guerra, Londres, Reino Unido: página 121
Museo internazionale e biblioteca della musica, Bolonia, Italia: página 60 (izquierda)
Museo Nacional Centro de Arte Reina Sofía, Madrid, España: página 123 (abajo)
Museo Nacional de Ciencia y Tecnología Leonardo da Vinci, Milán, Italia: página 36 (derecha)
Museo Nacional Thyssen-Bornemisza, Madrid, España: página 134 (derecha)
Museo Picasso de París, Francia: página 123 (derecha)
Museo Pushkin, Moscú, Rusia: página 96 (abajo)
Museo Vinciano, Vinci, Italia: página 26 (izquierda)
Museos vaticanos: página 15 (derecha)
Museum of Modern Art (MOMA), Nueva York, Estados Unidos: página 153 (izquierda)
NASA: páginas 150 (derecha), 151 (arriba)
National Portrait Gallery, Londres, Reino Unido: páginas 68 (abajo), 86 (arriba)
Oldrich / Shutterstock.com: página 136 (abajo)
olegganko / Shutterstock.com: página 153 (derecha)
ostill / Shutterstock.com: página 149 (arriba)
Palacio de Versalles, Francia: página 43 (abajo)
Paolo Bona / Shutterstock.com: página 156 (izquierda)
Paolo Bona / Shutterstock.com: página 156 (izquierda)
Ransom Center, Universidad de Texas, Austin, Estados Unidos: página 19 (arriba)
Revista Fortune: página 157 (abajo)
rook76 / Shutterstock.com: página 77 (arriba)
Santa Maria delle Grazie, Milán, Italia: página 22 (arriba)
Shutterstock.com: páginas 154 (arriba), 155 (arriba)
Srg Gushchin / Shutterstock.com: página 89 (arriba)
Tony Craddock / Shutterstock.com: página 38 (centro)
Universidad de Lieja, Bélgica: página 29 (arriba)
Universidad de Texas, Estados Unidos: páginas 67 (abajo), 142 (arriba)
University College London Digital Collections: página 74 (arriba)
ValeryEgorov / Thinkstock: página 95 (arriba)
Vicki L. Miller / Shutterstock.com: página 146 (arriba)
Wellcome Collection: página 100 (arriba)
Yurii Andreichyn / Shutterstock.com: página 148 (abajo)